FIORA ET LE PAPE

ŒUVRES DE JULIETTE BENZONI
CHEZ POCKET

Les dames du Méditerranée-Express

1. La jeune mariée
2. La fière Américaine
3. La princesse mandchoue

Fiora

1. Fiora et le magnifique
2. Fiora et le Téméraire
3. Fiora et le pape
4. Fiora et le roi de France

Les loups de Lauzargues

1. Jean de la nuit
2. Hortense au point du jour
3. Félicia au soleil couchant

Les Treize Vents

1. Le voyageur
2. Le réfugié
3. L'intrus
4. L'exilé

JULIETTE BENZONI

La Florentine

***

FIORA ET LE PAPE

PLON

ISBN 2-266-04720-5

Première partie

UNE AUTRE RAISON D'AIMER

CHAPITRE I

LES IRRÉDUCTIBLES

Philippe de Selongey attendait la mort.

Pas comme une ennemie – il l'avait rencontrée trop souvent au hasard des sièges et des batailles pour la confondre avec un quelconque adversaire. Non plus comme une épouvante, car elle pouvait être le suprême visage de la miséricorde. Plutôt comme une visiteuse importune qui s'insinue et s'installe au moment où l'on souhaite le moins sa présence. Elle aurait pu venir sans qu'il y prît vraiment garde, dans une embuscade, un coup de main, au cours de l'interminable siège de Neuss ou sur la plaine de Grandson, dont un hasard providentiel l'avait tiré, sérieusement blessé, lorsque l'armée bourguignonne l'avait laissé sans plus de forces qu'une étoile de mer abandonnée par la marée tandis que ses compagnons s'enfuyaient devant les Suisses. C'eût été normal, logique même, et conforme à cet étrange marché qu'il avait conclu à Florence, un jour de janvier 1475, avec l'un des hommes les plus riches de la ville, Francesco Beltrami : en échange de la main de la ravissante Fiora, sa fille adoptive, et de la dot royale qui l'accompagnait, Philippe avait juré de n'exiger qu'une seule nuit après laquelle il disparaîtrait pour ne jamais revenir.

Il était sincère alors. Pour cette fortune qu'il destinait aux armes du Téméraire et pour quelques heures d'amour, il avait joyeusement jeté sa vie dans la balance du marchand, pensant qu'il dépensait ainsi toute la part de bonheur à laquelle il avait droit en ce monde. Pourtant, le piège de l'amour s'était refermé sur lui et, au lieu de chercher le trépas, Philippe avait tout fait pour l'éviter dans l'espoir de revoir, ne fût-ce qu'une seule fois, le visage de celle qu'il aimait. Et il l'avait revue.

Fiora et lui s'étaient aimés à nouveau alors que résonnait encore le glas du Grand Duc d'Occident et de la Bourgogne souveraine. Ils avaient vécu cette fin et aussi cette aurore d'un temps nouveau dont Philippe pensait qu'ils pourraient la partager jusqu'au bout de leur chemin terrestre. Et puis, tout avait basculé dans le chaos...

Fiora croyait qu'ils allaient connaître l'existence paisible de châtelains uniquement occupés à fonder une famille. Lui savait que cette paix n'était pas possible, la Bourgogne ayant encore à lutter pour sa princesse Marie contre la puissance irrésistible du roi de France. Il espérait que sa jeune femme attendrait sagement son retour à Selongey dans la grande demeure familiale, mais Fiora n'avait pas compris, pas admis qu'il voulût, après tant de tribulations, s'éloigner d'elle afin de mettre son épée au service d'une suzeraine qui n'était pour elle qu'une autre femme. Et puis il y avait eu ce malheureux mot d'obéissance qui avait échappé à Philippe...

Dût-il vivre centenaire – ce qui n'avait plus la moindre chance de se réaliser –, il ne pourrait oublier la dernière image qu'il avait emportée de sa bien-aimée : enveloppée à la hâte dans le drap qu'elle venait d'arracher au lit, ses noirs cheveux en désordre sur ses épaules nues et ses larges yeux gris chargés de nuages d'orage, Fiora était l'image même de la révolte et n'avait pas mâché ses mots.

Jamais son père ne l'avait astreinte à « l'obéissance »! C'était un terme qui ne faisait pas partie de son vocabulaire. Quant à lui, le mari si fraîchement retrouvé et qui osait parler en maître, il viendrait, s'il voulait la revoir, jusqu'en Touraine, pour la chercher dans le manoir que le roi Louis lui avait offert en récompense des peines endurées à son service.

Une sortie hautaine mais rapide avait sauvé la rebelle d'une violente réaction de colère conjugale. Philippe savait trop quel genre de services Fiora avait rendus à l'astucieux souverain, comment elle avait pris au piège de son ensorcelante beauté le condottiere Campobasso qui, pour la reprendre, avait trahi le Téméraire au jour du dernier combat. Fiora avait regretté ces heures d'aberration, mais Philippe trouvait du dernier mauvais goût qu'elle les lui rappelât en évoquant le paiement qu'elle en avait reçu. Pour cette seule raison, il n'avait pas poursuivi la fugitive. Il avait espéré qu'elle reviendrait, un peu confuse, mais tendre et déjà prête à reprendre avec lui le jeu grisant de l'amour. Elle n'était pas revenue. Une heure plus tard, Fiora quittait Nancy à destination du Plessis-lès-Tours, le château royal, en compagnie de sa vieille amie dame Léonarde Mercet et escortée du sergent La Bourrasque, autrement dit Douglas Mortimer, des Mortimer de Glen Livet, l'un des plus brillants officiers de la fameuse Garde écossaise du roi Louis. Aucune réconciliation n'était possible, car, pour rien au monde, Philippe ne se fût lancé à la poursuite de sa femme dès l'instant que sa route la menait vers le plus redoutable ennemi du défunt duc de Bourgogne. Le lendemain, Philippe quittait à son tour la Lorraine afin de rejoindre, à Gand, la princesse Marie de Bourgogne et la duchesse veuve Marguerite qui s'efforçaient de rassembler leurs fidèles pour faire face à un horizon devenu singulièrement sombre. La politique creusait à nouveau le fossé que l'amour croyait avoir comblé à jamais...

Pour tenter de chasser ce souvenir qui lui ôtait son courage, Philippe voulut se lever, faire quelques pas. Il lui restait peu d'heures à vivre; il ne voulait pas les user en regrets stériles. Dans le cliquetis des longues chaînes qui reliaient ses poignets à la muraille, il quitta ce qui lui servait de lit, quatre planches scellées dans la maçonnerie, et marcha vers le soupirail d'où venait le jour, en prenant bien soin de ne pas se redresser car la voûte de pierre était trop basse pour sa haute taille.

Sa fenêtre donnait sur la cour intérieure de la maison du Singe, à Dijon, qui renfermait à la fois l'hôtel de ville et la prison. Ce jour d'été l'emplissait d'une large flaque de soleil dont la lumière éclairait les geôles et même les cachots enfoncés dans le sol. Quelques brins d'herbe poussaient devant le soupirail et le prisonnier s'efforça de les atteindre. Il eût aimé les tenir dans ses mains, les froisser pour respirer leur odeur de campagne et s'imprégner encore un peu de ces joies simples qui avaient été celles de son enfance quasi paysanne. Les liens étaient étroits, qui unissaient, entre cinq et dix ans, le fils du châtelain et ceux de ses vassaux. C'était plus tard que la différence s'était fait sentir : les jeunes croquants étaient demeurés attachés à la glèbe, aux cycles des saisons, à leurs fêtes comme à leurs travaux, tandis que le petit noble s'en était allé apprendre à revêtir ce qui deviendrait sa seconde peau – cet assemblage de cuir et de ferraille qui lui permettrait d'affronter le combat – et à remplacer les épées et les lances de cornouiller par les belles lames forgées à Tolède ou à Milan. Dans son caveau de pierre où il voyait une antichambre de celui, définitif, qui l'attendait, le comte choisissait de se tourner vers son enfance, comme les très vieilles gens qui savent que leur chemin va bientôt s'achever. Penser à sa femme lui était trop cruel et il préférait l'oublier. Quant à ce combat ultime pour lequel on l'avait condamné, il comprenait à présent qu'il l'avait toujours su perdu d'avance.

Rien ne restait, ou si peu, des belles armées qu'un sort contraire avait fait fondre en un peu plus d'une année, et ils étaient nombreux ceux de Bourgogne qui souhaitaient la paix à tout prix. L'héritière, Marie de Bourgogne, dont Philippe avait impétueusement embrassé la cause, était à peine moins prisonnière dans son palais de Gand qu'il ne l'était lui-même de sa geôle dijonnaise. La plus turbulente des cités flamandes s'était refermée sur elle et sur la duchesse veuve comme un coffre d'usurier ; elle ne leur rendrait pas de sitôt la liberté. Et, duchesse souveraine par droit de naissance, Marie avait moins de pouvoir que le plus modeste de ses châtelains.

Certes, elle était fiancée au prince Maximilien, héritier d'Allemagne, mais l'engagement serait-il tenu ? Le fils de l'Empereur ne se détournerait-il pas de la Bourguignonne à demi ruinée pour regarder vers des partis plus intéressants ? Comment le savoir ? Les nouvelles des Flandres n'arrivaient plus que difficilement à la poignée de partisans qui entendaient conserver la Bourgogne à la fille du Téméraire.

Dans les tout premiers temps qui suivirent la mort du duc, les choses allèrent assez bien. D'abord, la funèbre nouvelle rencontra beaucoup d'incrédules. On disait que Charles avait échappé à la mort, qu'il se cachait quelque part en Souabe où il se remettait de ses blessures et préparait son retour. On allait d'ailleurs, et pendant longtemps, colporter, sur la fin du dernier Grand Duc d'Occident, des légendes qui auraient la vie d'autant plus dure qu'elles étaient plus fantastiques.

Néanmoins, Dijon, renseignée par ceux qui revenaient de Lorraine, sut assez vite la vérité. Les dames de la ville se rassemblèrent alors et s'en allèrent par les rues en criant « Vive Madame Marie ! » avec beaucoup de joie et d'enthousiasme, enchantées à l'idée de voir une femme sur le trône après tant d'hommes. Les hommes, eux, réservèrent leur jugement.

On apprit ensuite que le roi de France entendait reprendre cette riche Bourgogne jadis offerte par Jean le Bon à son fils Philippe le Hardi, en récompense de sa vaillance à la bataille de Poitiers. Certains pensèrent que c'était justice et qu'en tout état de cause Louis XI, s'il était moins spectaculaire que le Téméraire, était un bon roi pour ses sujets : il leur épargnait guerre et douleurs autant qu'il lui était possible et sous son règne le commerce était florissant. Mais d'autres étaient d'un avis différent et tenaient à ce que la bannière de Marie, déployée sur la tour Saint-Nicolas, y demeurât.

Philippe de Selongey était de ceux-ci et les succès remportés dans la Comté[1] par les frères de Vauldrey, qui avaient réussi à faire reculer les troupes royales de Georges de La Trémoille, sire de Craon, le confortaient dans sa décision. Malheureusement, La Trémoille, remettant cette conquête à plus tard, avait concentré ses forces sur Dijon qu'il avait enlevée avec l'aide de Charles d'Amboise et de Jean de Chalon, l'un des premiers ralliés. La Trémoille avait établi une garnison dans la ville et ordonné la construction d'un fort château destiné à défendre Dijon contre les attaques extérieures... et la garnison contre celles de l'intérieur. Franchement impopulaire, cette décision avait augmenté le nombre des partisans de la duchesse.

Dès le mois de mars, Philippe était de retour dans la ville et s'installait secrètement dans son hôtel familial qui, en apparence, demeura portes et volets clos comme s'il n'y avait personne. La maison était fermée depuis trop longtemps pour que la présence d'un chevalier de la Toison d'or, dont on savait la fidélité au duc Charles, ne parût pas suspecte à l'occupant. De ce refuge, il ne réussit pas moins à rassembler maintes bonnes volontés et maints cœurs courageux parmi ceux qui avaient été plus ou moins alliés à sa famille ou qui l'avaient servie. Une correspondance active avec les partisans des alentours lui permit de mettre au point une attaque nocturne de la ville dont lui-même ouvrirait l'une des portes le moment venu. Mais, pour venir à bout de la garnison française, il fallait beaucoup de monde et la patience s'imposait. Le secret aussi. La situation du rebelle n'était pas sans danger, car une grande partie des échevins et des grands bourgeois commençait à accepter l'idée de devenir sujets du roi Louis si la tranquillité était à ce prix.

Les alliés de Philippe appartenaient surtout à la jeu-

1. La Franche-Comté.

nesse, aux classes populaires et aux anciennes armées du duc à peu près ruinées, mais ils n'étaient pas faciles à manier parce que trop avides de passer à l'action. C'est ainsi que, le 1er juin, une échauffourée éclata à cause d'une femme malmenée par un soldat dans le faubourg Saint-Nicolas. On cria « Vive Bourgogne! », on écrivit sur les murs quelques injures à l'adresse du roi de France et on jeta des pierres aux hommes d'armes qui ripostèrent. Un peu de sang coula, puis le calme revint assez vite. Et Philippe crut avoir repris le contrôle de ses partisans, ignorant que certains d'entre eux ne voyaient dans la bagarre pour l'indépendance qu'un bon moyen de promouvoir une sorte de lutte des classes.

Le 26 juin, lors d'une absence de La Trémoille, le drame éclata à l'occasion de l'élection du nouveau vicomte-mayeur [1] de la ville, en présence d'un héraut de Marie de Bourgogne. Les magistrats municipaux s'étaient réunis aux Cordeliers. C'est alors qu'un groupe d'hommes, armés de tout ce qui avait pu leur tomber sous la main, déboucha de la porte Saint-Nicolas. A leur tête marchait, vêtu d'une longue robe « de gris-blanc », un certain Chrétiennot Yvon, jadis riche épicier à présent ruiné, et qui habitait, à Gevrey, un petit manoir appartenant aux moines de Cluny.

A peine entré dans la ville, Yvon obligea les gardiens de la tour Saint-Nicolas à lui livrer les clefs et déchira la bannière royale qui flottait au sommet. Puis lui et ses hommes descendirent vers le cœur de Dijon en appelant aux armes les partisans de la princesse Marie. Dans la foule, quelqu'un cria :

– Allons chercher ces maîtres échevins qui gouvernent la ville et qui se cachent aux Cordeliers!

Cependant l'alarme avait été donnée et les échevins dispersés par les soins de Selongey, conscient que l'on commettait là une folie. Il n'avait que trop raison : quand

1. Le maire, en quelque sorte.

Yvon déboucha sur la place des Cordeliers, il n'y trouva qu'un vieil homme, Jean Joard, président au parlement de Bourgogne, qui, confiant dans son âge et dans son influence, voulut tenir tête à l'émeute, enjoignant aux rebelles d'abandonner leurs armes et de se disperser.

– Nous sommes ici pour rendre sa ville à Madame Marie, s'écria Yvon. Songe à rendre hommage à ta princesse ou crains pour ta vie!

– Notre duchesse n'a jamais demandé que Dijon lui soit rendue en passant sur le corps des anciens serviteurs de son père, s'écria Selongey en se jetant, l'épée à la main, devant le vieil homme. Ce sont les Français qu'il faut tuer, pas les nôtres!

– Lui et ses pareils sont vendus depuis longtemps au roi Louis. Et toi, tu es comme eux, sans doute?

– Moi, je suis Philippe, comte de Selongey, chevalier de la Toison d'or et fidèle jusqu'au bout à monseigneur Charles, que Dieu garde en sa protection. Et je n'ai pas renié mon serment d'allégeance.

– C'est facile à dire, fit l'autre avec un gros rire. Le sire de Selongey ici, comme par hasard? Depuis quand es-tu arrivé?

– Depuis trois mois. Certains ici le savent, mais toi, tu es en train de détruire ce que j'ai échafaudé.

– Quelqu'un l'a déjà vu, ici?

Le regard menaçant de l'ancien épicier parcourait les visages et réclamait une réponse, tout en défiant qu'on osât la lui apporter. Personne ne bougea et Philippe comprit qu'il avait en fait bâti sur le sable.

– Bien! conclut Yvon. Alors nous allons en finir avec tous ces suppôts de Louis XI, et nous partager leurs biens. A la curée, mes enfants!

Un instant plus tard, le vieux président tombait, poignardé par Chrétiennot Yvon, et Philippe lui-même, maîtrisé par cinq ou six garçons bouchers qui lui passèrent au cou l'écharpe de velours rouge de la victime, était contraint de suivre la bande d'énergumènes qui s'en alla d'abord piller la maison du Singe après avoir solennellement proclamé la souveraineté de la princesse Marie.

Lui qui avait tant rêvé d'apporter à sa duchesse les clefs de Dijon, voilà qu'il se trouvait prisonnier de gens qui prétendaient défendre les mêmes couleurs que lui, mais qui, en réalité, ne faisaient qu'assouvir leurs vengeances et leurs appétits personnels. Toute la nuit, la bande pilla, vola, brûla les maisons de ceux que l'on croyait royalistes, comme le receveur général Vurry, le sire Arnolet Macheco et le curé de Fénay. Impuissant et navré, Philippe dut assister à ce déchaînement avant d'être ramené dans sa propre demeure, où Yvon s'installa en compagnie de ses hommes pour festoyer et compter son butin.

C'est là que, quatre jours plus tard, La Trémoille en personne les arrêta, et Philippe avec eux.

– Il est notre chef, déclara Yvon avec un sourire goguenard, messire comte de Selongey, l'un des proches du défunt duc Charles.

– Un noble à la tête d'une bande d'égorgeurs et de pillards, fit le sire de Craon méprisant. Qu'attendre d'autre d'un Bourguignon ?

– Bourguignon, certes je le suis et fier de l'être, mais j'étais prisonnier ici et je ne suis pas leur chef, protesta Philippe.

– Vraiment ? Êtes-vous donc de ceux, déjà nombreux, qui sont prêts à faire allégeance au roi, mon maître ? En ce cas...

Philippe n'hésitait jamais entre sa vie et son honneur. Et puis, il y avait le regard plein de défi que lui lançait cet ancien épicier qui venait de l'enrôler contre son gré sous sa bannière.

– Non. Jamais je ne prêterai serment au roi de France. Je suis le féal de Madame Marie, seule et vraie duchesse de Bourgogne.

– Ce refus vous coûtera la tête !

Une heure plus tard, Philippe était écroué dans les prisons de la maison du Singe et n'en sortit, enchaîné, que pour s'entendre condamner à la peine capitale.

Une semaine plus tard, la sentence n'était toujours pas exécutée. Selon le geôlier qui lui portait sa pitance, ce retard n'était dû qu'à sa qualité. On le gardait pour la bonne bouche, il serait en quelque sorte le clou du sanglant spectacle que le sire de Craon donnait à Dijon. Furieux des désordres commis durant son absence, le Français s'en vengeait en faisant régner la terreur. Depuis son retour, tout autre pouvoir que le sien demeurait suspendu et les partisans du roi purent assister au châtiment de ceux qui leur avaient porté tort. On traquait les moindres suspects et le bourreau pas plus que ses aides ne manquaient d'ouvrage. Jehan du Poix, le « carnacier » de la ville, ne cessait de torturer que pour pendre et faire sauter des têtes. Pour varier le spectacle, on trouva même, par hasard, un faux-monnayeur que l'on mit à bouillir dans un mélange d'huile et d'eau...

Décidément, il était impossible d'attraper les brins d'herbe : les chaînes qui reliaient le prisonnier à la muraille étaient trop courtes et, avec un soupir, il revint s'asseoir sur sa planche. Le soir allait tomber. La ville était étrangement silencieuse, comme si elle éprouvait tout à coup le besoin de se reposer après tant de violence. Plus de cris, plus de vociférations, plus de glas sonnant la dernière heure des condamnés ! Philippe pensa qu'il ne restait peut-être plus personne à tuer hormis lui-même. En ce cas, sa mort ne devait pas être très loin. Cette nuit serait-elle la dernière ?

Le fracas des verrous tirés lui fit tourner la tête. Un geôlier entra, portant une cruche d'eau et une miche de pain, mais ce n'était pas celui dont le prisonnier avait l'habitude. Celui-là était un homme âgé qui traînait les pieds et dont la longue barbe, d'un gris pisseux, descendait jusqu'à son estomac.

– Qui es-tu, toi ? demanda Philippe. C'est la première fois que je te vois.

L'homme posa sur lui le regard de deux yeux sans couleur bien définie et bordés de rouge.

– Bien obligé! grommela-t-il. L'Colin qui s'occupait des sous-sols s'est cassé la jambe en dégringolant d'un toit où il avait grimpé pour mieux voir l'exécution. Alors, on est venu m'rechercher, mais ces escaliers, ça vaut rien à mes douleurs. D'autant que les marches sont glissantes et qu'à mon âge...

– Qui a-t-on expédié aujourd'hui ? demanda Selongey, peu désireux d'entendre la liste des récriminations du vieillard.

– Le Chrétiennot Yvon. L'a fallu l'porter sur l'échafaud à cause d'ses jambes qu'la torture a mis en morceaux mais ça a été du beau travail. Maître Jehan du Poix l'a expédié d'un seul coup de hache et après il l'a coupé en quatre morceaux bien nets pour qu'on les accroche à des gibeteaux aux portes de la ville. La tête est à Saint-Nicolas, la jambe droite à la porte d'Ouche, la jambe gauche...

– Je n'ai pas envie d'en savoir davantage, coupa Philippe, dégoûté et inquiet pour la première fois en pensant que l'on venait peut-être de lui décrire son propre sort.

Mourir n'est rien pour un guerrier, mais s'il fallait qu'on le porte à l'échafaud à l'état de loque brisée par les tourments et débitée ensuite comme viande de boucherie, cette idée-là le révoltait et lui donnait la chair de poule. Il voulait pouvoir regarder le bourreau dans les yeux et dominer de toute sa taille la foule venue là comme au spectacle.

– Sait-on quand mon tour viendra? demanda-t-il d'une voix cependant ferme.

Le vieil homme haussa les épaules et regarda le prisonnier avec une vague pitié.

– J'sais bien qu'c'est pas agréable à entendre, mais j'crois qu'c'est pour demain. On m'a donné avis qu'un moine viendrait cette nuit pour vous exhorter. Va vous falloir du courage.

– Si je n'en avais pas, je ne serais pas ici.

Le geôlier avait enfin déposé son pain et sa cruche et,

comme un bon valet de chambre, secouait la couverture abandonnée sur la couchette.

– Vous avez eu d'la chance jusqu'ici! On vous a donné la meilleure chambre d'l'étage, celle qu'on a r'faite.

– Refaite? fit Selongey en considérant les murs salpêtrés, la voûte que l'été bourguignon ne parvenait pas à sécher et la paille à demi pourrie qui couvrait le sol. Il doit y avoir longtemps?

– Sûr qu'ç'a fait un bail, mais moi qui vous cause, j'ai connu c'te prison sans rien d'autre que d'la paille. Les chaînes étaient vieilles et rouillées et les rats couraient comme chez eux. Pourtant j'ai vu, là-dedans, une pauv' fille mettre au monde un enfant. Elle avait commis le péché de chair avec son frère et aussi celui d'adultère mais elle était toute jeunette, toute mignonne, et de la voir se tordre dans les douleurs pendant des heures, ça m'a serré le cœur.

Philippe avait pâli et regardait avec horreur, à présent, cette prison qui jusqu'alors ne lui avait pas semblé bien différente de celles qu'il avait pu connaître.

– Elle s'appelait Marie de Brévailles, n'est-ce pas? murmura-t-il. Et elle est morte cinq jours après...

– C'est ça tout juste! fit le geôlier éberlué. Vous la connaissiez?

– Non, mais j'ai connu son frère autrefois, au service de monseigneur de Charolais. C'est une triste histoire, en effet.

– Eh bien, pas si triste que ça, au fond!

– Comment?

– J'vous explique. Pendant qu'elle faisait son enfant, c'était rien d'autre qu'une pauv' chair souffrante, mais vous auriez dû la voir quand elle est partie pour l'échafaud avec son frère! Comme ils étaient nobles, on leur avait permis de faire toilette, de revêtir leurs plus beaux habits et ils étaient superbes tous les deux. Avant d'monter dans l'tombereau, il lui a pris la main et ils se sont souri. Z'avaient l'air aussi heureux qu's'y ils allaient à leur noce. Et si beaux! Tout l'monde pleurait d'les voir mourir.

– Pourtant, ils laissaient un enfant?

– Oui. Une p'tite fille qu'on avait portée à l'hospice. C'était l'plus triste parce que c'était un enfant d'péché mortel, mais on raconte que l'Bon Dieu a eu pitié d'elle. Un étranger, un riche marchand, passait par là. Il a vu mourir la mère et il a voulu prendre la p'tite. On sait pas ce qu'elle est devenue, par exemple...

Selongey retint un sourire. Il se demandait quelle tête ferait le bonhomme s'il lui apprenait que l'enfant en question était devenu sa femme. Mais il n'avait pas envie de parler davantage. Puisque le hasard voulait qu'il passât ses dernières heures dans ce cachot où Fiora avait vécu ses premiers instants, c'était pour lui un signe du destin. Il n'aurait pas, comme Jean de Brévailles, la joie de mourir avec celle qu'il aimait et de partager sa tombe, mais il partirait avec, au cœur, l'image de sa belle Florentine. Essayer de la chasser comme il tentait de le faire ces derniers temps était bien inutile. On n'échappait pas au souvenir de Fiora, aux grands yeux de Fiora, au sourire de Fiora. Peut-être qu'en pensant à elle il trouverait la mort moins amère. Au fond, elle avait eu raison de refuser la vie qu'il lui offrait. Que deviendrait-elle, à présent, si elle avait accepté de se laisser conduire à Selongey? Une veuve désespérée et irritée par la présence d'une belle-sœur aussi sotte que Béatrice, une femme que les gens d'armes chasseraient de chez elle comme il arrive le plus souvent quand il s'agit des biens d'un condamné? Qui serait peut-être molestée, emprisonnée? Philippe haïssait de tout son cœur le roi Louis, onzième du nom, et pour rien au monde il n'accepterait de le servir, mais, en cette occasion, mieux valait que Fiora eût choisi de rester auprès de lui et d'accepter le petit château qu'il lui avait offert. Ainsi, même sa mort de rebelle ne porterait pas tort à celle qu'il aimait.

Le geôlier était sorti depuis longtemps, chassé par le

mutisme du prisonnier et la nuit qui commençait à tomber. Philippe prit le pain qu'on lui avait apporté et, après avoir, du pouce, tracé un signe de croix sur la croûte brune, il en arracha un morceau et mordit dedans. Il n'avait pas faim, mais, sachant ce qui l'attendait le lendemain, il voulait l'aborder en pleine possession de ses forces. D'ailleurs, pour une fois, le pain était frais et il prit à le mâcher, à le respirer quelque plaisir. L'odeur du pain tout chaud sorti du four avait enchanté son enfance ; elle était restée l'une des senteurs qui lui étaient le plus agréables. La moitié de la miche y passa, accompagnée de quelques gorgées d'eau fraîche. Il convenait d'en garder assez pour le petit matin. On ne lui en rapporterait pas.

La nuit s'installa et les heures commencèrent à couler. Philippe avait envie de dormir, mais hésitait à se laisser aller au sommeil : le geôlier ne lui avait-il pas dit qu'un prêtre viendrait cette nuit ? Se confesser à moitié endormi est chose peu facile. Finalement, et comme le temps coulait sans amener personne, il s'étendit sur sa couchette, ferma les yeux et s'endormit.

Une main qui secouait doucement son épaule le réveilla. Il vit qu'un jour grisâtre glissait dans son soupirail et comprit qu'il avait dormi paisiblement sa dernière nuit. La main appartenait à un petit moine dont la robe grise était celle des Frères mineurs, ordre jadis fondé par saint François d'Assise. Encore englué dans le sommeil, Philippe entendit une voix douce lui murmurer :

– L'heure approche, mon fils. Je suis venu vous assister. Il faut vous préparer à paraître devant votre Créateur...

Le petit moine avait des yeux clairs, pleins de compassion, dans un visage que la maturité n'avait pas encore griffé. Philippe lui sourit.

– Je suis tout à vous, mon frère. Savez-vous combien de temps il me reste à vivre ?

– L'heure de prime n'est pas encore sonnée. Vous ne mourrez que dans le milieu de la matinée.

Le prisonnier se sentit pâlir.

– Je ne crois pas avoir assez de fautes à avouer pour tout ce temps. Sans doute, avant l'échafaud, vais-je devoir subir la question ?

– Je ne crois pas. Personne ne m'en a rien dit et, normalement, j'en aurais été averti. Je crois, ajouta-t-il avec un demi-sourire, que vous pourrez marcher fermement à la mort, si c'est cela qui vous tourmente.

Philippe ne put retenir un soupir de soulagement. C'était la meilleure nouvelle que l'on pût lui apporter. Rien ne viendrait amollir son courage, et ceux qui se rassemblaient peut-être déjà sur la place du Morimont verraient comment meurt un chevalier de la Toison d'or.

S'agenouillant devant le moine assis sur la planche, il entreprit de vider son âme de tout ce qu'elle avait pu, en quelque trente ans d'existence, accumuler de fautes, lourdes ou vénielles. Ce fut plus long qu'il ne l'avait imaginé car, à mesure qu'il remontait le temps, sa mémoire restituait des souvenirs plus ou moins ensevelis avec les visages de ceux qu'il avait tués, en guerre ou en duel. Le plus difficile fut sans doute d'avouer par quel moyen il avait obligé Francesco Beltrami à lui donner la main de Fiora et la dot fabuleuse qui l'accompagnait.

– Mais cet or, plaida-t-il, je ne le voulais pas pour moi. Il était pour mon prince dont la trésorerie en avait le plus grand besoin.

– J'entends bien, dit le moine sévèrement, c'était pourtant faire bon marché d'un âme innocente. Cette jeune fille, vous ne pouviez pas l'aimer...

– Je le pouvais si bien que je l'aime toujours, qu'elle est ma femme et que je ne cesserai jamais de l'aimer. J'ai été pris à mon propre piège et c'est là mon châtiment. Ma seule douleur est de n'avoir plus d'elle la moindre nouvelle.

Il y eut un silence que troublait seule la respiration oppressée de Selongey. Le moine le regardait sans le voir, absorbé dans un rêve intérieur. Soudain, il tira de sa robe un petit rouleau de papier qu'il mit dans la main du prisonnier.

– Un homme que j'ai vu hier au soir m'a supplié de vous faire tenir ce billet. Il contient, paraît-il, ces nouvelles que vous n'espériez plus.

Philippe prit le message comme il aurait reçu l'hostie. Ses yeux couleur d'or venaient de s'illuminer.

– Cet homme, vous a-t-il dit son nom ?

– Je n'aurais pas accepté autrement. Il m'a dit s'appeler Mathieu de Prame.

Oubliant qu'il devait rester à genoux jusqu'à ce qu'il ait reçu l'absolution, Philippe, envahi d'une grande joie, se releva et marcha vers le soupirail que l'aurore envahissait de sa lumière rose. Son cœur battait à tout rompre dans sa poitrine, presque douloureux. Ses doigts tremblaient autour du mince rouleau qu'il n'osait pas ouvrir. Quand, en mars dernier, il s'était séparé, à Gand, de Prame qui avait été son écuyer, mais dont tant d'années côte à côte dans la guerre comme dans la paix avaient fait le meilleur et le plus sûrs des amis, il l'avait envoyé en Touraine pour apprendre ce que devenait Fiora. L'idée de ne plus rien savoir d'elle lui était intolérable et personne mieux que Mathieu ne pouvait mener à bien cette délicate mission : voir sans être vu, apprendre sans que l'on devinât sa présence. L'honneur, et peut-être aussi l'orgueil, interdisait à Selongey de se rendre lui-même auprès de sa femme comme elle lui en avait intimé l'ordre de façon si cavalière, mais il craignait par-dessus tout qu'elle réalisât la dernière menace qu'elle lui avait lancée : faire annuler leur mariage, reprendre sa liberté, sa main et son cœur... peut-être pour les donner à un autre homme. Si cela était, Philippe voulait savoir à qui il lui faudrait lancer un défi de combat à outrance. Même loin de lui, Fiora resterait sa femme à tout prix.

Mathieu n'avait pas paru enchanté de la corvée :

– C'est métier d'espion que tu m'envoies faire là ?

– Métier d'ami serait plus juste. Je ne puis y aller moi-même car entrer en France serait me constituer prisonnier. Louis XI sait que je ne lui rendrai jamais l'hommage et l'occasion serait trop belle de faire de ma femme une veuve. Mais, si je dois défendre mon bien, je saurai te rejoindre. A nous deux, nous pourrions l'enlever.

– Pourquoi ne pas le faire dès maintenant, dans ce cas ?

– Parce que je veux lui laisser encore un peu de temps. Parce que je veux voir ce que vaut son amour. Pour le moment, elle ne me pardonnerait pas un coup de force.

Ronchonnant mais convaincu, Prame était parti. Quelques jours plus tard, la duchesse Marie envoyait Selongey à Dijon, et il n'avait jamais reçu les nouvelles tant attendues.

– Vous ne lisez pas ? reprocha le moine.

Philippe tourna vers lui un sourire incertain. Son hésitation était ridicule, il le savait bien. Elle tenait entièrement à ce qu'il avait peur de lire des mots cruels. Mathieu n'avait rien du chroniqueur et maniait la plume comme un apprenti moinillon. Il ne fallait pas compter sur lui pour orner d'arabesques et de lénifiante douceur la brutalité des choses.

Rassemblant son courage, Philippe déroula enfin le papier. Il contenait en effet peu de mots : « Elle va bien. Il n'est plus du tout question d'annulation car elle attend un enfant pour septembre... Pardonne-moi d'arriver si tard. Je suis ton ami fidèle et je voudrais tant t'aider... Je suis très malheureux... »

Des larmes montèrent aux yeux de Philippe qui ne chercha pas à les dissimuler. Il avait mis son âme à nu devant ce petit moine ; qu'importait alors qu'il le vît pleurer ? Comme il lisait une inquiétude dans les yeux candides, il lui tendit le message.

– Lisez, mon frère ! Vous comprendrez pourquoi je pleure... de joie. Que Dieu, dans sa bonté, m'accorde un fils, car ainsi je ne mourrai pas tout à fait.

– Je prierai pour cela, mais venez recevoir l'absolution et l'hostie car il se fait tard et j'entends du bruit.

– Un mot encore. Vous reverrez Mathieu sans doute. Dites-lui que je défends que l'on apprenne mon sort à ma femme. Pas avant, tout au moins, qu'elle ne soit délivrée. L'enfant pourrait souffrir de son chagrin... car j'espère tout de même qu'elle en aura.

– Soyez en paix ! Je le lui dirai. Agenouillez-vous, à présent, que je vous pardonne au nom de Dieu tout-puissant.

Il était temps. A peine le corps du Christ avait-il touché les lèvres du condamné que la porte s'ouvrait, livrant passage au vieux geôlier qui introduisit un barbier. Dès le prononcé de la sentence, en effet, Selongey avait demandé à être rasé avant d'être conduit à l'échafaud. Il tenait à s'y montrer sous la meilleure apparence possible.

L'opération fut rapidement menée. Le barbier était habile et sa main légère. Il poussa même la complaisance jusqu'à brosser soigneusement les vêtements poussiéreux du prisonnier.

– Je n'ai rien à te donner en paiement, dit Selongey lorsqu'il fut prêt. On ne m'a laissé ni sou ni maille.

– N'ayez pas de souci, messire. Je serai payé... et si je ne le suis pas c'est sans importance. Je suis fier d'avoir pu vous rendre ce service.

– Tu me connais donc ?

– Pas vraiment, mais ma mère est native de Selongey. C'est grande pitié de vous voir quitter le monde sans héritier.

Philippe sourit et posa une main amicale sur l'épaule de ce dernier ami.

– Je crois que Dieu y a pourvu. Si tu veux faire encore quelque chose pour un « pays », prie-Le pour que ma belle épouse qui est loin d'ici, hélas, mais qui est dans l'attente mette au monde un fils. Avec une mère comme la sienne, il saura, je crois, porter dignement notre nom.

Philippe était prêt. Le barbier se retira les larmes aux yeux et fut remplacé par un piquet de soldats qui ne dépassèrent pas la porte. Le vieux geôlier tira une clef de son trousseau et débarrassa le prisonnier des fers qui le retenaient à ses chaînes, remplacés aussitôt par une corde, si bien que, sans même avoir eu le temps de masser ses poignets endoloris, Philippe se retrouva les mains liées derrière le dos. Il protesta :

– Ne puis-je mourir les mains libres ?

– Ce sont les ordres, répondit le sergent qui commandait le piquet d'archers. Allons, à présent, il est l'heure !

Après un dernier regard à cette prison qu'il avait détestée et qui pourtant lui était devenue chère parce qu'il croyait y voir flotter l'ombre claire de Marie de Brévailles, le condamné franchit la porte basse, suivi de son confesseur qui priait tête inclinée, vint se ranger entre les soldats qui l'attendaient, gravit avec eux l'escalier dont les marches de pierre, usées par des milliers de pas ferrés, se creusaient en leur milieu, et sortit enfin dans la rue où attendait un tombereau, le même peut-être qui avait conduit les Brévailles à la mort vingt ans plus tôt, car c'était un vieux véhicule aux planches disjointes. Néanmoins, en l'apercevant, Philippe poussa un nouveau soupir de soulagement. Il avait craint l'humiliation suprême d'être traîné sur la claie, dans la poussière et les détritus, comme on en usait volontiers à Dijon avec les condamnés. Comme il n'en était rien, il se sentit tout à coup beaucoup mieux. Il se rappela qu'il n'avait pas terminé son pain, mais n'en éprouva aucun regret ; il était dispos et en pleine possession de lui-même, ce qui ne pouvait être qu'une grâce. Décidé à oublier la terre, il leva les yeux vers le ciel d'un bleu délicat que l'incandescence du soleil d'été n'avait pas encore blanchi. La journée promettait d'être belle entre toutes. Elle avait ce matin la gloire triomphante de la jeunesse. C'était un temps pour aller courir dans les prés, pour s'installer auprès d'une rivière avec un attirail de pêche et un pot de vin mis à rafraîchir dans l'eau courante, un temps pour lire de jolis vers à l'ombre d'un vieux chêne ou simplement pour respirer les roses en tenant par la main la dame de son cœur, un temps pour le bonheur et la joie de vivre, enfin...

Tandis que le tombereau s'éloignait en cahotant sur les gros pavés de la rue et que, d'un clocher à l'autre, les bourdons des églises commençaient à sonner le glas – ce glas qui ne cesserait qu'au moment où sa vie prendrait fin – Philippe choisit de regarder le sommet des arbres où chantaient des oiseaux et le ciel qui, lui, chantait si bien, ce matin, la gloire de Dieu. La terre, en vérité, n'était pas belle et il préférait l'oublier. Elle était bourdonnante de ricanements, voire d'injures qui se levaient sur le passage de l'attelage. Ce peuple était incompréhensible qui, d'abord, semblait s'être donné à sa princesse héréditaire, et qui à présent huait un homme qui avait voulu l'aider à lui demeurer fidèle. En réalité, ceux qui regrettaient le duc Charles n'étaient guère nombreux et, si l'on n'était pas tout à fait prêt à accueillir la férule du roi de France, celui qui allait mourir avait cependant l'impression affligeante que la mort du Téméraire en avait soulagé plus d'un. Plus de levées d'hommes nouveaux pour boucher les trous que les défaites avaient semés dans l'armée, plus d'impôts forcés pour le trésor de guerre ! On n'était plus obligé de cacher ses biens, de se défier du voisin. Cette ville était faite de bourgeois plus que de nobles, et les bourgeois ont toujours été amis de la paix.

A entendre toutes ces cloches, une idée vint à Selongey et il se pencha vers le petit moine qui, à ses côtés, récitait les prières des agonisants.

– Je croyais, chuchota-t-il, qu'après la bataille de Morat le duc Charles avait ordonné que toutes les cloches de Bourgogne fussent portées aux fonderies de canons ? Il me semble qu'il en reste encore beaucoup ? Je ne crois pas que l'on ait eu le temps d'en fondre de neuves ?

Le frère leva sur lui un regard stupéfait :

– Vous allez, dans un moment, paraître devant Dieu, mon frère ! Ne croyez-vous pas qu'il serait convenable d'avoir d'autres pensées ?

– Je vais quitter la terre. Laissez-moi m'y intéresser encore un peu ! Alors, ces cloches ?

– On a surtout pris celles des villages. Ici, les églises en ont donné aussi, mais les moins belles. Certaines sont de véritables œuvres d'art, avec des voix divines. C'eût été un sacrilège d'en faire des bouches à feu.

– Les humbles cloches des villages avaient autant de valeur pour tous ces paysans dont elles comptaient les heures. Ne rougissez pas, mon frère ! Là où il est... où je vais le rejoindre dans un moment, le duc Charles n'a plus que faire des mesquineries des hommes.

– Croyez-vous être vraiment en mesure de juger, à cette heure ? Oubliez ce que vous avez été pour songer à n'être qu'un homme parmi les hommes, qui a offensé Dieu.

– Je lui en demanderai pardon dans un moment. Plus un mot à présent, mon frère : nous arrivons !

Philippe éprouvait une sensation bizarre. Il venait de quitter le cachot où Marie de Brévailles avait souffert les douleurs de l'enfantement ; à présent, il s'en allait vers la mort dans un vieux tombereau, peut-être celui-là même du dernier voyage des jeunes amants incestueux, et il se sentait tout à coup proche d'eux comme il ne l'avait jamais été. Ce frémissement léger, sur son épaule, était-ce la douce main de sa jeune belle-mère ? Ce chuchotement qui arrivait à son oreille, était-ce la voix de Jean qui, jadis, alors qu'il n'était lui-même qu'un page turbulent, savait si bien le ramener dans le droit chemin et lui éviter les sévères corrections du chambellan ducal ? Nullement superstitieux et peu enclin à s'interroger sur les mystères de l'au-delà, le condamné se sentait pourtant enveloppé d'une sorte de bien-être, environné par quelque chose de chaleureux qui n'avait rien à voir avec l'ardeur du soleil, mais qui réconfortait son âme et soutenait son courage. Et ce fut tout naturellement qu'il murmura :

– Veillez sur eux, je vous en prie ! Sur ma femme et sur mon enfant. Ils vont en avoir besoin. Moi, dans un moment, je vous aurai rejoints...

– Que dites-vous, mon frère ? s'enquit le moine.
– Rien. Je priais.

Comme de coutume lors d'une exécution capitale, la place du Morimont était noire de monde. La ville entière s'y entassait, serrée au point qu'il était impossible de distinguer un visage. Il y en avait sur les toits et dans les arbres et, sur cette mer humaine, l'échafaud tendu de noir ressemblait à un radeau voguant vers la haute tribune, sur laquelle avaient pris place La Trémoille, ses officiers et quelques échevins dont les robes rouges s'accordaient étrangement à la vêture de l'homme en cagoule debout près du billot, appuyé des deux mains sur une longue épée à large lame.

A l'arrivée du tombereau, la foule fit silence. L'aspect du condamné et sa fierté lui en imposaient. On savait qu'il appartenait à l'une des plus nobles familles de Bourgogne, qu'il était chevalier de la Toison d'or et qu'il avait été l'ami du Téméraire. En outre, il était beau, et nombreux furent les yeux de femmes qui se mouillèrent. Pour les hommes, il était l'image d'un passé superbe et fastueux dont beaucoup ne voulaient plus, peut-être parce qu'il les avait conduits aux abords de la ruine, mais qui demeurait prestigieux. Les chaperons, les bonnets quittèrent les têtes tandis que les femmes se signaient.

Le lugubre équipage avançait lentement en fendant la multitude que les hallebardiers ouvraient devant lui. Et, soudain, il y eut un remous. Un homme vêtu de noir et brandissant une épée venait de bondir sur l'échafaud et hurlait :

– Peuple de Bourgogne, es-tu donc devenu assez lâche et assez veule pour laisser égorger sans broncher les meilleurs des tiens ? Cet homme n'a commis aucun crime. Il a seulement voulu que notre vieille terre demeure indépendante. Il a voulu qu'elle reste fidèle à sa duchesse, Madame Marie, qui seule a droit de régner ici et non les hommes du roi de France... Peuple de Bourgogne, tu étais fier et brave, jadis, mais à présent tu ressembles à un troupeau de moutons ! Réveille-toi ! Si tu ne le fais pas, c'est toi qui, demain peut-être, monteras sur cet échafaud...

– Arrête, Mathieu ! cria Philippe. Va-t'en ! Tu n'as aucune chance !

– C'est la tienne qui m'intéresse, hurla Prame qui agitait toujours son épée.

Le bourreau, en effet, n'avait pas bougé, la loi lui interdisant de toucher un homme dont la justice ne lui avait pas remis la vie.

– Allons, les couards ! Secouez-vous ! Aidez-moi !

Ses vifs yeux noirs regardaient partout à la fois, guettant les remous que son discours venait de créer dans la foule, espérant la vague salvatrice, mais seule une troupe de soldats courait vers lui, enveloppait l'échafaud. Sur la tribune, Georges de La Trémoille s'était levé et vociférait des ordres que l'on n'entendit pas, car à présent des cris s'élevaient un peu partout. On hurlait : « Grâce ! Grâce pour Selongey ! », mais personne ne bougeait.

– Va-t'en, Mathieu ! cria Philippe désespéré. Tu vas te faire tuer et j'ai besoin que tu vives !

Mathieu de Prame ne voulait rien entendre. Il commençait à ferrailler contre les soldats qui avaient pris pied sur l'échafaud avec une ardeur née de sa rage. Hélas, il n'était pas de force contre une troupe solide. En un instant, il fut maîtrisé, ligoté et emporté comme un simple paquet sur les épaules de quatre hommes. On ne l'avait pas bâillonné et il hurlait comme un possédé, insultant la foule qui lui avait refusé son aide.

– Vous en aviez assez du duc Charles, bande de pleutres ! Vous allez savoir ce que pèse la main du roi de France ! Adieu, Philippe, adieu ! Dis à monseigneur saint Pierre que je serai bientôt chez lui.

Il disparut au coin de la rue Saint-Jean et le condamné s'efforça d'essuyer, d'un mouvement d'épaule, la larme qui coulait le long de sa joue. Sur sa tribune, le gouverneur français s'était rassis et faisait un geste. L'heure de mourir était venue.

L'attelage vint se ranger contre la plate-forme. Le moine aida le condamné à en descendre, mais Philippe refusa son aide pour gravir les marches. Parvenu en haut, il traversa rapidement le plancher tendu de drap noir pour aller au plus près de la tribune.

– Laissez-lui la vie, messire gouverneur! C'est mon ami et il voulait me le prouver. Il savait bien qu'il n'avait aucune chance.

– Il a essayé de soulever le peuple. C'est une preuve d'amitié qui mérite la mort!

– Est-ce un crime de vouloir demeurer ce que nous sommes? Des Bourguignons?

– La Bourgogne a oublié qu'elle n'est rien qu'un apanage de la couronne de France. Votre prétendue indépendance n'était que trahison et vos ducs l'ont prouvé en s'alliant aux Anglais. A présent, le roi reprend ses droits!

– Ses droits?

– Imprescriptibles! Dans peu de jours, votre duchesse va épouser le fils de l'Empereur. Avez-vous tellement envie de devenir allemands? Nous, les Français, ne le permettrons pas! Fais ton office, bourreau!

– Songez à Dieu, mon frère! murmura le moine qui avait rejoint Philippe et offrait à ses lèvres un petit crucifix de bois noir sur lequel, presque machinalement, il posa ses lèvres.

Il se sentait envahi d'une immense tristesse. Ainsi, il s'était battu pour un leurre! Prise entre l'Empire et la France, la Bourgogne n'avait plus aucun droit à une identité propre. Qu'elle devînt terre d'empire ou province de France, cela n'avait, en fait, plus aucune importance, puisqu'il ne le verrait pas, et quand, tout à l'heure, on le coucherait dans sa tombe, la poussière qui l'ensevelirait ne serait rien d'autre que de la poussière.

Refusant le bandeau que le bourreau lui offrait, le condamné embrassa du regard la place pavée de visages tendus, les grands arbres et plus haut le ciel d'azur que rayait le vol rapide d'une hirondelle. Puis, d'un pas ferme, il marcha vers le billot, releva d'un sourire l'exécuteur qui, un genou en terre, demandait son pardon et s'agenouilla à son tour.

– Fiora! murmura-t-il. Je t'ai tant aimée et je t'aime tant. Ne m'oublie pas!

Sans trembler, il posa son cou sur la rude pièce de bois et ferma les yeux.

Le bourreau leva son épée...

CHAPITRE II

LA MAISON AUX PERVENCHES

Fiora pensait qu'il n'y avait pas au monde d'endroit plus ravissant que son manoir au bord de la Loire. Elle l'avait tout de suite aimé quand il lui était apparu, au détour du chemin de terre qui, hors les murs de Tours, menait du « pavé » au prieuré de Saint-Côme. C'était pourtant par un matin frileux de la fin janvier où la nature, saisie par l'hiver, n'était pas en son mieux. Mais que la maison était donc jolie!

Fait de tuffeau crémeux et de briques roses, le logis, bâti en équerre de part et d'autre d'une tourelle octogone, brillait de toutes ses fenêtres à verres de couleur qui reflétaient l'éclat joyeux des feux allumés à l'intérieur. A l'entour s'étendait un jardin qui, d'un côté, descendait jusqu'au fleuve et, de l'autre, se perdait dans un bois qui rejoignait les murs d'enceinte du Plessis-lès-Tours, le château royal où, la veille, Fiora et ses compagnons avaient reçu la plus chaleureuse hospitalité. Plus loin, vers le nord, l'îlot qui supportait l'antique prieuré s'enveloppait d'une brume lilas d'où son clocher émergeait mystérieusement, à mi-chemin du ciel, semblable au pieux dessin de quelque peintre angélique.

Le sentier qui menait au petit château était tout juste assez large pour une charrette et il devait être très ancien, car il s'enfonçait dans le sol entre des talus herbeux où se montraient déjà les pousses tendres des primevères et des violettes. De vieux chênes s'élevaient de chaque côté, tordant sur le ciel d'azur léger leurs branches grises couvertes de lichen. Ils formaient une sorte de voûte qui devait en été donner de la fraîcheur, et au-delà de laquelle toute la maison rayonnait d'amitié et semblait ouvrir ses bras à la voyageuse venue y chercher refuge. Après les brumes glacées de Lorraine et les neiges infinies de Champagne, les doux vallonnements du val de Loire, son air plus léger et la majestueuse splendeur de ses eaux bleutées donnaient aux voyageurs l'impression de passer d'un austère purgatoire au séjour de paisibles élus. La colère et le chagrin de la jeune femme en avaient tiré un certain apaisement. Elle n'avait plus ce visage fermé, tendu, ces yeux lourds de nuages sombres qu'elle avait emportés de Nancy, et Léonarde en avait silencieusement remercié Dieu.

Aussi longtemps qu'elle vivrait, la vieille demoiselle reverrait, deux jours après les funérailles du Téméraire, Fiora surgir dans sa chambre mal chauffée, pieds nus sur les carreaux froids, à peine vêtue d'un drap qu'elle retenait contre sa poitrine, la masse noire de ses cheveux croulant sur ses épaules mais le regard plein d'éclairs. Sans même prendre le temps d'un bonjour, elle avait ordonné, d'une voix tremblante de colère, que l'on fît les bagages, que l'on envoyât voir si l'envoyé du roi de France, Douglas Mortimer, était encore au palais. Si c'était le cas, il fallait lui demander de faire préparer des chevaux afin d'être prêts à partir dans l'heure suivante.

Naturellement, Léonarde ne s'était pas rendue sans combat. Voir sa fille élective aux prises avec une telle fureur alors qu'elle la croyait au plus doux comme au plus ardent des joies de l'amour retrouvé était bien la dernière chose à quoi elle s'attendait. Elle avait demandé des explications. Qu'on ne lui avait pas données tout de suite.

– Ce parchemin que vous m'avez montré, à Grandson, ce titre de propriété d'un petit château donné par le roi Louis, vous l'avez toujours ?

– Il ferait beau voir que je l'aie perdu ! Ce sont de ces choses que l'on serre précieusement. Je le porte cousu sous ma robe. Mais je vous rappelle que vous n'en vouliez pas.

– J'ai changé d'avis. J'accepte. C'est là que nous allons !

– Mais... votre époux ? Messire Philippe ?

– ... viendra m'y chercher quand il sera disposé à vivre avec moi !

Il n'avait pas été possible d'en tirer autre chose, mais, connaissant « son agneau » comme elle le connaissait, Léonarde, laissant Fiora entasser rageusement dans un coffre de cuir le peu de biens terrestres que leur avait laissés leur longue pérégrination à la suite du défunt duc de Bourgogne, s'était lancée à la recherche de Mortimer. Elle l'avait trouvé au moment où il se préparait lui-même à partir, mais n'avait eu aucune peine à le convaincre de les attendre puis de les escorter auprès de Louis XI. Fidèle à lui-même, l'Écossais n'avait fait aucun commentaire, se contentant de lever un sourcil. A certain pétillement de ses yeux bleus, la vieille demoiselle avait compris qu'il n'était pas mécontent du tout de ramener à son maître la jeune Florentine qu'il avait prise en amitié.

De retour au logis, ce qu'elle avait fait sans se presser, Léonarde espérait que l'orage serait passé et que, même si la dispute entre les deux époux était sérieuse, une réconciliation serait au moins amorcée. Il n'en était rien. Elle avait trouvé Fiora tout habillée, son grand manteau fourré sur les épaules, assise près d'une fenêtre, regardant au-dehors avec cet air absent de ceux qui ne voient rien. Ses yeux étaient secs mais ils étaient un peu rouges, et les joues encore brillantes de la jeune femme ainsi que sa poitrine haletante disaient assez qu'elle venait de verser d'abondantes larmes. Sans prononcer une parole, Léonarde remit un peu d'ordre dans le coffre où tout était jeté à la diable, se prépara elle-même, puis toutes deux attendirent, en silence, l'arrivée de Mortimer et des chevaux.

Durant des lieues et des lieues, Fiora ne desserra pas les dents. Elle allait son chemin à travers la bise coupante, les tourbillons de neige et le givre, droite sur sa selle, en apparence aussi insensible qu'une statue et sans prononcer plus de trois paroles par jour. C'est seulement à la halte de Troyes, après une étape particulièrement dure, qu'elle laissa déborder l'amertume qui empoisonnait son cœur. Philippe n'avait rien d'autre à lui offrir que s'enfermer au fond d'un vieux château en compagnie d'une belle-sœur qui la verrait venir sans plaisir, tandis que lui-même s'en irait mettre son épée et sa vie au service de la duchesse Marie ! Alors qu'elle avait cru les combats terminés avec la mort du duc Charles, Selongey ne rêvait que de les faire reprendre de plus belle pour l'indépendance de la Bourgogne... et pour les beaux yeux d'une princesse de vingt ans que l'on disait jolie et séduisante !

Léonarde avait laissé le flot empoisonné s'écouler, se gardant bien de l'arrêter : Fiora avait besoin de ce soulagement. C'est seulement quand, épuisée, elle se laissa tomber à plat ventre sur son lit pour y pleurer toutes les larmes de son corps qu'elle essaya, avec une grande douceur, de la raisonner : les lois de Bourgogne, comme celles de France et de tous les autres pays connus, et même de Florence, voulaient que la femme, gardienne du foyer et productrice d'enfants, restât au logis pendant que le mari vaquait à ses propres affaires et allait où son devoir l'appelait. Il n'était pas normal de vivre toujours sur les grands chemins, livrée au hasard des mauvaises rencontres... et le repos pouvait avoir bien du charme.

– Aussi vais-je me reposer, répondit Fiora, mais chez moi et non dans une maison où je ne serais qu'une intruse. Il est temps que Philippe me prouve son amour car, depuis notre mariage, il ne s'est pas donné beaucoup de mal !

– Vous êtes injuste. Il était cependant revenu à Florence pour vous retrouver. Et, plus tard, ne s'est-il pas battu pour vous, et par deux fois ? Si j'ai bien compris, vous ne lui avez pas laissé de grandes chances quand vous l'avez abandonné dans cette chambre à Nancy?

– Croyez-vous? Il me semble, à moi, que je lui en ai donné une belle, au contraire, et qu'il l'a saisie puisqu'il ne m'a pas empêchée de partir.

– Quelle chance?

– Celle de retrouver sa liberté. Je lui ai dit d'ailleurs que j'irais à Rome pour faire annuler notre mariage par le pape s'il ne venait pas me rechercher en France!

Léonarde, alors, n'avait pu retenir un soupir désolé :

– Fallait-il vraiment que par orgueil pur vous vous fassiez tant de mal, alors que vous veniez tout juste de vous retrouver? Il n'est jamais bon d'obliger un homme à choisir entre son cœur et son devoir. S'il allait... ne jamais revenir?

Au silence que Fiora garda durant quelques instants, Léonarde comprit qu'elle venait de toucher le point sensible. Dans les yeux gris elle put lire d'ailleurs une angoisse, mais ce ne fut qu'un instant : les étincelles de la rancune reprirent leurs droits. Fiora tournait comme un fauve en cage dans l'étroite chambre d'auberge qu'elles partageaient, cherchant peut-être quelque chose à casser quand, brusquement, elle s'arrêta devant sa vieille gouvernante :

– A ce qu'il fera je jugerai la valeur de son amour. Et, voyez-vous, Léonarde, je me demande si, avec un homme tel que lui, je ne me l'attacherais pas davantage en le fuyant comme je viens de le faire.

– En voilà une idée!

– Pas si folle! Je crois que je commence à connaître les hommes. Accepter de rester confinée au logis en attendant leur bon plaisir et les enfants grâce auxquels ils s'assurent de notre tranquillité est peut-être le meilleur moyen d'user l'amour. A devenir trop quotidien, il perd de son éclat.

– L'amour-passion, peut-être! Mais il reste la tendresse et cette douce trame que tissent les jours enchaînés aux jours. J'ai peur que vous ne vous lassiez vite de nuits trop solitaires.

– Le seraient-elles moins à Selongey pendant que Philippe galoperait à la queue du cheval de sa duchesse ? J'ai envie d'être chez moi, vraiment chez moi. Il y a trop longtemps que je ne sais plus ce que c'est.

Le sujet était clos pour ce soir-là et l'on n'y revint pas. Léonarde avait fini par penser qu'une retraite dans une solitude campagnarde ferait du bien à la trop impulsive jeune femme et l'amènerait peut-être à plus de sagesse et à des réactions moins irraisonnées. Elle fut d'ailleurs séduite, elle aussi, par cette maison que le roi donnait à sa jeune amie et où tout était disposé pour l'agrément de la vie.

Le manoir s'appelait La Rabaudière, mais, depuis longtemps, les gens des alentours l'avaient surnommé la maison aux pervenches à cause des longues traînées bleues qui, au printemps, éclairaient le sous-bois et eussent envahi le jardin si l'on n'y avait mis bon ordre ; elles se rattrapaient en s'accrochant à la terrasse qui, du côté du fleuve, soulignait les fenêtres de la grande salle. Leurs centaines d'étoiles d'azur foncé et leurs feuilles d'un joli bronze clair faisaient chanter la blancheur des pierres de chaînage et les murs couleur d'aurore. Quant au jardin qui ouvrait sur un verger, il avait de grands massifs à bordures de buis, tout débordants de giroflées rouges dont les touffes un peu folles enveloppaient des rosiers, des groseilliers, des romarins et des cassis qui poussaient à leur gré de chaque côté de l'allée conduisant à la volée de pierre d'où l'on gagnait la terrasse.

L'intérieur avait autant de charme que l'extérieur et semblait continuer le jardin. En dehors de la grande tapisserie mille fleurs qui était la gloire de la grande salle, pas de tissus lourds dans cette maison des bois, mais des brocatelles brillantes, des toiles brodées d'animaux familiers et de fleurettes de toutes couleurs qui habillaient les lits et les « carreaux [1] » disposés un peu partout pour le confort des corps fatigués et le repos des pieds. Les meubles étaient simples, mais d'un goût irréprochable. Ils embau-

1. Coussins carrés.

maient la cire d'abeille et supportaient de superbes étains et des objets dont certains obtinrent de Fiora un sourire attendri, comme de belles coupes en verre rouge de Venise et des majoliques vertes qui avaient dû voir le jour sous le ciel de Romagne. Quant aux nombreux coffres et dressoirs éparpillés dans les différentes pièces, ils renfermaient assez de vaisselle et de linge pour combler une maîtresse de maison, même aussi difficile que l'était Léonarde. Enfin, la cuisine, rutilante de cuivres et abondamment pourvue de jambons, de chapelets d'oignons, d'aulx et de bouquets d'herbes sèches pendus aux solives, acheva de conquérir le cœur de la vieille demoiselle qui, pour la première fois depuis bien longtemps, retrouvait l'impression délicieuse de rentrer chez elle après une trop longue absence. Fiora, elle, était entrée dans sa maison avec la simplicité d'un petit chat perdu qui trouve enfin un foyer et se roule en boule près des cendres de l'âtre pour y passer la mauvaise saison. Elle s'y intégra comme si elle l'avait connue depuis toujours.

Un couple d'âge mûr, Étienne Le Puellier et son épouse Péronnelle, avait été choisi, bien avant l'arrivée de Fiora, pour veiller à l'entretien du petit domaine. Leur maison des bords du Cher avait été emportée par une grosse crue, un an plus tôt, et Louis XI, qui connaissait Étienne depuis l'enfance et les avait recueillis au Plessis, leur avait promis de leur rendre une maison plus belle que la première s'ils acceptaient de s'occuper de La Rabaudière. Ce qu'ils avaient fait de grand cœur car ils se fussent tous deux jetés dans le feu sur un simple signe de leur « bon sire ». Ils habitaient, sous les combles de la maison, une belle chambre dont la fenêtre, couronnée d'un gable en forme de fleur de lys, s'ouvrait dans le brillant manteau d'ardoises qui couvrait la demeure. Bons Tourangeaux solides et affables, ils aimaient le travail et eussent été les gens les plus heureux du monde si le Ciel leur avait accordé un enfant, mais prières, neuvaines et fréquentes visites au tombeau du grand saint Martin, gloire de la ville voisine de Tours, s'étaient montrées inopérantes et, à quarante-cinq ans bien sonnés, Péronnelle savait qu'elle n'avait plus grand-chose à attendre de dame Nature. Elle s'en consolait en régalant son Étienne des trésors d'une cuisine dont la qualité soutenait la comparaison avec celle de maître Jacques Pastourel, qui régnait sur les cuisines royales, et il arrivait que le roi, au retour d'une de ses chasses, vînt s'installer à sa table.

Péronnelle était ronde comme une pomme, avec un visage tout en lignes douces dont la beauté résidait dans deux grands yeux de la couleur exacte de ces pervenches qui avaient baptisé la maison et, jadis, Étienne avait dû cogner plus d'une fois pour empêcher les galants de venir conter fleurette à ces yeux-là. Il s'en était toujours tiré à son avantage car il était aussi carré que sa femme était ronde, et l'usage alterné du filet de pêche, de la bêche et de la cognée l'avait doté de muscles avec lesquels il convenait de compter.

Bien loin de les chagriner, l'arrivée de Fiora et de Léonarde leur causa un vif plaisir assorti de soulagement. Ils ne savaient pas à qui, au juste, le roi avait donné la maison aux pervenches. On leur avait seulement dit que c'était une jeune dame à laquelle Louis XI voulait du bien. Aussi le couple craignait-il qu'il s'agît de quelque favorite, d'autant plus insupportable qu'elle ne serait peut-être pas sortie de la cuisse de Jupiter, et que l'âge du roi rendrait arrogante. Que Louis XI se fût donné une maîtresse alors qu'il avait juré de ne plus toucher autre femme que la sienne – ce qui ne risquait pas d'arriver souvent, la reine Charlotte vivant toute l'année au château d'Amboise à six bonnes lieues du Plessis – était déjà suffisamment préoccupant pour ces braves gens.

La beauté de la nouvelle venue, sa gentillesse et la mine si respectable de Léonarde leur ôtèrent, dès l'abord, le plus gros de leurs inquiétudes et Douglas Mortimer, qu'ils connaissaient bien et que le roi avait chargé d'accompagner la nouvelle propriétaire, acheva de les rassurer : donna Fiora était la fille d'un ancien ami du roi Louis et celui-ci avait décidé de la prendre sous sa protection après les nombreux malheurs dont elle avait été victime. Le plus grave était peut-être d'avoir épousé, jadis, un seigneur bourguignon trop ami du défunt Téméraire pour accepter de devenir français et qui, en dépit des prières de sa jeune femme, entendait reprendre les armes et courir les aventures. Aussi donna Fiora, désolée, avait-elle choisi de se réfugier auprès de son vieil ami dont elle se refusait à trahir la confiance.

Un discours aussi inhabituel chez l'Écossais, qui, en général, ne prononçait guère plus de trois paroles à l'heure, avait fortement impressionné Étienne, guère plus bavard que lui, et fait verser quelques larmes à la sensible Péronnelle. En foi de quoi le couple adopta Fiora et se mit en quatre pour lui faire goûter le bonheur qu'il y avait à vivre en pays tourangeau. Avec d'autant plus d'enthousiasme que l'accord entre Péronnelle et Léonarde avait été immédiat, en dépit d'une certaine différence d'âge. Très pieuses l'une et l'autre, elles surent s'entendre sur l'art de mener à sa perfection le train de la maison car, si Léonarde avait jadis régné sur un palais florentin et une somptueuse villa, elle savait mettre une sourdine à l'espèce de suprématie qu'elle pouvait tirer de ses talents et admirer en toute bonne foi la spécialité dans laquelle Péronnelle était passée maîtresse, c'est-à-dire l'art culinaire. De son côté, Péronnelle appréciait à sa juste valeur le tact de la vieille demoiselle, lui avait remis d'elle-même les clefs des coffres et des armoires et faisait son profit des connaissances rapportées par sa compagne d'au-delà des Alpes. En outre, elle ne se lassait jamais de l'entendre évoquer pour elle les merveilles de cette fabuleuse ville de Florence qu'elle n'avait aucune chance de visiter un jour. Il n'était pas rare de voir, dans la vaste cuisine, Léonarde trier le linge tout en décrivant à sa nouvelle amie, occupée à tourner une sauce, les bruits, les couleurs et les senteurs des marchés du vendredi. D'autres fois, le contraire se produisait, et Péronnelle initiait Léonarde aux us et coutumes tourangeaux ainsi qu'aux potins, bonnes histoires et autres cancans qui couraient la ville et la campagne, car elle avait une sorte de génie pour être toujours au courant de ce qui se passait dans les environs.

Incontestablement, Péronnelle était bavarde et, par ce trait, elle rappelait un peu à Léonarde la grosse Colomba qui était à la fois son amie et sa meilleure source de renseignements à Florence. Mais le débit tumultueux de la gouvernante des Albizzi était bien différent de celui de dame Le Puellier. Celle-ci était une conteuse-née qui savait donner couleur et piquant au récit de la plus banale dispute entre deux paysannes au marché du faubourg Notre-Dame la Riche. En outre, son langage, dépouillé de toute vulgarité, avait une certaine pureté et une élégance dont Léonarde n'avait pu se retenir de lui faire compliment.

– Cela tient, dit Péronnelle, à ce que je suis née dans ce pays. Nous autres, gens de Touraine, sommes connus dans tout le royaume pour être ceux qui parlent le mieux notre langue. Mais ne me demandez pas d'où cela nous vient, je serais incapable de vous répondre. Je pense néanmoins que c'est un peu pour cette raison que notre bon sire le roi Louis aime tant à s'entretenir non seulement avec les grands bourgeois de Tours, mais aussi avec les petites gens comme mon Étienne et moi.

Léonarde en conçut un nouveau respect pour sa compagne, ainsi qu'un peu plus d'amitié pour ce doux pays où il faisait si bon vivre. Elle s'y attachait chaque jour davantage et en vint à redouter les deux événements susceptibles de troubler sa béatitude : l'arrivée subite de Philippe venu rechercher sa femme pour l'emmener de gré ou de force dans sa forteresse bourguignonne, et la réalisation de la menace proférée par Fiora : partir pour Rome afin d'y demander au pape l'annulation de son mariage. Le fait que la jeune femme semblait se plaire dans son nouveau logis et ne prononçait jamais le nom de son époux n'arrivait pas à la rassurer tout à fait : elle connaissait trop son impulsivité et ce besoin de bouger inhérent à sa nature.

Aussi quand, certain matin du mois de mars, Fiora, en se levant, bouda son écuelle de panade au lait miellé, déclara qu'elle avait mal au cœur et s'évanouit avec grâce sur le pavé de la cuisine entre les pieds de Léonarde et de Péronnelle, les deux femmes se regardèrent-elles avec les mêmes yeux brillants comme des chandelles et tombèrent dans les bras l'une de l'autre avant de songer seulement à lui porter secours.

– Un enfant ! clama Péronnelle, notre jeune dame attend à coup sûr un enfant ! Loués soient le Seigneur Dieu et Notre Dame qui ont béni cette maison !

Léonarde pour sa part en pleurait de joie et, une fois la future mère confortablement installée dans son lit, elle courut d'une traite jusqu'au prieuré de Saint-Côme pour y faire aumône et y brûler quelques cierges. Il ne serait plus jamais question de ce démentiel voyage à Rome puisque l'union de Philippe et de Fiora allait porter fruit.

La nouvelle, quand elle en eut conscience, stupéfia Fiora. La pensée que Philippe ait pu, au cours de leurs nuits passionnées de Nancy, lui faire un enfant ne l'avait jamais effleurée. Son amour pour lui, elle l'avait enfoui au plus profond de son cœur, sous une couche de rancune et de jalousie si épaisse qu'il lui arrivait de l'oublier. Et voilà qu'il était en train de pousser un rameau à cet amour étouffé, un rameau qui allait bourgeonner durant le printemps qui s'annonçait et l'été qui suivrait pour fleurir quand mûriraient les raisins. Et le lien qui l'attachait à Philippe allait devenir trop puissant pour être jamais arraché, sinon au prix de sa propre vie.

Le malaise qui s'était emparé d'elle l'avait quittée comme une vague se retire. La maison était calme, chaude et silencieuse, à la seule exception des bruits montant de la cuisine où Péronnelle jouait sur ses casseroles de cuivre une musique triomphale. Fiora alors se leva et, sans même songer à chausser ses pantoufles, alla jusqu'à une longue et étroite glace de Venise, assez semblable à celle que son père avait jadis fait venir pour elle, et qui était la plus grande richesse de sa chambre. Là, elle laissa tomber sa chemise et examina son corps avec l'idée que peut-être elle y trouverait un quelconque changement, mais sa taille était toujours aussi mince, son ventre aussi plat et ses seins exactement semblables à ce qu'ils étaient la veille.

– Il est trop tôt, fit Léonarde qui entrait et la surprit dans cette position. Si nous comptons bien, vous devez être enceinte de deux mois, mon agneau. J'espère que vous êtes contente ?

Bien sûr elle l'était, et c'était une sensation délicieuse, après deux mois de repliement sur soi-même. Apprendre qu'une vie commençait à germer en elle lui ôtait ce sentiment accablant de n'avoir en ce monde aucune utilité, aucun prix réel puisque l'homme qui, un soir d'hiver, lui avait juré de la protéger, de la chérir, de la défendre et de la garder en son lit et en sa chambre jusqu'à ce que la mort les sépare lui préférait la guerre et le service d'une princesse dont on disait qu'elle allait se faire allemande. Désormais, Fiora avait une raison d'être et un but : donner le jour au plus bel enfant du monde et puis, même si le père ne revenait jamais, l'élever, en faire un homme fort et sage pour qui les armes et les fureurs des combats ne représenteraient pas le bien suprême ; un homme qui saurait s'arrêter pour respirer une fleur, pour admirer la beauté d'un paysage ou d'une œuvre d'art, ou simplement pour parler au coin d'une rue avec un ami de choses utiles à l'État ou des dernières découvertes de l'esprit humain. Un homme, enfin, qui ressemblerait à Francesco Beltrami beaucoup plus, en fait, qu'à son propre père.

C'était sans doute illogique, et même aberrant, mais l'idée que son fils pût devenir un grand pourfendeur uniquement attaché à la force, voire à la brutalité, lui faisait horreur. Elle avait vu la guerre trop longtemps et de trop près pour n'en être pas dégoûtée, si tant est qu'elle lui eût jamais trouvé le moindre charme.

– Et si c'est une fille ? hasarda Léonarde qui demeurait la confidente des pensées de la jeune femme.

– C'est une idée qui ne m'avait pas encore effleurée. Pour moi, l'enfant de Philippe ne peut être qu'un garçon. Il faut d'ailleurs que ce soit un garçon ! N'allez surtout pas en conclure que je ne saurais pas aimer une petite fille ? Bien au contraire, car elle serait davantage à moi. Il faut toujours, un jour ou l'autre, remettre un jeune mâle à des maîtres. Mais je suis persuadée qu'il faut me disposer à continuer les Selongey.

Elle n'ajouta pas, mais c'était son espoir secret, que l'attrait d'un fils saurait peut-être ramener Philippe à une plus saine compréhension de la vie familiale. Dès lors, elle se prépara à ce grand événement, écoutant sagement les conseils que lui prodiguaient Léonarde et Péronnelle. Cette dernière se mit la cervelle à la torture pour confectionner des mets qui n'inspireraient aucun dégoût à la future mère, et tenteraient même son appétit. On bannit les succulentes mais lourdes cochonnailles dont Tours était fière à juste titre pour des nourritures plus légères. Fiora eut des laitages, des fromages frais, des pâtisseries aériennes, des volailles fondantes et les meilleurs poissons qu'Étienne allait pêcher dans la Loire. Elle eut aussi, tant que durèrent les nausées, des tisanes de mélisse et de menthe, et, quand le printemps couvrit les talus de primevères et fit éclater en énormes bouquets blancs ou roses les arbres fruitiers du verger, Fiora, ce premier temps d'épreuves dépassé, se sentit bien mieux qu'elle ne l'avait été depuis longtemps et prit une part active aux préparatifs de la naissance : la layette à confectionner.

La vie, dans la maison aux pervenches, était très calme, retirée et même assez solitaire. Fiora s'en réjouissait car elle avait craint, un moment, que le voisinage immédiat du château royal ne fût une source d'agitation sinon d'envahissement. C'eût été sans doute le cas si Louis XI avait résidé au Plessis mais, presque au lendemain de l'arrivée des voyageuses, il avait quitté sa demeure de prédilection avec la plus grande partie de sa maison pour rejoindre ses armées du Nord.

Il entendait, en effet, ne confier à personne le soin de recueillir l'héritage du Téméraire et, en fait, il n'avait laissé à son ennemi que peu de chances d'échapper au piège de Nancy : à l'instant même où les glaces de l'étang Saint-Jean se refermaient sur le corps agonisant du dernier des Grands Ducs d'Occident, les armées du roi de France prenaient position aux frontières de la Lorraine, près de Toul, près de Metz, ainsi que sur la Somme, et il y avait beau temps qu'elles n'attendaient qu'un signal pour s'enfoncer en Bourgogne dont les limites étaient déjà franchies. Depuis, la guerre faisait rage en Artois et en Picardie, cependant que les puissantes cités flamandes, plus soulagées que chagrinées d'une mort qui les libérait d'une tutelle dont elles refusaient le poids, laissaient entendre à Marie de Bourgogne que le temps n'était plus où l'on remettait en question leurs anciennes franchises et qu'en tout état de cause elle était, dans son palais de Gand, beaucoup plus prisonnière que souveraine. Pour mieux le lui prouver, on fit tomber les têtes du dernier chancelier de Bourgogne, Hugonnet, et du sire d'Humbercourt qui était l'un des plus solides conseillers de Marie.

Ne sachant plus de quel côté se tourner, l'héritière infortunée avait, sur la fin du mois de mars de cette année 1477, écrit au fils de l'empereur Frédéric, considéré par elle comme son fiancé, une lettre désespérée l'appelant à son secours. C'était à peu près au moment où Philippe de Selongey s'introduisait dans Dijon, la capitale du duché dont il espérait, en l'amenant à la rébellion, faire le foyer de la résistance.

Tous ces événements, Fiora, au fond de son manoir tourangeau gardé par la forêt et par le fleuve, les ignorait. Elle en eut une certaine idée quand, en avril, elle reçut la visite inopinée du sire d'Argenton, Philippe de Commynes, qu'en sa qualité de premier conseiller du roi elle croyait occupé à guerroyer à ses côtés.

Il s'était montré pour elle un ami dans des circonstances difficiles et elle l'accueillit avec le plaisir que l'on éprouve à recevoir quelqu'un que l'on aime bien, lui offrant le repos au coin de la cheminée où brûlait une pile de rondins odorants et le gobelet de vin d'usage dans toute maison accueillante pour l'arrivée d'un voyageur. Pendant ce temps, Léonarde courait sur son ordre prévenir Péronnelle qu'elle eût à mettre les petits plats dans les grands. Commynes était gourmand, elle le savait, et possédait un bel appétit flamand qu'il convenait de contenter. Pourtant toutes ces attentions n'arrachèrent au conseiller royal qu'un gros soupir :

– Vous allez bientôt regretter de vous mettre à ce point en peine pour moi. Vous vous imaginez sans doute que je vous apporte quelque message de notre sire ?

– C'est vrai, avoua Fiora. Je le pense, mais s'il n'en est rien vous n'en êtes pas moins le très bien venu. Est-ce que, depuis Senlis, nous ne sommes pas amis [1] ?

– Je l'espérais et c'est pourquoi, sur le chemin de mon exil, je n'ai pu me retenir de venir passer un moment auprès de vous. Une façon comme une autre de me consoler.

– Le chemin de votre exil ? Vous êtes brouillé avec le roi ?

– Brouillé, c'est peut-être beaucoup dire. Disons que je l'indispose et qu'il souhaite m'éloigner de lui pour un temps. Il m'envoie à Poitiers.

1. Voir *Fiora et le Téméraire*.

– A Poitiers ? Et qu'allez-vous y faire ?

– Je n'en sais trop rien. Débrouiller je ne sais quelle histoire provinciale avec les échevins de la ville, une misère pour un homme comme moi. Il est vrai que je l'ai fort indisposé avec mes reproches.

– Vous avez fait des reproches au roi, vous ?

– Moi. Et le pire est que je ne le regrette pas et que je suis tout prêt à recommencer.

– Mais pourquoi ?

– Parce que je me demande s'il n'est pas devenu fou ! Par grâce, Madonna, versez-moi encore un peu de ce vin de Bourgueil ! J'en ai grand besoin car j'ai à dire des choses amères. Je ne reconnais plus du tout notre sire. Lui si sage, si prudent, si ménager de la vie d'autrui... voilà qu'il se conduit exactement comme l'eût fait à sa place le défunt duc Charles.

– Vous voulez dire qu'il massacre ceux qui lui résistent ?

– C'est à peu près cela. Pourtant, tout se passait si bien ! Le roi a commencé par intimer l'ordre à René de Lorraine de se tenir tranquille et de ramener ses troupes chez lui. Puis il a acheté Sigismond d'Autriche pour qu'il reste dans son Tyrol et en a fait autant avec les Suisses pour qu'ils acceptent de se contenter de ce qu'ils ont gagné. Et là-dessus, juste après votre arrivée, nous sommes partis pour les pays de la Somme. Alors... !

Et Commynes, avec la prolixité et le luxe de détails d'un homme pour qui la politique est une seconde nature, raconta à son hôtesse comment Louis XI avait pénétré en Picardie et en Artois sous le fallacieux prétexte de protéger les biens de Marie de Bourgogne – qui d'ailleurs était sa filleule –, comme doit en user un bon parrain envers une orpheline. Nombre de villes comme Abbeville, Doullens, Montdidier, Roye, Corbie, Bapaume, etc., s'étaient laissé prendre sans grandes difficultés et n'avaient pas eu à se plaindre ; mais d'autres, mieux tenues en main peut-être par les gouverneurs bourguignons, avaient refusé de se rendre et appelé Marie au secours. Elles surent alors ce que pesait la colère du roi de France : assauts, pillages, exécution des notables, expulsion des habitants et destruction de tout ou partie des villes coupables. Ce n'était plus l'Universelle Aragne tissant patiemment ses fils du fond de son cabinet, c'était Attila menant ses troupes à la curée. Arras, à demi détruite, fut vidée de ses habitants que l'on remplaça par de pauvres gens qui avaient eux aussi tout perdu.

– C'est là, conclut Commynes, qu'est intervenu le dissentiment entre le roi et moi. Je lui ai reproché ces grands excès si peu conformes à sa nature, et il m'a reproché d'être demeuré trop flamand et de nourrir de la sympathie pour ses ennemis. Voilà pourquoi vous me voyez sur la route de Poitiers avec, pour seule consolation, la pensée que je vais pouvoir aller saluer dame Hélène, ma belle épouse, dans sa cité de Thouars.

– Il est vrai que vous ne la voyez pas souvent. Est-il normal qu'une femme vive renfermée sur ses terres avec sa maisonnée tandis que son époux réside à la cour du souverain ? murmura Fiora songeuse. Il semble que vous n'alliez voir la vôtre que lorsque vous ne pouviez pas l'éviter ? Vous me faites l'effet de gens bien étranges, tous tant que vous êtes, Français et Bourguignons ! Chez nous, mari et femme vivent l'un près de l'autre jusqu'à ce que la mort les sépare. Et ne me dites pas que c'est là une vie bourgeoise : monseigneur Lorenzo et donna Clarissa, son épouse, s'ils ne sont pas toujours sous le même toit, demeurent au moins dans la même ville. Mais ici, le roi vit au Plessis et la reine à Amboise ; votre épouse vit à Thouars et vous auprès du roi, et...

Fiora s'était animée en parlant. L'ivoire pâle de son visage avait un peu rougi, cependant qu'une larme scintillait dans ses grands yeux gris. Et sa voix chaude faisait entendre une légère fêlure. Commynes la contempla un instant sans rien dire, se délectant au spectacle de sa beauté qui semblait aller vers la perfection comme une rose sur le point de s'épanouir. Elle était assise dans une haute chaire de chêne sculpté douillettement rembourrée de coussins de brocatelle d'un vert argenté qui mettaient des reflets d'eaux profondes sur la robe de moelleux « blanchet » brodée de menues feuilles de saule et de violettes pâles qui formaient guirlande autour des manches, du profond décolleté qu'une gorgerette de mousseline rendait plus modeste, et du bas de la robe. Ses beaux cheveux simplement tressés d'un ruban formaient une épaisse natte qui glissait contre son long cou gracieux et lui donnait l'air d'une toute jeune fille.

Dans ces simples atours, elle était plus éclatante que jamais. Pourtant, l'œil vif du sire d'Argenton croyait bien remarquer que, sous les amples plis veloutés retenus sous les seins par une large ceinture d'argent, le corps semblait s'être légèrement arrondi. Il la vit alors avec d'autres yeux : elle n'était plus seulement un être d'une exceptionnelle séduction et d'un courage peu commun, elle était aussi une femme rendue fragile par une future maternité qui ne savait sans doute pas grand-chose de l'homme qu'elle aimait ; une femme qui avait, surtout, le plus grand mal à s'adapter à cette forme de vie séparée qu'imposent souvent la vie de cour et les exigences de la guerre. En Italie, la guerre était l'affaire des mercenaires : le prince qui avait su choisir les meilleurs et les plus nombreux avait de fortes chances de l'emporter. Les gens de Florence, comme les autres, payaient pour rester chez eux, quitte à s'y entre-tuer de temps en temps mais, quand un danger quelconque approchait des remparts, c'était toute la population qui se battait, les femmes au coude à coude avec les hommes. Fiora ne comprendrait jamais pourquoi le service d'un suzerain quelconque devrait la condamner à la solitude sur ses domaines.

Doucement, il prit l'une des jolies mains qui reposaient sur les genoux de la jeune femme, la plaça entre les siennes et acheva la phrase qu'elle avait laissée en suspens.

– ... et votre propre couple, plus séparé encore puisque votre époux sert la duchesse Marie et que vous-même êtes attachée à la France.

– Par mes amitiés, mes intérêts puisque le peu de fortune qui me reste se trouve en ce pays, enfin parce que je n'ai aucune raison de combattre le roi Louis qui a été bon pour moi.

– Mais vous attendez un enfant et votre dilemme n'en est que plus douloureux. Que puis-je faire pour vous aider, mon amie ?

Elle était devenue très rouge et les larmes qu'elle ne pouvait retenir glissaient sur ses joues.

– Vous qui savez toujours tout, pouvez-vous me dire où il est ? Depuis bientôt quatre mois que je l'ai quitté, je n'ai eu aucune nouvelle.

– J'aimerais pouvoir vous contenter, mais c'est difficile, même pour moi. Marie de Bourgogne et la duchesse veuve sont tenues par les Gantois en étroite surveillance dans leur palais du Coudenbergh, bien plus otages que souveraines, et nos espions n'ont aucun moyen de savoir ce qui se passe chez elles. Néanmoins, je peux vous dire que, si messire de Selongey est demeuré près d'elles jusque il y a peu, il semble qu'il ait récemment disparu.

– Disparu ?

– Ne l'entendez pas au mauvais sens, Madonna. J'entends qu'il n'est plus à Gand, et je pense que Madame Marie a dû le charger d'une mission, peut-être en Franche-Comté, plus vraisemblablement en Bourgogne où, paraît-il, la nouvelle de la mort du Téméraire n'a pas fait verser d'abondantes larmes. Il aurait alors à réchauffer cet enthousiasme défaillant.

– Autrement dit : il est en danger ! Mon Dieu !

– Calmez-vous, je vous en prie. Ce ne sont que des suppositions. La duchesse a pu aussi bien l'envoyer à son fiancé pour le prier de se hâter. Je vous le répète : nous ne savons rien. Ce que je peux vous promettre, c'est de vous faire parvenir des nouvelles dès que j'en aurai reçu.

– Croyez-vous qu'en Poitou vous en recevrez beaucoup ?

– Voilà que vous remuez le fer dans la plaie ! fit Commynes en riant. Mais soyez bien certaine que je garde, ici et là, quelques bons informateurs et que, de toute façon, je ne resterai pas longtemps à Poitiers. Je vais fort m'ennuyer de notre sire... mais lui s'ennuiera encore plus !

Léonarde, entrant pour annoncer que l'on allait servir, trouva les deux amis en train de rire, ce qui la rassura. Commynes, tout français qu'il était devenu, gardait un petit fumet bourguignon qui n'était pas sans l'inquiéter vaguement, mais au cours du repas qui suivit elle l'oublia. Commynes était toujours un convive aimable, joyeux et disert. Ce jour-là, comblé par un admirable saumon de Loire à la sauce au citron, suivi de boudins blancs à la chair de chapon et d'une succulente fricassée de gélinottes et de bartavelles aux champignons, le tout arrosé des jolis vins de Loire qu'Étienne Le Puellier élevait pieusement dans le cellier de la maison, il fut étincelant, étourdissant de bonne humeur. Fiora riait et Léonarde, heureuse de l'entendre rire, se montra pleine d'attentions pour le visiteur de passage.

Le lendemain, Commynes reprenait le chemin de son exil, laissant derrière lui une Fiora pleine d'espoir. En effet, peu désireuse de servir l'empire allemand, la haute noblesse bourguignonne commençait à regarder d'un œil adouci les mains chargées de présents que le roi Louis tendait vers elle. Les ralliements se succédaient, d'autant que le roi avait payé quelques-unes des rançons que les nobles prisonniers du dernier combat devaient verser au duc de Lorraine. Et, au moment de la quitter, Commynes avait murmuré :

– Le Grand Bâtard Antoine, lui-même, le frère préféré et le meilleur capitaine du défunt duc, songerait à se tourner vers nous. Votre époux ne pourra pas toujours jouer les irréductibles. Un jour, il fera comme les autres : il choisira la France.

Il ne pouvait rien lui dire de plus réconfortant. Si le Grand Bâtard pensait que la Bourgogne devait revenir dans le giron français et se souvenait que ses armes portaient les fleurs de lys, il entraînerait à sa suite ceux qui avaient pour lui estime et amitié. Philippe était de ceux-là. Il bouderait peut-être quelque temps encore. L'important était qu'il n'eût pas commis quelque action irréparable, et Fiora se souvenait trop bien d'avoir réussi, de justesse, à lui éviter l'échafaud pour avoir tenté d'abattre le roi Louis [1]. Évidemment, s'il avait choisi de suivre en Allemagne la duchesse Marie, il était possible qu'il ne revienne pas avant longtemps.

Cette idée, Fiora la repoussait de toutes ses forces. Elle devait garder l'esprit clair et plein d'espérance pour que son enfant hérite à travers elle de ces heureuses dispositions. Après la naissance, peut-être pourrait-on se mettre à la recherche de Philippe. Le roi serait probablement revenu de ses campagnes, son aide serait précieuse. L'enfant ferait le reste.

Peu de temps après la visite de Commynes, un nouveau voyageur vint frapper à la porte du manoir. C'était, venant de Paris, le jeune Florent, l'apprenti banquier d'Agnolo Nardi [2]. Il arriva par un soir de pluie, trempé comme un barbet en dépit du gros manteau à capuche qui l'emballait et s'étalait sur la croupe d'un cheval tout aussi mouillé, mais ses yeux brillaient comme des chandelles et il rayonnait la joie par tous les traits de son visage.

Florent apportait, avec une longue lettre d'Agnolo emplie de détails financiers et d'affection, toute la chaleur amicale des habitants de la rue des Lombards et une bourse assez ronde qui contenait les intérêts de Fiora dans les affaires de l'ancienne maison Beltrami. Fiora s'étonna que l'on eût confié une telle somme à un tout jeune homme lancé au hasard des grands chemins, mais celui-ci

1. Voir *Fiora et le Téméraire.*
2. *Id.*

ne fit que rire de ses craintes rétrospectives : grâce à Dieu, la police du roi Louis était bien faite et les routes de France où couraient à présent les chevaucheurs de la poste royale aussi sûres qu'il était possible.

– Dans ce cas, pourquoi n'avoir pas remis tout ceci à la poste ? demanda malicieusement Fiora, renseignée depuis longtemps sur la nature des sentiments que lui portait le jeune homme. Je suis confuse que vous ayez pris toute cette peine, Florent. Ce long chemin, et par ce temps...

– D'autant, fit Léonarde en écho, que la belle saison n'est pas pour demain. Les gens de par ici prévoient une assez longue période de pluie. Le retour ne sera pas plus agréable.

Occupé à se brûler héroïquement avec l'écuelle de vin aux herbes bouillant dont l'avait gratifié Péronnelle tandis que son manteau fumait devant le feu de la cuisine, Florent sortit du récipient des joues rouges et vernies comme une pomme d'api et un regard d'épagneul amoureux.

– Avec votre permission, donna Fiora... je ne repartirai pas. Je suis venu pour rester, et maître Nardi le sait !

– Vous voulez rester ici ? Mais, Florent, pour quoi faire ? Je n'ai pas besoin d'un secrétaire !

– Pour être votre jardinier. Vous savez que je n'ai jamais eu le goût des écritures et que, chez maître Nardi, je m'occupais beaucoup plus de fleurs et de légumes que de comptes et de lettres de change.

– Mais votre père ? Il voulait que vous deveniez banquier. Il doit être furieux.

– Il l'a été, dit Florent joyeusement en secouant sa tignasse couleur poussin qui, en séchant, se mettait à ressembler à un petit toit de paille, mais ma mère a pris ma défense. Que je veuille soigner le jardin d'une grande dame lui convient tout à fait. D'autant que mon frère cadet, qui n'aime que la finance, s'est déjà précipité pour prendre ma place. Je suis donc libre de vous servir.

– Vous ne manquez pas de toupet, mon garçon, intervint Léonarde qui faisait de gros efforts pour être sévère. Il ne vous vient pas à l'idée que nous n'avons aucun besoin de vous ?

Les yeux d'épagneul se remplirent de larmes.

– On a toujours besoin d'un bon jardinier dans un domaine, et le vôtre me semble beau. Oh, je vous en supplie, donna Fiora, ne me renvoyez pas ! Laissez-moi rester ici, auprès de vous. Je ferai ce que vous voulez... même le plus gros ouvrage, le plus dur. Je ne tiendrai pas beaucoup de place : un peu de paille dans l'écurie et un peu de soupe. Je ne vous coûterai rien.

– Là n'est pas la question, dit Fiora. Ce qui compte, c'est que je n'ai pas beaucoup d'avenir à vous offrir.

– Un avenir où vous ne serez pas n'offre aucun intérêt pour moi. De toute façon, ajouta-t-il têtu, je ne m'éloignerai pas. Même si vous ne voulez pas de moi, je resterai dans ce pays. Je trouverai bien à me louer quelque part. Je suis jeune et solide.

Tandis que Fiora, émue, interrogeait Léonarde du regard, Étienne, qui, assis dans la cheminée, faisait sécher ses houseaux et ses brodequins en mâchonnant un morceau de saucisse sèche, toussota comme il le faisait toujours dans les rares occasions où il prenait la parole, et déclara :

– Le travail ne manque pas ici. J'ai fort à faire avec la ferme et je m'arrangerais bien d'un aide... surtout pour le jardin qui est vaste !

Ayant dit, il retourna à sa saucisse et à son silence, laissant les femmes démêler le problème comme elles l'entendraient. Pour Péronnelle, d'ailleurs, la cause était entendue. Puisque son seigneur et maître était pour que le garçon reste, elle l'adoptait sans plus de façons.

– On pourrait l'installer dans une soupente ? fit-elle. Ce ne serait pas mauvaise chose qu'un homme dans la maison, puisque Étienne s'est installé dans les communs avec les chiens pour mieux veiller aux rôdeurs.

Florent la regarda comme si elle était sa mère. Elle

s'occupait d'ailleurs à le nourrir, étalant sur la longue table de la cuisine un chanteau de pain fraîchement cuit, un jambon entamé, une écuelle de soupe aux choux agrémentée de belles tranches de lard, un grand pot de rillettes, des fromages de chèvre, un pot de confiture de fraises, une petite motte de beurre et un pichet de vin frais. Après quoi elle se tourna vers Fiora, l'œil interrogateur :

– Alors, que faisons-nous, not' dame ? On l'adopte, ou on le rejette dans les ténèbres extérieures, là où tout n'est « que pleurs et grincements de dents » ?

– Ma foi, j'aurais mauvaise grâce à vous contrarier si vous le prenez sous votre aile, dit Fiora en riant. Soyez donc le bienvenu, Florent ! J'espère que vous serez heureux ici et que vous ne regretterez jamais d'avoir quitté maître Nardi.

– N'ayez crainte ! fit-il radieux. Grand merci, donna Fiora. Vous ne regretterez jamais de m'avoir pris à votre service.

– Mon service est un grand mot. Disons que vous figurez désormais parmi ceux qui font vivre cette maison afin qu'elle soit un foyer doux et chaleureux, un cocon douillet et bien protégé pour le petit enfant qui va venir.

– Vous attendez ?...

La cuillère en arrêt au-dessus de l'écuelle, Florent permit à son regard de considérer la taille de la jeune femme. Il devint très rouge et resta la bouche ouverte, sans plus savoir que dire.

– Eh oui ! dit Fiora en souriant. Je serai mère en septembre. Cela change-t-il quelque chose à vos intentions ? Je ne sais quand je reverrai mon époux, le comte de Selongey... ni même si je le reverrai un jour, car j'ai peur qu'il ne soit en péril, mais je suis sa femme, rien que sa femme, et aucun homme, jamais, ne pourra prendre dans mon cœur la place qui est la sienne, ajouta-t-elle gravement. Chacun ici le sait et j'entends que vous le sachiez aussi. Avez-vous toujours envie de rester près de nous ?

Laissant tomber sa cuillère, Florent se leva et planta son regard bleu dans celui de la jeune femme :

– Si je me suis voué à vous, donna Fiora, je n'ai pourtant jamais osé espérer autre chose qu'un sourire ou un mot d'amitié. Je souhaitais veiller sur vous, mais soyez certaine que je veillerai sur l'enfant avec autant de soin et de dévouement que sur sa mère.

Trouvant sans doute que l'on s'attendrissait beaucoup, Léonarde pesa des deux mains sur les épaules du garçon pour l'obliger à se rasseoir.

– Voilà qui est dit et bien dit! fit-elle. A présent mangez votre soupe, mon ami. Vous l'avez méritée et la soupe aux choux froide, cela ne vaut rien. Le lard fige!

– Si nous soupions avec lui ? proposa Fiora. Je me sens une petite faim et il doit avoir tant de choses à nous raconter !

Un instant plus tard, tous les habitants de la cuisine étaient installés autour de Florent, mangeant et buvant avec entrain, tandis que le nouveau venu donnait, entre deux bouchées, des nouvelles de Paris en général et des Nardi en particulier. Il avait aussi maintes questions à poser, car plus d'une année s'était écoulée depuis que, renvoyé de Nancy en compagnie de Douglas Mortimer [1], il avait quitté Fiora et Léonarde gardées en otages par le duc de Bourgogne. Fiora laissa Léonarde lui répondre, sachant que celle-ci, avec sa prudence et sa discrétion habituelles, dirait juste ce que leur entourage pouvait entendre et rien de plus.

– Si je comprends bien, dit Florent quand elle eut fini, vous avez été en guerre pendant toute cette année?

– Eh oui! Si l'on m'avait dit jadis, quand je tenais à Florence la maison de ser Francesco, que j'aurais un jour des souvenirs militaires, j'aurais ri. Et pourtant, vous voyez, nous en sommes sorties vivantes!

On se sépara sur cette conclusion optimiste. Florent tombait de sommeil après sa longue course et gagna avec

1. Voir *Fiora et le Téméraire.*

gratitude la chambrette que Péronnelle lui avait préparée auprès de son propre logis. La pluie ayant momentanément cessé, Étienne alla faire une ronde avec ses chiens avant de rejoindre son lit, tandis que sa femme couvrait de cendre les braises des cheminées qui, ainsi, reprendraient facilement vie au matin. La maison, comme un poing solide et amical, se refermait sur ce nouvel hôte à la satisfaction générale.

– J'ai un peu honte, dit Fiora tandis que Léonarde l'aidait à se déshabiller pour la nuit, d'accepter que ce petit Florent se voue ainsi à mon service. Il aurait été plus heureux et plus riche s'il ne m'avait jamais rencontrée.

– Heureux, derrière un comptoir ? Souvenez-vous, mon agneau, il passait tout son temps dans le jardin de dame Agnelle. Il ne fait jamais que changer de jardin. Et je vous avoue que sa présence sous ce toit me paraît tout à fait réconfortante. Rien ne vaut un dévouement sincère pour vivre en paix.

Ce soir-là, Fiora s'endormit avec plus de confiance et de joie qu'elle n'en avait éprouvé depuis longtemps, bercée par le crépitement léger de la pluie que le vent d'ouest projetait sur les fenêtres de sa chambre. L'arrivée de Florent lui semblait de bon augure car la simplicité de cœur du jeune homme était de celles qui font naître autour d'eux, sinon le bonheur, du moins cette sorte de contentement intime qui y ressemble un peu. Les deux mains de la jeune femme étaient posées sur son ventre, comme elle avait coutume de le faire pour se sentir plus proche encore de cette petite vie qui palpitait en elle et pour la mieux protéger contre ce qui pouvait tenter de l'atteindre. Tout était bien en cette nuit de printemps qui venait d'amener un ami...

Dès le lendemain, Florent, tôt levé, prit sa place parmi les us et coutumes du manoir comme s'il y avait vu le jour. En attendant qu'Étienne l'emmène faire le tour du propriétaire, il alla chercher de l'eau pour Péronnelle et renouvela, pour toute la maison, la provision de bois à brûler. Une entente s'était aussitôt établie entre lui et la brave femme qui, au fil des jours, se plut à imaginer qu'un fils, un peu grand peut-être, lui avait été envoyé comme un cadeau du ciel. Quant à Étienne le silencieux, l'ardeur au travail du jeune Parisien, son amour pour la terre, ses plantes et ses animaux eurent tôt fait de conquérir son estime. Il eut plaisir à en faire son compagnon de tous les instants.

Fiora ne le voyait pas beaucoup. Dès le premier jour, Florent mit beaucoup de discrétion dans ses rapports avec la jeune châtelaine, se contentant de l'apercevoir allant et venant dans la propriété et d'échanger quelques mots avec elle lorsqu'elle descendait au jardin. Et Léonarde, qui avait craint un instant de rencontrer sans cesse et à tous les coins de la maison son visage extasié d'amour, lui sut gré d'une conduite aussi sage. Puis il fallut bien admettre que l'ancien apprenti banquier était, en matière de jardinage, une sorte de petit génie : à mesure qu'il leur prodiguait ses soins, les plates-bandes se chargeaient de couleurs et de parfums jusqu'à en déborder. Jamais on n'avait vu si grosses giroflées ni si odorantes, iris et pivoines si florifères. Florent, en courant les environs pour essayer de se procurer de nouvelles plantes, s'était lié d'amitié avec le jardinier du château du Plessis qui lui prodiguait conseils et boutures avec une générosité toute royale. Quand vinrent les longues soirées du début de l'été, Florent, en voyant Fiora et Léonarde s'attarder sur un vieux banc de pierre pour y respirer l'odeur de « ses » roses, de « son » chèvrefeuille et de « son » jasmin, se sentit payé de ses peines et remercia d'un cœur sincère le Seigneur Dieu de lui permettre d'entourer celle qui était à jamais son étoile de toute la magnificence de sa Création...

Ainsi allait la vie dans la maison aux pervenches, infiniment douce et calme, bien loin du vacarme et des fureurs de la guerre, et sans que personne imaginât qu'au même moment se jouait un de ces drames comme se plaît à en susciter la folie des hommes. Fiora préparait tendrement l'enfant de Philippe, sans imaginer un seul instant qu'à Dijon ce même Philippe allait bientôt monter sur ce vieil échafaud du Morimont qui avait vu mourir Jean et Marie de Brévailles. Les flots irisés de la Loire et l'épaisseur fraîche des forêts l'enfermaient à la manière d'un anneau magique sur lequel venaient se briser les bruits lointains du siècle.

CHAPITRE III

LE PRISONNIER

A mesure qu'approchait le temps de sa délivrance, Fiora, loin de s'abandonner aux joies du repos et aux douceurs des coussins moelleux, faisait preuve d'un surcroît d'activité. Elle ne tenait pas en place, pour la plus grande frayeur de Léonarde et de Péronnelle qui craignaient à chaque instant un accident dès qu'elles la voyaient trotter dans le jardin et dans le bois, grimper sur sa mule pour aller faire oraison au prieuré de Saint-Côme ou ramasser les œufs à la ferme. Mais il y avait en elle une allégresse qui la poussait en avant. Il lui semblait que plus elle se montrerait forte et plus son enfant serait vigoureux et bien portant.

C'est ainsi que, le vingt-cinquième jour du mois d'août qui était la Saint-Louis, fête patronale du roi de France, elle décida Léonarde à l'accompagner à Tours, pour voir la ville sous ses plus beaux atours et prier, une dernière fois, au tombeau du grand saint Martin. Elle y était déjà venue plusieurs fois et en avait retiré un si grand bien, une telle paix de l'âme qu'elle voulait y puiser une énergie supplémentaire pour l'épreuve qui allait venir.

Léonarde se fit un peu tirer l'oreille. Dans une semaine peut-être l'enfant s'annoncerait, et il n'était guère prudent de s'aventurer dans les remous d'une ville en fête, mais Fiora était si fermement attachée à son idée qu'il fut impossible de l'y faire renoncer. En outre, Florent trancha la question en disant que l'on mettrait une selle de femme [1] bien rembourrée sur la plus douce de leurs mules et que, de toute façon, il escorterait ces dames pour les protéger s'il y avait trop grande foule sur les parvis et dans les rues.

Il faisait ce jour-là un temps délicieux, d'une grande douceur, et bien agréable après les fortes chaleurs qui, durant une quinzaine, avaient pesé sur la région, obligeant Florent à une intense activité pour garder à son jardin vie et fraîcheur. Le ciel était d'un bleu profond, semé de petits nuages blancs qui ressemblaient à des agneaux, et toute la nature, lavée à grande eau par la grosse pluie qui avait suivi un vigoureux orage, resplendissait de verdure et de fleurs comme si elle était dans sa plus verte nouveauté.

Tandis qu'il l'aidait à prendre place dans le petit siège fixé au bât de la mule, Florent pensa que Fiora, en dépit de sa taille déformée, était plus belle que jamais. Sa robe de toile fine et son voile fixé à une haute coiffure en forme de croissant étaient du bleu tendre des fleurs de lin qui se reflétait dans ses yeux et faisait chanter son teint délicat. Aucune marque disgracieuse ne déparait son visage et le cerne de ses paupières n'était qu'un charme de plus. Et le brave garçon, dans la simplicité de son cœur, se demandait comment un homme ayant eu l'incroyable chance de la tenir dans ses bras, de baiser ces douces lèvres et de noyer ses mains dans cette chevelure soyeuse pouvait ensuite accepter de vivre, ne fût-ce qu'un seul jour, loin de tant de grâce. Il fallait que ce comte de Selongey fût un rude imbécile, et, pour sa part, Florent espérait bien qu'on ne le reverrait jamais.

On pénétra dans Tours par la porte de La Riche, la plus voisine du manoir, et tout de suite on fut sous le charme. En dépit de l'absence du roi que l'on ne reverrait peut-être pas

1. La monte en amazone n'étant pas encore inventée – c'est Catherine de Médicis qui en est l'auteur –, les femmes voyageaient sur une sorte de siège à dossier où elles étaient assises comme dans un cacolet.

avant l'automne, la ville s'était parée comme une mariée. On avait mis aux fenêtres les plus beaux draps, les plus belles tentures, et on les avait piqués de toutes les fleurs des jardins. Bien que l'on fût vendredi, chacun arborait ses habits du dimanche. Néanmoins, et parce que c'était le jour du marché, les boutiques étaient ouvertes. Entre deux offices, chacun, ce matin-là, vaquait à ses occupations.

Autour de l'antique basilique Saint-Martin, de son cloître et de ses tours romanes, l'animation était grande car c'était l'un des plus importants lieux de pèlerinage en Europe. Il y avait plus de mille ans que, sur les bords de la Loire et en ce lieu même, le corps de Martin, soldat romain devenu évêque et confesseur par amour pour ses frères humains, de Martin, l'homme du manteau partagé un jour de neige, attirait les foules venues de tous les horizons. On disait que le saint avait ressuscité trois morts et rendu la santé à des milliers de malades incurables. Des lépreux, des infirmes, des déments que l'on appelait des lunatiques, et même des possédés avaient été délivrés de leurs maux et purifiés au simple contact de son tombeau. Aussi les pèlerins venaient-ils toujours nombreux vers cette espérance qui était, en outre, une étape majeure sur le « chemin des Étoiles », la longue route qui, des pays nordiques, menait jusqu'à Compostelle de Galice.

L'église actuelle était la quatrième bâtie au-dessus du sépulcre depuis la mort de Martin survenue vers l'an 400. Il y avait eu d'abord un modeste oratoire de bois, puis une chapelle qui avait péri dans un incendie, sans d'ailleurs que la sainte sépulture fût atteinte. L'évêque Henri de Buzançais, après les terreurs de l'an mil, avait élevé une basilique mais elle avait eu quelques malheurs et il avait fallu rebâtir entre le XIe et le XIIIe siècle, au point d'avoir presque construit une nouvelle église sur laquelle le roi Louis et ses largesses veillaient puissamment. Il en assurait l'entretien, et il ne se passait guère d'année qu'il ne fît un don, bien que le plus fort de sa dévotion allât à Notre-Dame de Cléry [1].

1. Où il est enterré.

Comme d'habitude, l'église était pleine quand Fiora et Léonarde, laissant Florent garder leurs montures, s'efforcèrent d'y pénétrer. Des hommes, des femmes, des vieillards, des enfants, pèlerins de passage ou malades pour la plupart, s'y pressaient sans brutalité, attendant même assez sagement leur tour d'approcher le tombeau par le déambulatoire qui entourait le chœur. Tous chantaient les louanges de Dieu et la gloire du grand saint Martin tandis que des moines faisaient de leur mieux pour les canaliser et, surtout, convaincre ceux qui étaient arrivés au but de laisser leur place aux autres. Certains, en effet, se cramponnaient aux grilles dorées, prétendant demeurer là jusqu'à ce que leur vœu soit exaucé et suppliant qu'on voulût bien les y laisser. Pourtant, l'ère des grands pèlerinages était passée. Le siècle était d'une foi moins exaltée et l'on ne partait plus aussi souvent pour Rome, plus rarement encore pour Jérusalem. Seule, Compostelle de Galice continuait à entraîner des foules sur les nombreux sentiers qui étoilaient l'Europe, mais les grands départs de Pâques étaient déjà loin en ce mois d'août. Saint-Martin de Tours, comme Le Puy, Conques, le mont Saint-Michel-au-péril-de-la-mer et plusieurs grands centres de piété, gardait pourtant de très nombreux fidèles, ceux qu'une ou même deux centaines de lieues n'effrayaient pas.

Voyant tant de monde, Léonarde voulut ramener Fiora pour lui éviter une trop longue attente debout, mais la jeune femme résista. Elle avait décidé qu'aujourd'hui elle irait demander la protection du saint et aucune force humaine ne l'empêcherait de prendre sa place dans la file d'attente. D'ailleurs, s'apercevant de son état, une dame pèlerine et un vieux moine qui dirigeaient un groupe de fidèles venus de Normandie s'employèrent à lui faire place et elle put approcher la châsse qui, pareille à un soleil, irradiait le chœur du vénérable sanctuaire. Les centaines de cierges qui l'entouraient allumaient des éclairs sur le revêtement d'or et d'argent et dans les profondeurs des pierres précieuses de diverses couleurs qui y étaient enchâssées.

Fiora s'agenouilla près du tombeau, tendit la main à travers la grille pour atteindre l'une des plaques d'or ciselé. Ses doigts rencontrèrent une grosse topaze lisse qu'ils caressèrent. En même temps, elle adressait à l'habitant du précieux sarcophage une fervente prière, la plus ardente peut-être qu'elle eût formulée depuis longtemps. Certes, la foi perdue pendant des mois lui était revenue avec la certitude d'être seule dans le cœur de Philippe, mais elle n'avait jamais pu atteindre le degré de dévotion, confiante et pleine de certitudes, qui était celui de Léonarde. Pour la vieille fille, il n'y avait qu'une seule solution aux problèmes qu'elle ne pouvait vaincre par elle-même : le recours à Dieu, à la Vierge ou au saint le plus apte, de par sa spécialité, à l'exaucer. Ce jour-là, et parce qu'elle priait pour son enfant, Fiora pria de toute son âme.

En quittant l'église, elle se sentit plus sereine. Le bébé pouvait venir au monde. Elle l'avait confié à saint Martin et elle était à présent certaine qu'il serait beau, fort et pur de tout mal. Aussi fit-elle largement aumône aux mendiants qui sollicitaient sa charité, heureuse d'entendre les bénédictions dont ils la couvraient et les vœux qu'ils formaient pour sa maternité.

Au bras de Léonarde, elle s'attarda un instant à suivre les évolutions d'un baladin qui voltigeait sur une corde tendue entre deux piquets. Le garçon était jeune, souple, souriant et, dans son costume bariolé, il ressemblait à une flamme voletant dans l'air par la volonté d'un invisible magicien.

– Si vous voulez faire des achats, il faut nous hâter un peu, conseilla Léonarde. Allons rejoindre Florent.

En s'approchant de l'endroit où l'on avait laissé les mules, les deux femmes virent que le jeune homme était en train de causer avec un étranger. Ceux-ci n'étaient pas rares à Tours, comme dans les autres lieux saints, mais l'interlocuteur de Florent présentait un aspect assez particulier pour attirer l'attention. Long, maigre et même osseux, son visage en lame de couteau montrait un teint bronzé et des yeux noirs de Méditerranéen. Son costume était celui d'un marchand aisé, mais il avait certaine façon de porter machinalement la main à sa ceinture, comme s'il y cherchait le pommeau d'une épée, qui frappa Fiora.

En les voyant approcher, il salua profondément les deux femmes, adressa un au revoir désinvolte, du bout des doigts, à Florent, puis se perdit dans la foule.

– Qui est cet homme ? demanda la jeune femme.

– Un marchand. Il est venu acheter ici des soieries, mais ce qui est amusant, c'est qu'il est de vos compatriotes, donna Fiora.

– C'est un Florentin ? Il me semble que si je l'avais déjà vu je m'en souviendrais !

– Non. Il n'est pas de Florence mais d'une autre ville dont j'ai oublié le nom. Ne me demandez pas non plus le sien, je l'ai mal compris et serais incapable de vous le répéter...

– C'est intéressant, fit Léonarde goguenarde. Pouvez-vous au moins nous dire ce qu'il voulait ?

– Oui. Il a remarqué la beauté de nos mules et souhaitait en acheter une pour remplacer celle que la maladie vient de lui enlever. Vous pensez bien que j'ai refusé sans lui laisser le moindre espoir. C'est pourquoi il s'est éloigné en vous voyant approcher, afin sans doute de ne pas être importun.

– Ce qui suppose une grande délicatesse, fit Léonarde. C'est curieux, mais je trouve qu'il n'a pas une tête à cultiver de tels scrupules.

Fiora, elle, ne dit rien. Elle n'avait pas aimé le regard que l'inconnu avait posé sur elle. Il ne ressemblait en rien à ceux auxquels l'avaient habituée les autres hommes. Aucune admiration là-dedans, aucune douceur, mais une cruauté froide jointe à une expression triomphante qui lui avait fait froid dans le dos. C'était comme si, sortant d'un lieu de lumière, elle s'était trouvée soudain en face d'un abîme au fond duquel rampaient des bêtes imprécises.

– Vous êtes toute pâle! remarqua Léonarde tout de suite inquiète. Voulez-vous que nous rentrions?

– Non, non, cela va très bien! Je ne veux pas repartir sans avoir fait mes emplettes.

L'impression pénible disparaissait d'ailleurs dans la chaude lumière du soleil et dans la gaieté générale. Les cloches déversaient sur la ville un carillon plein d'allégresse et Fiora adorait le son des cloches : elle attribua vite ce qu'elle venait d'éprouver à un surcroît de nervosité dû à sa grossesse, et ce fut assez joyeusement que l'on reprit les mules pour parcourir la Grand-Rue qui traversait la ville d'est en ouest sur toute sa longueur, de la porte Billault ou porte d'Orléans à la porte de La Riche.

Le spectacle de la rue, même lorsqu'il ne s'agissait pas d'un jour de fête, était toujours distrayant. Un peu partout, on abattait les plus vieilles bâtisses pour en construire de nouvelles, et il n'était pas rare de voir une belle maison à colombages et à pignon flambant neuve, avec son magasin ouvert au rez-de-chaussée et son jardin sur l'arrière, voisinant avec un terrain encore vague ou une masure qui n'avait pas encore reçu le coup de pioche des démolisseurs. Le roi Louis, qui aimait cette ville beaucoup plus que sa capitale, ne cessait de s'en occuper : il la voulait riche, puissante, superbe et mieux construite que n'importe quelle autre. C'est lui encore qui avait établi à Tours des fabriques d'étoffes de soie, de draps d'or et d'argent dont la réputation commençait à s'étendre au-delà des frontières, et les divers ports établis sur la Loire, au bas des hautes murailles qui encerclaient la ville, jouissaient d'une incessante activité. Car la soie brute dont Florence était naguère l'unique fournisseur, les navires français allaient à présent la chercher jusqu'en Orient. Et les bourgeois de Tours, qui, dans les débuts, s'étaient insurgés contre la présence d'ouvriers venus d'au-delà des Alpes, avaient fini par comprendre qu'une fois de plus leur roi avait eu raison et que sa vision à long terme lui avait toujours permis de devancer les événements et de produire de la richesse.

Pour sa part, Fiora, oubliant que ce commerce concurrençait la cité de son enfance, aimait à se rendre chez maître Guin de Bordes qui passait pour fournir les plus beaux taffetas, surtout cette faille épaisse que l'on commençait à appeler le « gros » de Tours. La boutique, avec ses boiseries sombres admirablement cirées et ses armoires débordantes de merveilles, lui plaisait par son élégance, et Fiora y retrouvait un ton de bonne compagnie et une courtoisie qui lui rappelaient ceux des magasins d'autrefois.

Elle avait envie d'une robe neuve, comme il arrive en général quand on a vécu plusieurs mois avec une taille déformée, et acheta quelques aunes d'un taffetas d'un beau rouge corail, puis choisit du velours couleur de prune pour Léonarde et un joli drap fin d'un bleu chaud qu'elle destinait à Péronnelle. Florent chargea le tout sur sa propre mule, puis l'on se dirigea vers le Carroi-aux-Herbes, proche du château, et qui commandait l'immense pont étendu sur la Loire et ses îles jusqu'au faubourg de Saint-Symphorien. Il y avait là certaine auberge célèbre pour ses pâtés de brochet et Fiora, comme cela lui arrivait fréquemment depuis qu'elle était enceinte, mourait de faim. On s'installa donc sous une treille attenante à l'auberge pour y réparer les forces de la future mère.

L'endroit était charmant, un peu en retrait de la rue qui, prolongeant le pont aux vingt-cinq arches, était toujours très animée. A travers les pampres déjà mûrissants de la vigne, on apercevait les poivrières bleues, les girouettes dorées du château, et la flèche de la chapelle où Louis XI avait épousé Charlotte de Savoie et où ses parents, Charles VII et Marie d'Anjou, s'étaient mariés. Ces événements n'avaient pas suffi à attacher le roi à cette bastille élégante, et il lui avait préféré le Plessis.

Après avoir dégusté leur pâté arrosé d'un excellent vin de Vouvray, les trois compagnons s'accordèrent un moment de détente en grignotant des prunes confites. La verdure où ils s'abritaient les protégeait du soleil qui chauffait les toits des maisons et illuminait le Carroi, mais c'était une chaleur normale pour la saison et non la canicule dont on avait eu à souffrir. Fiora et Léonarde se sentaient fondre dans cette sensation de bien-être qui en général débouche sur le sommeil.

– Est-ce que nous ne devrions pas rentrer ? dit la seconde. Ce n'est guère un endroit pour faire la méridienne !

– On est si bien ! plaida Fiora. Encore un petit moment.

Au prix de sa vie, elle eût été incapable de dire pourquoi elle tenait à s'attarder. Peut-être à cause de cette paix profonde, totale qui la baignait, une paix d'autant plus précieuse quand on devine obscurément qu'elle ne va pas durer, qu'il va se passer quelque chose et que le combat va reprendre bientôt. Évidemment, elle n'imaginait pas que ce combat pût être autre que celui de l'accouchement et pourtant...

La quiétude dans laquelle la ville entière semblait s'être assoupie vola soudain en éclats. Il y eut des cris que l'on ne comprit pas, des bruits divers et le claquement de centaines de pieds qui couraient sur le pavé de la rue. L'aubergiste sortit sur sa porte pour demander ce qui se passait et vit que tout ce monde galopait vers le pont. Quelqu'un brailla :

– Un prisonnier ! On amène un prisonnier dans une cage ! Il est sur le pont !

Aussitôt Fiora fut debout, mue par une force intérieure qu'elle ne pouvait contrôler.

– Allons voir !

– Vous êtes folle ? protesta Léonarde. Qu'avez-vous besoin d'aller contempler un malheureux ?

– Je ne sais pas, mais il faut que j'y aille. Pour qu'on l'ait mis en cage, il faut que ce soit un captif d'importance.

– C'est insensé! Cela n'est bon ni pour vous ni pour l'enfant. Aidez-moi donc, vous! ajouta-t-elle à l'adresse de Florent qui s'était levé aussi et regardait la jeune femme avec inquiétude.

Mais celui-ci hocha la tête sans répondre. Il connaissait assez Fiora pour savoir que, lorsqu'elle plissait le front et serrait les lèvres, il était impossible de la faire revenir sur la décision qu'elle venait de prendre. Cette fois, elle se contenta de tourner les yeux vers son jardinier.

– Venez avec moi, Florent! dit-elle. Vous devriez suffire à me protéger de la foule. Dame Léonarde nous attendra ici!

– Il ferait beau voir! protesta celle-ci. Je commence à être fatiguée de vous répéter que là où vous allez je vais aussi. J'exige tout de même que nous prenions les mules. Aller à pied serait de la démence. Mais je continue à soutenir qu'un tel spectacle n'est pas fait pour une femme près de son terme... ni d'ailleurs pour aucune femme!

Un instant plus tard, juchée sur sa mule que guidait Florent – il avait jugé plus prudent de laisser la sienne à l'auberge avec leurs achats – Fiora avançait avec peine au milieu du rassemblement qui s'était formé dès les premiers cris et qui se bousculait pour franchir la porte Saint-Genest ouvrant directement sur le pont. Le flot s'écoulait lentement car, à cet endroit, le Carroi-aux-Herbes, séparé du château par un profond fossé alimenté par la Loire, se rétrécissait. Bientôt, il ne s'écoula plus du tout. Découragé, Florent se tourna vers Fiora. Fiora qui donnait des signes d'impatience.

– Nous ferions mieux d'attendre ici! Ce prisonnier ne va pas rester sur le pont. Il va sûrement entrer en ville. Nous le verrons au passage.

Avant que la jeune femme ait pu répondre, il interpella l'un des soldats qui gardaient le pont-levis du château.

– Savez-vous où l'on conduit l'homme qui arrive?

– Au château de Loches, peut-être... à moins que ce ne soit au Plessis... ou alors chez quelque notable!

– Chez un notable? Pour quoi faire?

– Mais pour qu'il le garde! C'est un signe particulier de la bienveillance de notre sire que confier un prisonnier à quelqu'un qu'il tient en estime, répondit l'homme amusé par la mine ahurie du jeune homme, qui d'ailleurs ne s'estimait pas satisfait et tenait à aller au fond des choses:

– Il faut qu'il ait une bien grande porte, votre notable, si l'on rentre la cage avec son occupant?

– C'est bien plus simple que ça, expliqua l'autre imperturbable, on démolit un pan de mur et on le reconstruit ensuite. On prévient les maçons à l'avance. Vous vouliez traverser le pont? ajouta-t-il en coulant un œil admiratif vers Fiora. La jeune dame habite peut-être Saint-Symphorien?

– Non pas! Nous voulions seulement voir le cortège. Nous habitons au Plessis, ajouta-t-il d'un air négligent.

– Alors restez près de moi. Vous ne pouvez le manquer. D'ailleurs, voilà la foule qui reflue.

Galamment et après avoir, d'un clin d'œil, pris l'avis de l'autre sentinelle, il fit garer les deux mules sur le pont-levis du château, ce qui assurait aux deux femmes un emplacement rêvé à l'abri de la bousculade. Il était temps. Tous ceux qui n'avaient pu franchir la porte dont la haute ogive se découpait sur le ciel fulgurant étaient repoussés en arrière par une force contre laquelle ils ne pouvaient rien, alors que ceux qui étaient sur le pont ne pouvaient plus revenir sur leurs pas, le cortège du prisonnier leur coupant la retraite. Certains étaient tombés à l'eau, sans doute, car on avait entendu des cris et des « plouf » retentissants. Fiora sentit que son cœur se serrait, elle craignait éperdument que ce prisonnier de marque ne fût son époux. Cela tenait à certains bruits qui venaient jusqu'à elle:

– Paraît que c'est un rebelle bourguignon! Il s'est battu

contre notre roi! L'un des hommes de ce maudit Téméraire!

Des bruits venus de n'importe où, des cris poussés par des gens qui au fond ne savaient rien, des injures stupides, gratuites et trop faciles en face d'un homme réduit à l'impuissance. Enfin, sous l'arche en fer de lance, la cage apparut, dominant la houle des têtes. Cahotant sur les cailloux du fleuve qui pavaient la rue, une sorte de plateforme grossière s'avançait avec difficulté au milieu d'un groupe de cavaliers, la lance au poing, et, sur cette espèce de plateau, il y avait une cage assez haute pour qu'un homme pût s'y tenir debout, une cage faite de grosses lattes de bois armées de coins en fer dans laquelle un homme, accablé peut-être par la chaleur du soleil dont rien ne le protégeait, était assis.

On ne pouvait voir son visage, car sa tête était cachée dans ses bras posés sur ses genoux, peut-être pour donner moins de prise aux projectiles de toute sorte que lui lançait la populace avec des cris de mort. Cet homme était un de ces Bourguignons contre lesquels il avait fallu combattre durant près d'un siècle et, même au pays de la douceur de vivre, on avait la rancune tenace. A mesure que le char avançait, la foule hurlait plus fort et les gardes durent faire usage de leurs lances pour la tenir à distance. Sans cela, elle eût peut-être, sans rien savoir de ce captif, pris la cage d'assaut.

Un soupir de soulagement dégonfla la poitrine de Fiora. Philippe était brun et les cheveux de celui-là, bien que fort sales, étaient d'un blond de blé. Le dégoût lui serra la gorge. De tout son cœur, elle détesta ces gens, si aimables et si paisibles en temps normal, et que la seule vue d'un inconnu dont on leur disait qu'il était un ennemi suffisait à changer en une horde de loups. Elle regardait cette scène cruelle sans parvenir à en détacher son regard, et une immense pitié se levait en elle pour ce malheureux qui devait souffrir mille morts par ce jour d'été et sans une goutte d'eau à boire. Son regard vrilla Florent :

– Va me chercher une pinte de vin frais à l'auberge!

Le ton était de ceux auxquels on ne résiste pas. Comprenant que, s'il n'obéissait pas, il risquait d'être chassé sur l'heure, Florent ne discuta pas, s'esquiva rapidement et revint peu de minutes après avec un pichet qu'il remit en tremblant à la jeune femme.

– Que prétendez-vous faire? murmura Léonarde qui cependant avait déjà compris.

Fiora néanmoins consentit à s'expliquer:

– Nous avons peut-être rencontré cet homme l'an passé au camp du duc Charles. Je veux lui porter secours...

Et, sans attendre davantage, elle poussa sa mule dans la foule en direction de la cage.

– Dame! Où allez-vous? cria le soldat qui lui avait offert le refuge du pont-levis.

– Là où je dois aller! Cet homme est un prisonnier. Pas un condamné!

Devant le poitrail de l'animal, la foule s'ouvrit presque sans protester. Cette femme si belle et si visiblement près de son terme lui en imposait. Mais l'un des lanciers voulut s'opposer:

– Que faites-vous? Hors d'ici!

– Je suis une amie du roi Louis dont c'est aujourd'hui la fête et je veux offrir un peu de vin à ce malheureux. Avez-vous des ordres pour vous y opposer?

– N...on, mais...

– Avez-vous des ordres qui vous empêchent de recevoir ceci? Vous aussi devez avoir soif, ainsi que vos camarades. Votre tâche achevée, vous boirez à ma santé. Je ne vous demande qu'un instant!

De l'or brillait au bout de ses doigts fins. Le soldat la dévisagea, émerveillé.

– Qui êtes-vous? balbutia-t-il. Vous êtes belle comme la Vierge Marie, notre douce dame!

– Peu importe qui je suis. Ma tâche est de secourir ceux qui en ont besoin. Puis-je approcher?

La foule qui avait grondé tout d'abord se calmait,

séduite par l'image extraordinaire de cette jeune femme vêtue d'azur dont l'autorité était celle d'une princesse et dont le calme regard gris se posait sur elle. Cette scène, après tout, était plus intéressante que celle qui consistait à pousser des hurlements en jetant des trognons de choux à un homme enchaîné qui semblait insensible. Le sergent s'écarta :

– Faites à votre gré, noble dame... mais rien qu'un instant !

Fiora était déjà près de la cage. Sa mule la mettait à la même hauteur que le prisonnier et, pour immobiliser sa monture, elle saisit l'un des barreaux :

– Prenez ce vin, mon ami, et buvez ! Vous en avez grand besoin !

Le son de sa voix chaude réussit à percer l'épaisse couche de volonté farouche dont l'homme s'enveloppait pour ne rien entendre et ne rien voir. Sa tête courbée décolla du cercle de ses bras et se releva, montrant un visage émacié mais, pour Fiora, trop reconnaissable.

– Mathieu ! balbutia-t-elle tandis que les mains avides saisissaient le pichet embué et que le prisonnier y buvait goulûment. Mathieu de Prame ! Mais comment êtes-vous ici ? Où est Philippe ?

En entendant son nom, il tressaillit et, à présent, il la regardait par-dessus le bord du pichet avec des yeux pleins de douleur.

– Mort !... fit-il enfin. Il a été pris... comme rebelle à Dijon... et exécuté. Moi, j'ai voulu soulever la foule pour l'arracher à l'échafaud. C'est pour ça que l'on m'a arrêté.

Un instant, ils furent au creux profond d'un énorme silence. Le cœur arrêté, Fiora regardait l'homme enchaîné. Sa voix, curieusement détimbrée, lui parut venir de très loin.

– Mort ? Vous voulez dire... qu'on l'a tué ?

– Les hommes du roi, oui ! Le gouverneur de Dijon, le sire de Craon ! Je ne l'ai pas vu mourir car on m'a emmené avant... mais il était déjà au pied de l'échafaud...

Pardonnez-moi ! Vous m'avez été secourable et moi je vous meurtris.

Fiora n'entendait plus rien. Tout basculait autour d'elle : le ciel indigo, les reflets du fleuve à l'intérieur de la vieille porte, les girouettes du château, les barreaux de la cage et le jeune visage pathétique du prisonnier qui, les yeux agrandis, la regardait blêmir sans pouvoir rien faire pour l'aider. Mais Léonarde n'était pas loin. Instantanément, sa mule fut contre celle de Fiora qu'elle reçut dans ses bras.

– Aidez-moi ! cria-t-elle. Vous voyez bien qu'elle s'évanouit ? ou bien n'avez-vous que des cœurs de pierre insensibles à toute détresse ?

Le sergent vint à son secours et, déjà, dans la foule, des femmes jouaient des coudes pour la rejoindre.

– Je n'aurais pas dû laisser faire ! regretta le soldat.

– Vous n'avez jamais rien fait de mieux, mon ami ! Mais il faut admettre que, dans son état, le spectacle de ce malheureux n'est pas ce qu'il convient. Ne pouvez-vous offrir un peu plus d'humanité à vos prisonniers ?

Visiblement ennuyé, l'homme jeta autour de lui un regard inquiet puis, se penchant vers la vieille demoiselle, il murmura très vite :

– Elle connaît cet homme ? C'est un ami ?

– Oui, mais qu'est-ce que ça peut vous faire ?

– Vous occupez pas ! Dites-lui que j'essayerai de l'aider un peu. Pour qu'elle se souvienne du sergent Martin Venant. Allez la rejoindre, à présent. Il faut que nous repartions !

Portée par des dizaines de bras secourables, Fiora avait été enlevée de sa selle et acheminée vers l'auberge du Carroi où elle avait pris son repas. Florent, éperdu d'angoisse, tenait l'une de ses mains froides. Tandis que le sergent donnait ses ordres, Léonarde se retourna vers lui :

– Où emmenez-vous cet homme ? Vous le savez ?

– Au château de Loches ! Dieu vous garde !

Léonarde ne répondit pas au souhait qu'on lui adressait. Elle était déjà partie vers l'auberge où l'on avait étendu Fiora sur un banc, un oreiller sous la tête. L'hôtesse lui tapait dans les mains et Florent lui bassinait les tempes avec du vinaigre, mais rien n'y faisait : le nez pincé, les joues blanches et les yeux clos, la jeune femme ne réagissait pas. Elle respirait avec peine, mais elle respirait, et à cela seulement on voyait que le coup ne l'avait pas tuée.

En dépit de la peur qui lui mordait le ventre, Léonarde s'efforça de garder son calme. Elle tâta les mains et les pieds de Fiora aussi glacés les uns que les autres, puis ordonna :

– Donnez-moi de l'eau-de-vie et faites chauffer une brique pour lui mettre aux pieds ! Une couverture aussi ! Nous paierons ce qu'il faut !

– Vous ne voulez pas qu'on lui prépare une chambre ?

– Non, merci. Il vaut mieux essayer de la ramener chez elle. Nous habitons le manoir de La Rabaudière aux Montils.

– La maison aux pervenches, fit la femme avec un demi-sourire. Je la connais. Une bien jolie demeure !

– Oui, mais pour l'instant elle m'a l'air d'être au bout du monde ! Allons, Florent, remuez-vous au lieu de regarder votre maîtresse avec de grands yeux noyés ! Tâchez de trouver une litière, un brancard, je ne sais pas, moi !

Tout en parlant, elle introduisait avec précaution et non sans difficulté une cuillerée d'eau-de-vie de prune entre les dents serrées de la malade. Une servante apporta la brique chaude et la couverture dont on enveloppa le corps qui, brusquement, se mit à trembler comme si une bise glaciale était entrée dans la salle. Le vigoureux cordial commençait aussi à faire son effet : Fiora s'étrangla, toussa plusieurs fois. Léonarde la redressa et lui tapa dans le dos. La toux se calma et un peu de couleur revint aux joues trop pâles.

Ouvrant enfin les yeux, Fiora vit des visages inconnus penchés sur elle, mais s'aperçut tout de suite qu'elle était dans les bras de Léonarde. Elle essaya de s'asseoir, sans y parvenir.

– Qu'est-ce que je fais ici ? demanda-t-elle d'une voix encore étranglée par la quinte de toux.

Mais elle était de celles dont les réveils sont rapides et, tout de suite, la mémoire de ce qui venait de se passer lui revint. Elle éclata en sanglots et cacha son visage contre l'épaule de sa vieille amie.

– Emmenez-moi d'ici ! supplia-t-elle. Vite ! Vite ! Je veux rentrer !

Heureusement, Florent revenait avec une bonne nouvelle : l'abbesse d'un couvent voisin possédait une litière et la mettait volontiers au service d'une noble dame en difficulté. Le véhicule arrivait.

Léonarde remercia les aubergistes de leurs soins qu'elle voulut payer, ce qu'on lui refusa :

– Pauvre jeune dame ! fit l'hôtesse apitoyée. Il faut qu'il lui soit arrivé une bien grande douleur pour la mettre dans cet état ! Elle était si joyeuse tout à l'heure et elle mangeait son pâté de si bel appétit ! Vous n'aurez qu'à me rapporter la couverture un jour prochain ! Prenez bien soin d'elle !

C'était une recommandation superflue et, tandis que la litière abbatiale les ramenait toutes deux vers le manoir, Léonarde se demandait avec angoisse comment elle allait pouvoir panser cette nouvelle et terrible blessure que le sort infligeait à son enfant chérie. Une fois déjà, après la bataille de Grandson où l'on avait vu tomber Philippe de Selongey, Fiora l'avait cru mort, mais peut-être alors restait-il, au fond d'elle-même, une faible lueur d'espoir : au combat, il arrive qu'un blessé, laissé pour mort, revienne à la vie. C'est ce qui s'était passé pour Philippe : la chance lui avait envoyé Démétrios Lascaris, l'un des meilleurs médecins de la chrétienté, et Fiora avait vu son époux revenir vers elle bien vivant. Mais quel espoir, même insensé, garder après une exécution capitale ? Léonarde, navrée, s'efforçait de calmer ces sanglots déchirants qui semblaient devoir ne jamais cesser. Fiora, enfouie dans le puits de sa douleur, avait l'air de s'y enfoncer un peu plus d'instant en instant et n'entendait aucune des paroles apaisantes que sa vieille gouvernante lui prodiguait. Peut-être pensait-elle qu'après les pleurs viendrait le sang, et après le sang la vie ?

Elle pleura ainsi tant que dura le chemin et, si les larmes coulaient moins, des spasmes la secouaient encore quand Étienne et Florent, précédés d'une Péronnelle éperdue et incapable de comprendre ce qui se passait, l'emportèrent dans sa chambre et la déposèrent sur son lit.

C'est seulement une fois couchée qu'elle se calma progressivement pour arriver à une sorte de prostration, plus effrayante peut-être que le violent désespoir qui précédait. Elle resta là durant des heures, immobile, insensible en apparence, n'entendant rien mais les yeux grands ouverts, le regard fixé sur un même point des rideaux qui entouraient son lit. Elle respirait à petits coups avec, de temps en temps, un halètement douloureux que Léonarde écoutait, le cœur déchiré, terrifiée à l'idée que sa petite Fiora était peut-être en train de perdre la raison.

Il avait bien fallu mettre Péronnelle plus ou moins au courant et celle-ci, tout de suite, proposa d'aller chercher le prieur de Saint-Côme qui, en bon disciple du saint patron de sa maison, jouissait d'une grande réputation médicale dans les cas de folie, et d'exorciste en cas de possession diabolique. Ce dernier mot déplut à Léonarde :

– Nous n'en sommes pas là ! fit-elle d'un ton sec. Notre jeune dame est sous le coup d'une grande douleur qui l'a envahie au point de lui retirer le sens. Je vais la veiller cette nuit et si, demain, elle est encore dans le même état, nous verrons ce qu'il conviendra de faire. Pour ce soir, nous nous contenterons de lui faire boire un peu de tilleul avec du miel.

Tandis que la brave femme, docile, allait chercher ce qu'on lui demandait, Léonarde s'établit au chevet de

Fiora, comme elle l'avait fait si souvent, jadis, lorsque l'enfant était souffrante ou simplement fiévreuse, et, prenant sa main abandonnée sur le drap, la porta à ses lèvres sans plus chercher à retenir les larmes que, depuis le drame, elle s'efforçait de contenir :

– Mon Dieu, priait-elle en silence, ne me la prenez pas, je vous en conjure ! Ne permettez pas que son esprit s'en aille à la suite de celui qu'elle a trop aimé et se perde dans les brumes de la folie. Il y a cet enfant qui va naître et qui déjà n'a plus de père. Ne lui enlevez pas sa mère ! Je sais bien qu'elle va encore souffrir, je sais bien qu'elle est au pied d'un nouveau calvaire et que l'inconscience peut être une miséricorde, mais...

Elle s'interrompit. Fiora venait de pousser un gémissement et Léonarde, en relevant la tête, vit qu'elle la regardait avec de grands yeux pleins d'angoisse.

– J'ai mal ! chuchota-t-elle. C'est comme un coup de couteau, là, dans mon ventre !

Une douleur aiguë, brutale, était venue la chercher dans l'abîme au fond de quoi elle se sentait descendre pour la ramener à la surface de la vie. Afin de lui échapper, elle se tourna sur le côté, ramenant ses jambes contre elle, mais la souffrance ne s'apaisait pas. C'était comme une onde brûlante qui parcourait ses entrailles et, dans son esprit épuisé par le chagrin, elle ne comprenait pas d'où cela pouvait lui venir.

Déjà Léonarde avait rejeté draps et couvertures et examinait le corps recroquevillé, passant sur le ventre tendu des mains prudentes. Cherchant un réconfort, le regard de Fiora ressemblait à celui d'une bête prisonnière. Soudain, comme par miracle, la douleur s'apaisa sous les mains de Léonarde et Fiora sentit que ses draps étaient humides...

– Qu'est-ce que... qu'est-ce que j'ai ? murmura-t-elle.

Au travers des larmes qui l'inondaient, le visage ridé de Léonarde lui apparut, rayonnant :

– Rien, mon agneau, rien que de très naturel ! L'enfant va arriver. Il va vous falloir un peu de courage.

– Du courage ? Je n'en ai plus et je crois que je n'en aurai plus jamais ! Philippe ! mon Philippe !

La douleur qui renaissait balaya momentanément le chagrin pour ramener Fiora au simple état de chair souffrante. Péronnelle qui revenait avec le tilleul comprit au premier coup d'œil ce qui se passait :

– L'enfant arrive ? s'écria-t-elle joyeusement. Je vais préparer tout ce qu'il faut !

Elle se mit, incontinent, à faire dans la cheminée de la chambre un feu d'enfer sur lequel elle installa une marmite d'eau. Il y en avait déjà à la cuisine, mais elle pensait qu'il n'y en aurait jamais trop. Après quoi elle fit chauffer des draps pour remplacer ceux de Fiora et empila une infinité de linges et de serviettes. Léonarde, elle, ne quittait pas le chevet ni la main de la future mère qui se cramponnait à elle.

Combien de temps dura la tempête de douleur qui ensevelit Fiora ? Celle-ci eût été incapable de le dire, mais il lui parut une éternité. Le temps s'effaça et, avec lui, la conscience de tout ce qui n'était pas la torture de son corps. Même son chagrin s'en trouvait aboli. Bientôt la douleur ne lui laissa plus trêve ni repos. C'était comme si l'enfant, tel un géant secouant les murs de sa prison, faisait tout éclater en elle pour venir plus vite à la lumière. La seule chose réelle, en dehors des affres du supplice, était le visage anxieux de Léonarde éclairé par les flammes de la cheminée, la main de Léonarde qui tenait la sienne bien fort et la voix de Léonarde qui murmurait des paroles d'encouragement.

A présent, Fiora ne criait plus, mais un gémissement continu s'échappait de ses lèvres sèches que Péronnelle humectait de temps en temps. Elle haletait, prise au piège de cette souffrance sans rémission qu'aucune force humaine, aucune magie ne pourrait faire cesser et qu'il fallait endurer jusqu'à son terme normal. Par instants, Léonarde passait sur son front en sueur un linge imbibé d'eau de la reine de Hongrie et l'odeur fraîche ranimait un instant la parturiente, puis l'enfant revenait à la charge et replongeait sa mère dans le martyre.

Épuisée déjà par les larmes abondantes qu'elle avait versées, Fiora souhaitait désespérément un instant, un seul, de rémission qui lui eût permis de se laisser aller à son immense fatigue. Elle avait tellement envie de dormir!... Dormir! Cesser de souffrir! oublier... est-ce que cette terrible douleur cesserait un jour? Est-ce qu'elle pourrait à nouveau dormir?

Péronnelle, qui savait décidément tout faire et n'ignorait rien de la manière de conduire un accouchement, examinait de temps en temps Fiora, qui la suppliait de la laisser tranquille. Ensuite, elle chuchotait à Léonarde les progrès qu'elle constatait.

Vers la fin de la nuit, la conscience claire de la jeune femme commençait à s'embrumer quand Péronnelle, qui avait même écarté Léonarde, lui ordonna d'aider le travail et de pousser.

– Je ne peux pas... Je ne peux plus... sanglotait Fiora. Laissez-moi mourir!

– Vous n'allez pas mourir et l'enfant va être là dans quelques minutes. Encore un peu de courage, ma mignonne!

Du courage? Fiora ne savait même plus ce que c'était. Elle obéit néanmoins, presque machinalement, et, soudain, il y eut une douleur plus forte que toutes les autres, une douleur au sommet de toutes les douleurs qui lui arracha un véritable hurlement. Dans le jardin où il attendait, Florent se jeta à genoux, les mains sur les oreilles. Mais ce fut le dernier. L'instant suivant, Fiora, délivrée, plongeait enfin dans cette bienheureuse inconscience qu'elle avait tellement désirée. Elle n'entendit ni le chant enroué du coq, ni le piaillement rageur du bébé dont Péronnelle claquait les fesses d'une main experte, ni le cri de joie de Léonarde:

– C'est un garçon!

Elle avait choisi de s'évanouir.

Quand elle revint à elle, il lui sembla flotter à travers une brume légère. Son corps n'existait plus. Il avait miraculeusement rompu les amarres qui le retenaient à une terre cruelle et sans pitié, au point que Fiora crut, un instant, qu'elle avait atteint le séjour des bienheureux. Pourtant, la voix familière de Léonarde lui démontra qu'elle figurait toujours au nombre des vivants :

– Elle a ouvert les yeux, disait cette voix. Apportez-moi vite un œuf battu dans du lait, Péronnelle ! Il faut lui rendre des forces.

Instinctivement, Fiora laissa ses mains glisser le long de son corps et constata qu'il était redevenu plat, presque comme par le passé. Elle se souvint alors de ce qu'elle avait enduré et demanda, d'une voix encore faible :

– L'enfant ? Est-ce qu'il est né ?

– Bien sûr qu'il est né ! Tiens ! Le voilà !

Entre les mains de Léonarde, il y avait un paquet blanc de linges fins que la vieille demoiselle, avec des gestes pieux, vint loger entre le bras de la jeune mère et sa poitrine. Fiora se souleva un peu et vit un petit visage rouge et fripé dans l'encadrement neigeux d'un béguin de batiste brodée, deux poings minuscules et cependant parfaits qui se serraient près du tout petit nez. Elle écarta un peu son bras pour mieux le tenir et, instinctivement, sourit à ce bébé qui était le sien.

– Dieu qu'il est laid ! souffla-t-elle en caressant d'un doigt précautionneux l'une des menottes.

– Vous voulez dire qu'il est superbe ! claironna Péronnelle qui arrivait avec le lait de poule. Ce sera un beau gaillard, vous pouvez m'en croire ! En revanche, il n'a pas l'air de vous ressembler beaucoup...

Un coup de coude de Léonarde lui coupa la parole, mais Fiora examinait à présent les traits menus tandis que la vague amère du chagrin, un moment repoussée par les affres de l'accouchement, s'emparait d'elle à nouveau :

– Il ressemble à son père... à son père qui ne le verra jamais !

Il fallut encore bien des soins et bien des paroles à Léonarde pour venir à bout de cette nouvelle crise de larmes. Fiora finit par se calmer, accepta de prendre un peu de nourriture, après quoi elle s'endormit de ce sommeil réparateur qu'elle avait appelé durant l'épreuve de la nuit. Léonarde ôta le bébé qu'elle avait gardé contre elle et alla le coucher dans le berceau qu'elle avait placé dans sa propre chambre, afin que la mère pût reposer en paix.

Comme il s'était endormi lui aussi, elle alla chercher de l'eau pour faire une toilette que sa nuit de veille rendait indispensable, mit une robe propre, une cornette fraîchement repassée, et descendit à la cuisine pour prendre un déjeuner dont elle sentait l'urgence.

Péronnelle était occupée à vanter à son Étienne les innombrables qualités de celui qu'elle appelait déjà « notre enfant », mais elle se hâta tout de même de lui servir une grande écuelle de panade au lait et à la cannelle et des gaufres bien chaudes, tout en le gratifiant de son inlassable bavardage. Étienne pensa que c'était là une excellente occasion de filer, avala d'un trait un grand gobelet de cidre de ménage et gagna le large.

On en était à débattre des noms que le petit garçon allait recevoir au baptême quand Florent revint du verger, un grand panier de prunes au bras. Sa mine sombre frappa les deux femmes :

– Il ne faut pas faire cette tête, mon garçon ! dit Péronnelle. Notre jeune dame est heureusement délivrée et c'est tout ce qui compte. Pour l'instant, elle prend un repos bien gagné.

– Vous oubliez un peu vite ce qui est arrivé hier, coupa le jeune homme. Elle a souffert toute la nuit et à présent elle dort, mais elle ne dormira pas toujours. Que va-t-il se passer quand elle se retrouvera en face de la réalité ?

– Croyez-vous que je n'y pense pas ? fit Léonarde. Déjà, tout à l'heure, elle s'est remise à pleurer alors que je croyais qu'elle n'avait plus une seule larme dans le corps.

Il faudra veiller sur elle de près et, surtout, espérer qu'elle reportera sur son fils tout cet amour qu'elle avait donné à messire Philippe. Mais il est certain que nous sommes tous dans la main de Dieu, nous qui l'aimons...

– Sans doute, mais il n'y a pas que ça ! Vous vous souvenez, dame Léonarde, de ce marchand qui voulait m'acheter une mule, hier, sur le parvis de Saint-Martin ?

– Cet étranger dont le visage ne me revenait guère ?

– Oui. Eh bien, je viens de le trouver dans l'allée des chênes. Il venait par ici.

– Pour quoi faire ?

– Je le lui ai demandé. Il m'a répondu qu'il cherchait le château de notre sire le roi...

– Quelle sottise ! N'est-il pas passé devant le Plessis et n'a-t-il pas vu les gardes de l'entrée ?

– C'est ce que je lui ai fait remarquer. Il m'a répondu que les gardes, justement, l'avaient reçu avec grossièreté et qu'il cherchait s'il n'y avait pas une autre entrée moins rébarbative. J'avoue n'avoir pas été beaucoup plus aimable que les sentinelles. « Le roi, lui ai-je dit, n'est pas encore rentré de guerre et les étrangers n'ont rien à faire chez lui. » Il a dit alors qu'il le savait bien, mais qu'on lui avait tant vanté les merveilles de ce château qu'il désirait l'admirer avant de rentrer dans son pays. Il pensait que, peut-être, il y avait une porte de communication entre le parc royal et celui-ci. Pour finir, il a même mis la main à l'escarcelle. Me donner de l'argent, à moi, pour que je le laisse entrer chez nous ! conclut Florent rouge encore d'indignation. Vous vous rendez compte ?

– Qu'en avez-vous fait ? dit Léonarde en tartinant une cuillerée de miel sur sa gaufre.

– Je lui ai dit que je ne mangeais pas de ce pain-là et qu'il ait à passer son chemin. Ce qu'il a fait d'ailleurs, en haussant les épaules, mais avec un sourire que je n'ai pas aimé. Il s'est retourné plusieurs fois en s'en allant pour regarder encore notre maison. J'ai peut-être tort, mais il m'a laissé une vilaine impression.

Péronnelle, en qui sommeillait l'âme d'un chien de garde, déclara alors qu'elle non plus n'aimait pas cette histoire et que, pas plus tard que tout à l'heure, elle enverrait Étienne au Plessis, voir messire Étienne Le Loup, valet de chambre du roi, qui veillait sur sa demeure en son absence afin de l'avertir de l'incident. Non qu'elle craignît qu'un étranger solitaire pût causer quelque dommage au domaine royal toujours puissamment gardé, mais pour que Le Loup consentît à étendre sa surveillance sur la maison aux pervenches.

Léonarde admit que c'était une bonne idée, et demanda que la surveillance fût assez discrète pour ne pas inquiéter Fiora, celle-ci ayant reçu en deux jours plus que son content de douleur et d'angoisse.

– Nous faisons peut-être une montagne d'une taupinière, conclut-elle. Il se peut que cet étranger ne soit qu'un curieux.

– Derrière un curieux peut se cacher un espion, affirma Florent qui ne désarmait pas. Ou pis encore : un amoureux !

– Pourquoi donc un amoureux serait-il pire qu'un espion ? demanda Léonarde qui ne put s'empêcher de rire.

– Je me comprends. Je sais bien qu'ils sont nombreux les hommes qui admirent donna Fiora, et qu'il en viendra toujours d'autres, mais je n'aimerais pas qu'elle ait à faire face à l'amour d'un personnage comme celui-là. Vous n'avez pas vu ses yeux ? Ils sont froids et cruels. D'ailleurs, je ne crois pas qu'il soit un marchand. Il pue l'homme de guerre à quinze pas.

Cette fois, Léonarde ne dit rien. Le souvenir qu'elle gardait de l'étranger lui soufflait que Florent, inspiré peut-être par son amour sans cesse en éveil, pourrait bien avoir raison. D'autant que l'inconnu venait d'Italie et que Léonarde savait d'expérience que les gens de sac et de corde y florissaient plus aisément qu'au royaume de France, où la rude poigne du roi Louis et la police de son grand prévôt Tristan L'Hermite faisaient régner chez les truands une crainte salutaire. De toute façon, cela ne ferait de mal à personne que la maison fût un peu mieux gardée. Au moins jusqu'au retour du roi qui ne saurait tarder.

Pourtant les jours s'écoulèrent sans que l'on revît l'inquiétant personnage.

CHAPITRE IV

L'ATTENTAT

Contrairement à ce que craignait son entourage, Fiora se remit très vite de son accouchement. Cinq jours après, elle était debout et la santé parut lui être revenue, mais elle n'avait pas de lait à offrir au petit Philippe. Il fallut recourir sans attendre à la nourrice dont, heureusement, Léonarde et Péronnelle s'étaient à l'avance assuré les services en prévision de ce genre d'incident toujours possible. C'était une forte fille du village voisin de Savonnières qui, laissant son dernier-né aux soins de sa mère et du troupeau de chèvres familial, vint s'installer au manoir avec une évidente satisfaction. Au demeurant, c'était une acquisition plutôt agréable car elle était toujours de bonne humeur, placide et silencieuse, adorant visiblement les enfants, et elle s'attacha instantanément à celui qu'on lui confiait. Le gîte douillet et les menus copieux de Péronnelle achevèrent sa conquête et Marcelline – c'était son nom – prit place parmi les habitants de la maison aux pervenches avec l'intention bien arrêtée d'y rester le plus longtemps possible. Elle s'entendit tout de suite avec la maisonnée et, si Fiora l'impressionna, cela lui parut la chose du monde la plus normale puisqu'elle était la châtelaine. Elle n'imagina pas un instant qu'un drame se jouait sous ses yeux.

Fiora, en effet, n'était plus la même, et ceux qui vivaient à ses côtés avaient peine à la reconnaître quand elle apparaissait, mince et longue silhouette noire que les voiles du deuil faisaient fantomale. Elle ne riait plus, parlait à peine et passait de longues heures assise dans l'encoignure d'une fenêtre à regarder couler la Loire au bout de son petit domaine sans plus toucher aux travaux d'aiguille qui l'avaient distraite pendant sa grossesse, ses longues mains oisives abandonnées sur le tissu noir de sa robe. Elle n'avait apparemment plus de larmes et pas une seule fois elle ne prononça le nom de son époux. Bien plus, quand Léonarde essaya d'approcher la blessure qu'elle devinait avec des mots apaisants, elle coupa court.

– Non! Par pitié, ne me dites rien! Ne m'en parlez jamais. Il est mort loin de moi... et c'est entièrement ma faute!

Elle quitta alors la salle comme on s'enfuit et descendit au jardin pour aller s'asseoir sous un petit berceau de roses mousseuses, chef-d'œuvre de Florent. Celui-ci n'était pas loin, d'ailleurs, occupé à nettoyer un massif de giroflées que des chats avaient mis à mal en s'y battant une nuit de pleine lune. Son premier mouvement fut de venir vers la jeune femme, mais il aperçut son visage immobile, son regard sans vie, et il n'osa pas, craignant une rebuffade qui l'eût blessé. Sa belle dame semblait avoir perdu son âme.

C'était vrai, en un sens. Fiora accrochait son désespoir et ses regrets à cet instant démentiel, insensé, où elle s'était arrachée des bras de Philippe pour s'éloigner de lui, murée qu'elle était dans son orgueil blessé et dans sa déception. Pourtant, les avait-elle attendues, cherchées, ces heures de bonheur qu'elle venait d'interrompre! Et tout cela parce que Philippe, au lieu de se consacrer à elle, prétendait continuer à mener sa vie habituelle, vouée tout entière au service du suzerain, après l'avoir reléguée dans son château bourguignon. Sur le moment, l'idée lui avait paru absurde et, quand il avait prononcé le mot d'obéissance, tout son être s'était révolté. La vie qu'il lui offrait, elle n'en voulait pas. N'était-ce pas à lui, qui avait eu envers elle de si grands torts, de prouver enfin qu'il l'aimait plus que tout au monde et d'essayer de la rendre heureuse ? Oui, elle le pensait, et elle l'avait pensé à chacun des instants qui avaient suivi, jusqu'à cette minute affreuse où Mathieu de Prame lui avait appris ce qui s'était passé à Dijon, un jour de ce mois de juillet où, dans la douceur de ce même jardin, elle se laissait aller au bonheur de porter « son » fils en caressant l'espoir de l'y voir venir un jour.

Les pensées torturantes continuaient leur ronde. Si elle avait accepté de se laisser conduire à Selongey, de vivre l'existence qu'il lui offrait, les choses auraient-elles été différentes ? Serait-il resté auprès d'elle ? Sa raison lui soufflait qu'elle en serait alors au même point, que tout se serait déroulé dans la vie de Philippe comme il en avait décidé, qu'il aurait continué cette lutte insensée pour une Bourgogne indépendante qui n'était plus qu'un leurre, et qu'il n'aurait pas davantage évité l'échafaud.

L'échafaud ! Quelle malédiction traînait donc après lui ce vieil assemblage de pierre et de bois qui, après avoir bu le sang de ses parents, venait de boire celui de l'homme qu'elle aimait ? Tout ce qui faisait sa vie devait-il obligatoirement achopper sur ces affreux bois de justice ? Peut-être que si elle avait noué ses bras assez fort autour de Philippe elle aurait réussi à le garder près d'elle, à l'empêcher d'aller vers ce destin atroce et tellement inutile !

Si écartée du bruit du monde que fût la maison aux pervenches, quelques nouvelles y parvenaient de temps à autre, celles que Péronnelle rapportait du marché ou que Florent glanait en ville. On avait ainsi appris que, le 18 août, à Gand, Marie de Bourgogne avait épousé Maximilien. Elle serait un jour impératrice d'Allemagne et n'avait plus besoin de la Bourgogne que la conduite dangereuse du défunt duc avait d'ailleurs à demi détachée de lui. Philippe était mort pour rien, pour rien, pas même pour une idée. On ne lutte pas contre l'Histoire, mais il ne voulait pas le savoir : ce qu'il voulait, c'était conserver à « sa » princesse l'héritage ancestral, et Fiora à présent ne savait plus très bien qui elle haïssait davantage, de cette Marie qui avait mené Philippe à sa perte ou du gouverneur de Dijon – comment s'appelait-il, déjà ? le sire de Craon ? – qui avait signé l'ordre d'exécution.

Les seuls instants de paix que le tourbillon de ses pensées laissait à Fiora, elle les trouvait auprès de son fils. Le bébé était superbe. Le lait de Marcelline semblait lui convenir à merveille et il promettait d'être grand, fort et peut-être heureux de vivre : s'il gazouillait beaucoup il pleurait peu, et même pas du tout car, lorsqu'il piquait une colère, ses yeux à la nuance encore incertaine demeuraient secs. Devant lui, Fiora n'était plus qu'adoration et, quand elle le tenait dans ses bras et caressait, du bout d'un doigt, le léger duvet brun de sa petite tête, une telle vague d'amour l'enveloppait qu'elle oubliait un instant de souffrir. Elle s'attardait alors un moment près du berceau, barque fragile à laquelle, comme si elle était en train de se noyer, elle s'accrochait pour ne pas devenir folle. Dès qu'elle s'en écartait, les pensées amères affluaient.

On approchait des vendanges quand, tout à coup, le pays s'anima. Le Plessis, qui semblait un peu assoupi en l'absence de son maître, se réveilla. On faisait le ménage à fond et l'on réapprovisionnait les cuisines, tandis que commençaient à arriver des porteurs d'ordres et quelques chariots de meubles : en un mot, Louis XI revenait.

On sut qu'il n'était plus loin quand arrivèrent les objets de sa chapelle qui ne le quittaient jamais. En fait, il se trouvait à Amboise pour y visiter la reine Charlotte, son épouse. Celle-ci préférait de beaucoup au Plessis son beau château dressé sur le coteau devant lequel coulait la Loire. Mais le roi n'y restait jamais bien longtemps et, deux jours après l'arrivée de la chapelle, on entendit sonner les trompettes d'argent qui annonçaient son approche.

Ce soir-là, pour la première fois depuis la naissance de

son fils, Fiora sortit de son mutisme et, au lieu de remonter dans sa chambre après le souper comme elle en avait pris l'habitude, resta dans la salle et demanda à Léonarde d'y rester avec elle. La soirée étant un peu fraîche, Florent avait allumé dans la cheminée une brassée de branches de pin dont la résine crépitait joyeusement et embaumait la grande pièce silencieuse. La jeune femme rêva un instant en regardant les flammes, puis ramena sur Léonarde son regard las.

– Je vous demande, dès à présent, pardon de ce que je vais faire, ma chère Léonarde. Croyez qu'avant de m'y décider j'ai longuement réfléchi. L'absence du roi m'en a laissé le temps mais, puisque le voilà revenu, je ne peux différer davantage.

– J'ignore de quoi vous souhaitez me parler, Fiora, mais sachez que la seule chose qui compte pour moi, à cette heure, c'est justement que vous me parliez enfin. Ce long silence me désespérait. Il me semblait... que je ne comptais plus pour vous puisque je n'étais plus la confidente de vos peines et...

La voix buta sur un sanglot que la vieille demoiselle ravala courageusement, mais une larme brilla tout de même dans ses yeux bleus qui semblaient conserver une éternelle jeunesse. La main de la jeune femme vint se poser sur celle de sa fidèle compagne.

– Qu'aurais-je pu vous dire que vous ne sachiez déjà ? Je vous sais gré, au contraire, de m'avoir laissée à mon silence. Je ne pouvais entendre d'autres voix que celles de ma douleur et de mes remords.

Le mot fit bondir Léonarde et sa tristesse s'en trouva balayée :

– Je savais bien qu'il s'agissait de cela ! Des remords ? Pourquoi ? Parce que vous n'avez pas permis à messire Philippe de vous enfermer à Selongey où il ne serait resté que peu de temps, pressé qu'il était de retourner au combat ? Voulez-vous me dire ce que cela aurait changé à l'abominable suite des événements et si vous seriez moins malheureuse dans son château que vous l'êtes ici ?

– Sans doute rien, mais je serais à Selongey, comme il le voulait, et c'est toute la différence. Léonarde, l'homme qui a fait tuer mon époux est gouverneur de Dijon « pour le roi »... et moi je ne me reconnais pas le droit d'élever son fils dans une maison donnée par le roi.

– Doux Jésus ! gémit la vieille demoiselle qui changea de couleur, ne me dites pas que vous allez vous lancer, à nouveau, à la poursuite de je ne sais quelle vengeance insensée ? Ne me dites pas que tout va recommencer comme durant ces deux années affreuses que nous avons vécues, vous et moi ? Devant Dieu qui m'entend, je jure que je ne pourrais pas le supporter. Non, je ne pourrais pas !

Cette fois, elle éclata en sanglots et enfouit son visage dans ses deux mains qui tremblaient. Navrée de ce chagrin dont elle était la cause, Fiora se laissa glisser à genoux près d'elle comme elle le faisait quand elle était enfant et qu'elle avait quelque chose à se faire pardonner, puis l'entoura de ses bras.

– Calmez-vous, mon cœur, fit-elle doucement, je vous jure sur tout ce que j'ai de plus sacré que l'idée de vengeance ne m'a jamais effleurée et qu'il ne saurait plus en être question. Je sais ce que vous avez souffert et, bien souvent, j'en ai eu du remords. D'ailleurs, je n'ai pas été au bout de mon dernier projet. Pas plus que Démétrios ! Les meules du Seigneur broient lentement mais sûrement, et les grains de sable que nous sommes faisaient preuve d'une trop grande présomption ! Plus de vengeance, ma Léonarde, plus jamais !

– Vraiment ?

– N'avez-vous plus confiance en moi ? Si, tout à l'heure, je vous ai demandé pardon de ce que je vais faire, c'est uniquement parce que je sais que vous êtes heureuse ici, que vous êtes attachée à cette maison, comme je le suis moi-même d'ailleurs. Cela va être dur de s'en séparer, mais il faut me comprendre : même si je ne garde pas rancune au roi d'une condamnation dont il n'a probablement même pas été informé, ce sire de Craon a jugé en son nom. Rester ici serait approuver tacitement ce qui a été fait. Mon fils me le reprocherait plus tard.

Fiora s'était relevée et marchait lentement le long de la cheminée, les mains au fond de ses larges manches. Léonarde la suivait des yeux avec une sorte d'accablement. Puis son regard glissa sur le décor qui les environnait et dont, à son cœur qui se serrait, elle comprit qu'il lui était devenu cher et qu'elle avait espéré y achever ses jours. Enfin, elle parla :

– Pensez-vous donc élever cet enfant dans l'amour exclusif de la Bourgogne et la haine de la France ?

– Non. Bien sûr que non, mais...

– Quand il aura vingt ans, il y aura longtemps sans doute que la Bourgogne sera devenue province française. Le roi Louis ne sera peut-être plus de ce monde, mais son fils régnera et le vôtre sera l'un de ses sujets. Voulez-vous dès à présent le ranger dans un camp rebelle qui, en outre, n'existe presque plus, puisqu'il s'agit, pour les anciens sujets du duc Charles, de choisir entre France et Allemagne ? Il faut songer à son avenir. Où le voyez-vous, cet avenir, si vous offensez le roi en lui rendant le présent qu'il vous a fait ?

– Le roi est un homme sage. Il me comprendra certainement. Il est plus normal que j'emmène mon fils à Selongey.

– Êtes-vous seulement certaine qu'il existe encore un château de Selongey ?

Fiora s'était arrêtée et fixait à présent Léonarde d'un œil stupéfait :

– Pourquoi n'existerait-il plus ?

– Parce que dans tous les pays du monde, lorsqu'un homme a été condamné pour rébellion, ses biens sont récupérés par la Couronne, ses défenses abattues. Il se peut que le château ait été rasé. Si notre petit Philippe n'avait plus rien d'autre que ce manoir que vous voulez rendre ?

– Oubliez-vous qu'Agnolo Nardi fait fructifier la part de fortune qui m'a été laissée ? Il aura au moins cela !

– Peu de chose pour le grand seigneur qu'il a le droit d'être. Pourquoi, au lieu d'aller jeter, demain, vos titres de propriété à la tête du roi Louis, n'allez-vous pas plutôt lui porter votre plainte ? Il vous a montré que vous pouviez avoir confiance en lui et qu'il avait pour vous une véritable amitié. En outre, comme vous le disiez tout à l'heure, c'est un homme sage... mais n'oubliez pas non plus ce que nous a dit messire de Commynes lors de sa dernière visite : il a changé et il semble prendre plaisir à présent à cette guerre qu'il détestait. Il a même exilé son plus sage conseiller...

– A Poitiers ? Ce n'est pas un grand exil.

– Sans doute, mais le sire d'Argenton pensait en revenir vivement, et nous ne l'avons toujours pas revu. Craignez d'offenser le roi, Fiora ! La profondeur de son esprit cache peut-être des abîmes insondables. Où pensiez-vous aller en partant d'ici alors que l'hiver sera bientôt là ? Tout droit à Selongey ?

– Non, pas tout de suite. A Paris d'abord, chez nos amis Nardi qui seraient, j'en suis sûre, très heureux de nous accueillir et qui...

– ... et qui le seraient peut-être moins si nous arrivions chez eux en indésirables, peut-être en proscrites ? Où irions-nous alors avec un bébé de quelques semaines dans les bras ? Cette maison est à vous, Fiora, et vous n'en avez plus d'autre ! Pensez-y quand, demain, vous aborderez le roi !

– Vous avez une terrible logique, Léonarde, et il se peut que vous ayez raison, mais il me semble que, là où il est, Philippe me chasse d'ici, me crie que ma place et celle de son fils ne sont pas auprès d'un roi qu'il haïssait.

– Là où il est ? Que pouvez-vous savoir des volontés de ceux qui ont quitté cette terre ? Il me semble que l'on doit songer d'abord à obtenir grâce et pardon pour toutes les fautes que l'on a commises. Faites à votre guise, mon agneau, c'est de votre vie et de celle de l'enfant qu'il est question, et pour ma part je suis toujours prête à vous suivre là où vous le jugerez bon, l'important étant d'être à vos côtés. Mais il y a aussi cette bonne Péronnelle et son époux. Ils sont déjà attachés au petit Philippe. Vous allez leur briser le cœur.

Fiora ne dormit guère cette nuit-là. Elle tournait et retournait dans sa tête ce que lui avait dit Léonarde, sans parvenir à une solution valable. Bien sûr, Léonarde avait raison sur bien des points, mais la même idée fixe revenait : rester ici serait trahir le souvenir de Philippe, et Fiora se reprochait déjà trop de choses pour en ajouter de nouvelles. Néanmoins, elle se promit d'user de diplomatie pour éviter de changer un Louis XI amical en un ennemi courroucé.

Elle avait décidé de se rendre au Plessis dès le matin, aux environs de l'heure où le roi sortait de la messe. Mais, au moment où elle allait se mettre en route, elle entendit les abois de chiens et les trompes qui annonçaient un départ pour la chasse. Ainsi, à peine rentré chez lui, le souverain se hâtait-il vers son délassement favori, qui était chez lui une véritable passion. Mieux valait ne pas risquer de le retarder, car c'est alors qu'il serait de mauvaise humeur.

C'est donc vers la fin de l'après-midi que, dans une robe de velours noir, une haute coiffure en toile argentée soutenant ses mousselines funèbres, elle monta sur sa mule. Suivie de Florent dans ses meilleurs habits, elle se dirigea vers le château et gagna le « Pavé », le chemin couvert de grosses pierres qui joignait la ville de Tours à la demeure de son souverain. Si la chasse avait été bonne, la jeune femme avait toutes chances d'être reçue avec affabilité. Quoi qu'il en soit, il était normal qu'elle vînt saluer le roi pour le féliciter de son bon retour chez lui. Et Fiora partit sans tourner la tête pour ne pas voir Léonarde et Péronnelle, celle-ci tenant le bébé dans ses bras, qui la regardaient s'en aller. Les yeux rougis de Péronnelle, mise sans doute au courant par Léonarde, lui causaient une impression pénible et la gênaient au point que, en arrivant devant la première enceinte du Plessis-lès-Tours, elle faillit tourner bride et rentrer chez elle en se demandant de quel droit elle allait causer tant de peine à de si braves gens. Mais cela faisait partie de sa nature d'aller au bout de ses décisions et, après un court temps d'arrêt, elle s'avança vers le portail flanqué de deux tours crénelées que gardaient des archers de la Garde écossaise.

L'amitié déjà ancienne qui liait Fiora au sergent Douglas Mortimer était connue de tous et, loin de l'empêcher d'entrer, les soldats saluèrent la jeune femme en y ajoutant ce grand sourire que tout homme normalement constitué réserve à une jolie créature. Dans la basse-cour régnait l'activité des réemménagements. D'un côté, il y avait les logis de la Garde où les varlets mettaient de l'ordre tandis que des filles de service emportaient le linge vers le lavoir. Vers l'ouest, près de la toute petite chapelle consacrée à Notre-Dame de Cléry, que le roi appelait sa « bonne dame » ou sa « petite amie » car elle avait sa préférence, les soldats chargés de garder la grande tour carrée qui se dressait à l'écart des murailles et que l'on appelait la « Justice du Roi » se chauffaient au soleil de cette fin de journée ou jouaient aux dés. De l'autre côté, une autre église, dédiée à saint Mathias, servait de paroisse à la population du château et de chapelle au petit couvent enfermé dans ses murs. On se serait cru sur la place d'un village, mais ce village s'achevait par des douves larges et profondes, enjambées par un grand pont-levis qui donnait accès à la cour d'honneur, centre du véritable château.

Celui-ci, que l'on découvrait à gauche en entrant, se composait d'un grand logis orné d'une galerie aux arcades joliment sculptées supportant une terrasse plantée de statues sur laquelle ouvraient de hautes fenêtres à double meneau. D'élégantes lucarnes aux gables fleuronnés animaient le grand toit d'ardoises et couronnaient superbement ce logis royal qui n'avait en vérité aucun rapport avec les descriptions sinistres qu'en donnaient les ennemis du roi. Une tour octogone coiffée d'une haute poivrière enfermait l'escalier et, face aux fenêtres du logis, s'ouvraient largement les jardins et les vergers toujours admirablement entretenus, car l'eau leur était fournie, comme à tout le château, par des tuyaux de plomb ou de poterie reliés à la fontaine de la Carre. Néanmoins, dans cette cour comme dans la précédente, il y avait un puits et un abreuvoir [1].

L'endroit, contrairement à celui qui précédait, était tranquille, silencieux et presque désert. Le roi, quand il était au Plessis, tenait avant tout à s'assurer le calme nécessaire à la réflexion. Seuls deux archers étaient en poste au bas de l'escalier et Fiora, qui cherchait Mortimer, s'apprêtait à leur demander s'ils savaient où il était quand elle vit apparaître Étienne Le Loup qui se disposait à traverser la cour. Reconnaissant la jeune femme, il vint vers elle et la salua courtoisement :

– Notre sire est parti pour la chasse tôt ce matin, donna Fiora. Vous ne risquez pas de le rencontrer ici.

– Je sais. Je l'ai entendu partir, mais je pense que l'heure n'est pas éloignée de son retour, et c'est ce retour que je suis venue attendre pour le saluer et prendre nouvelles de sa santé.

– Si l'on tient compte de la vie épuisante qu'il a menée ces derniers mois, elle est excellente. D'ailleurs, vous voyez qu'à peine arrivé il s'est lancé à la chasse. Il en a été fort privé tous ces temps. Mais je ne saurais trop vous conseiller de rentrer chez vous, car le roi ne rentrera pas ce soir.

– Est-il donc parti si loin ?

– Encore assez. Il chasse en forêt de Loches. Il passera donc cette nuit au château de cette ville. Peut-être même y restera-t-il plusieurs jours si les piqueux ont fait bon ouvrage.

1. Je tiens à rendre ici hommage à M. Sylvain Livernet dont le très bel ouvrage *Tours au temps de Louis XI* m'a été d'un grand secours pour cette partie du livre. (*N.d.A.*)

Loches ! Le nom sonna sinistrement dans la mémoire de Fiora. C'était vers cette forteresse que l'on emmenait l'autre jour Mathieu de Prame prisonnier de sa cage, et peut-être le roi, sous couleur de chasse, n'y allait-il que pour l'interroger ? D'autres captifs, elle le savait, y étaient enfermés, à commencer par Fray Ignacio Ortega, le moine castillan qui l'avait poursuivie de sa haine et qu'elle avait empêché, de justesse, à Senlis, de tuer Louis XI. On l'avait envoyé à Loches, lui aussi, pour expier son forfait dans une autre cage. Il y avait encore un cardinal dont Fiora avait oublié le nom, mais il semblait que le roi eût fait de Loches le lieu de prédilection de ses redoutables justices. Les hommes y étaient traités comme des fauves, moins bien sans doute, et si Fiora ne s'attendrissait guère sur le sort du moine espagnol, son cœur se serrait au souvenir du jeune écuyer, enchaîné et misérable sous les rires et les injures d'une foule rendue plus cruelle encore par les libations d'un jour de fête.

– Il faut que je parle au roi ! dit-elle enfin. Le mieux serait peut-être que je me rende à Loches, moi aussi ?

Elle vit les yeux ronds du chambellan devenir presque ovales à force de stupeur. Il bredouilla :

– Aller... à Loches ?

Mais il n'eut pas le temps de continuer et se plia en deux pour un profond salut, cependant qu'une voix jeune et douce prenait sa suite :

– Ce serait folie si vous voulez bien me permettre cet avis, Madame. Le roi ne reçoit jamais personne quand il va là-bas car c'est le séjour des prisonniers politiques et quiconque ose enfreindre sa défense encourt sa colère. Souhaitez-vous connaître sa colère ?

La voix appartenait à une enfant, une toute jeune fille qui pouvait avoir treize ou quatorze ans, derrière laquelle une grande femme vêtue comme une dame de la cour se tenait debout, les mains sur son giron dans une attitude pleine de dignité. Quant à la fillette, Fiora, apitoyée, pensa qu'elle n'avait jamais vu adolescente plus disgraciée... ni plus imposante. Sous le velours bleu paon de la robe brodée de menues fleurs de lys d'argent, les épaules paraissaient inégales, le corps contrefait. Le visage, au nez trop grand, à la bouche triste et aux yeux légèrement globuleux, semblait s'être trompé de corps et appartenir à une femme beaucoup plus âgée. Mais que ce regard brun, presque douloureux, avait donc de douceur et de lumière ! Ne sachant que dire tant cette fillette l'impressionnait, Fiora hésitait sur la conduite à tenir quand la dame qui accompagnait la renseigna, non sans une certaine sévérité.

– Inclinez-vous, Madame ! C'est Madame Jeanne de France, duchesse d'Orléans, qui vous fait l'honneur de vous adresser la parole !

Fiora, confuse, plongea aussitôt dans sa révérence. Ainsi cette enfant était la plus jeune fille du roi, celle que, l'an passé, il avait obligé le jeune duc d'Orléans son cousin à épouser en confiant cyniquement à l'un de ses proches qu'il tenait à ce mariage parce que les enfants des jeunes époux « ne leur coûteraient guère à nourrir ». Une façon comme une autre d'en finir avec la branche rivale du vieux tronc capétien. Péronnelle avait, un soir d'hiver, raconté l'histoire avec force détails et force soupirs, et ses auditrices n'avaient pu démêler qui elle plaignait le plus, du jeune duc d'Orléans que l'on disait beau et bien fait, contraint d'épouser un pareil laideron, ou bien de la pauvrette que son sang royal ne sauvait pas de la pire des humiliations : celle d'être imposée de force à un garçon dont on disait qu'elle l'aimait de tout son cœur. Elle avait vécu son enfance au château de Linières, en Berry, où personne, pas même sa mère, ne venait la voir et, depuis son mariage, elle y était retournée, confiée à la garde des Linières qui l'avaient élevée [1]. Il était bien rare qu'on la vît dans les demeures royales qu'elle n'aimait pas, d'ailleurs, car elle savait que sa présence n'y était pas désirée.

1. Le jeune duc deviendra le roi Louis XII et répudiera Jeanne, au cours d'un procès en divorce crucifiant, pour épouser Anne de Bretagne. Jeanne, devenue religieuse, fondera l'ordre de l'Annonciade. Le pape Pie XII en fera sainte Jeanne de France.

– Madame, murmura Fiora, je supplie Votre Altesse de me pardonner mon ignorance. Quant à la colère du roi notre sire, croyez bien que je la redoute autant que quiconque, mais je souhaite lui faire entendre des faits d'une si grande urgence...

– Que vous êtes prête à braver tous les courroux du monde, même le sien ? Me direz-vous qui vous êtes ? Si je vous avais déjà rencontrée, je m'en souviendrais car vous êtes bien belle. Vous êtes étrangère, peut-être ?

– De Florence, Madame. Je m'appelais Fiora Beltrami et...

– Ah ! Je sais qui vous êtes ! On m'a parlé de vous ! s'écria Jeanne avec un sourire charmant qui lui rendit son âge et illumina son visage ingrat. Le roi mon père vous tient en grande estime et amitié. Mais... êtes-vous en deuil ?

– Oui. De mon époux, le comte Philippe de Selongey, mis à mort il y a deux mois à Dijon, pour rébellion. Il était... familier du défunt duc Charles.

– Oh ! Pardonnez-moi si je vous ai blessée, vous devez être très malheureuse. C'est vous qui habitez le manoir de La Rabaudière ?

– Oui. Et je souhaitais que notre sire me permette de le lui rendre. Je viens d'avoir un fils et...

– N'expliquez rien. Je crois que j'ai compris. J'ai peu de crédit, hélas, et ne puis vous être d'un grand secours. Tout ce que je peux vous offrir, c'est un conseil, si vous voulez bien l'accepter.

– Avec reconnaissance, Madame.

– N'affrontez pas mon père en ce moment ! Il est revenu encore tout bouillant de cette difficile reconquête des pays du Nord. Vous voyez, il n'a pu tenir en place plus de quelques heures. Laissez-lui le temps de retrouver sa sérénité... et surtout sa sagesse. Dans quelques jours tout ira mieux et vous pourrez parler avec lui. Mais je vous en conjure, faites très attention.

– Pourquoi ?

– Parce que vous allez sans doute l'offenser. Il lui est déjà arrivé de reprendre un présent si celui qui en avait été l'objet l'avait déçu, mais je crois que, jamais, quelqu'un ne lui en a rendu un spontanément. Il se peut qu'il n'apprécie pas. Ne brusquez rien et profitez de ce répit obligé pour réfléchir encore!

– J'ai déjà beaucoup réfléchi, Madame.

– Alors, c'est de Dieu qu'il faut prendre conseil. Moi, je prierai pour vous.

Sans laisser à Fiora le temps de la remercier, la petite princesse allait s'éloigner d'un pas inégal qui serra le cœur de son interlocutrice, quand, soudain, elle se ravisa :

– Je comptais rentrer à Linières demain, pourtant je vais rester ici encore quelques jours si vous me promettez de ne rien précipiter.

– Votre Altesse consentirait-elle à m'aider?

– Je vous l'ai dit : j'ai peu de pouvoirs, mais je voudrais mettre ce peu à votre service. Rentrez chez vous et surtout n'en bougez pas avant que je vous envoie chercher. C'est promis?

– C'est promis... mais je ne sais comment vous dire...

– Non! Ne me remerciez pas. C'est moi qui, au contraire, devrais le faire.

Comme Fiora visiblement ne comprenait pas, Jeanne ajouta avec ce beau sourire qui faisait oublier sa laideur :

– Vous venez de me prouver que l'on pouvait être à la fois belle comme le jour et profondément malheureuse. Quand j'aurai envie de me plaindre, je penserai à vous!

Elle posa un instant sa main menue, fragile comme une patte d'oiseau, sur celle de Fiora que sa révérence agenouilla presque puis, prenant le bras de Mme de Linières, elle se dirigea vers la basse-cour, saluée comme il convenait par les gardes des portes. Fiora la vit se rendre à la chapelle vouée à Notre-Dame de Cléry où elle entra.

– Quand on pense à une princesse, dit Florent qui la suivait des yeux, on imagine toujours une grande et belle dame, superbement habillée et parée de toutes les grâces.

Je n'imaginais pas que le roi pût avoir une fille aussi affreuse.

– Taisez-vous donc! Vous ne savez pas ce que vous dites! Affreuse? avec ce regard lumineux, avec ce sourire qui semble contenir toute la douceur du monde? Je suis bien sûre que Dieu, lui, n'est pas de votre avis! Rentrons!

Comme elles avaient assisté à son départ, Léonarde et Péronnelle guettaient son retour. Quand elles apprirent que Fiora n'avait pu rencontrer le roi, elles eurent toutes les peines du monde à cacher leur soulagement. Quelques jours, ce n'était pas grand-chose, mais c'était toujours un répit. Et que cette rencontre avec la jeune duchesse d'Orléans était donc réconfortante! Fiora avait promis de remettre sa démarche jusqu'à ce qu'elle l'y autorisât, en quelque sorte. Léonarde reprit courage.

– Quelque chose me dit que nous n'allons pas quitter cette chère maison avant longtemps, confia-t-elle à Péronnelle. J'espère beaucoup que notre sire saura convaincre donna Fiora de ne pas s'éloigner et que nous allons passer ensemble le plus délicieux des hivers.

– Vous croyez?

– Oui, je le crois. Ce que je craignais par-dessus tout, c'était que notre jeune châtelaine ne tombe sur le roi comme la foudre et ne s'attire son ressentiment. Je pense à présent que les choses devraient se passer au mieux, et que nous resterons tous ensemble.

Ces quelques phrases pleines d'espérance, la pauvre Léonarde devait y penser souvent, au cœur des interminables nuits sans sommeil qui allaient être son lot durant ce même hiver qu'elle avait espéré si doux.

Sous les rideaux de brocatelle fleurie qui enveloppaient son lit, Fiora sommeillait. Une grande fatigue s'était emparée d'elle à son retour du Plessis. Après avoir accepté de Péronnelle une écuelle de bouillon de légumes, elle avait regardé Marcelline donner le sein au petit Philippe, puis elle s'était retirée chez elle, sans accepter qu'on l'aidât à se dévêtir. Une fois de plus, elle était aux prises avec ce grand désir de solitude qui désolait tant Léonarde, la seule idée de parler, d'écouter, de répondre lui étant presque insupportable. Il lui semblait être un fétu de paille, un bouchon emporté sur les eaux tumultueuses du destin sans qu'il soit accordé à sa volonté propre la moindre chance de s'exprimer. Il n'y avait rien d'autre à faire qu'essayer de trouver un peu de repos et, jetant ses vêtements autour d'elle sans se soucier de l'endroit où ils tombaient, elle alla se glisser dans ses draps frais qui fleuraient bon l'iris et laissa son corps s'y détendre jusqu'à ce que la nuit, s'insinuant entre les branches de la croix que formait le meneau de sa fenêtre, eût fondu dans la grisaille les vives couleurs du tapis de Smyrne étendu sur le dallage et envahi la pièce en y laissant pénétrer une fraîcheur annonciatrice de l'automne.

Fiora n'avait pas permis qu'on allumât le feu, toujours préparé dans toutes les cheminées de la maison, pas plus que la veilleuse disposée à son chevet. Elle n'avait pas envie de lire, bien que le volume disposé auprès d'elle fût l'un des discours de Platon qu'elle avait le plus aimés dans son enfance studieuse. A quoi pouvait lui servir la sagesse grecque, au fond d'un manoir perdu entre fleuve et forêt, quand son cœur et son esprit flottaient à la dérive sans plus savoir de quel côté il convenait de se tourner ? La seule chose vivante, dans cette chambre, était la brise du soir qui passait par l'un des vitraux ouverts de sa fenêtre et lui apportait l'odeur de feuilles mouillées qu'une pluie récente avait étendue sur le jardin.

L'un après l'autre, les bruits familiers de la maison s'éteignirent. Fiora entendit Florent tirer de l'eau au puits de la cour pour que Péronnelle en eût quand, au matin, elle réveillerait le feu de la cuisine. Puis ce fut le pas d'Étienne qui faisait une dernière ronde et sifflait ses chiens avant de regagner son lit dans les communs, aux abords du chemin creux ; celui des portes que Léonarde fermait l'une après l'autre en tirant les verrous ; le craquement léger de l'escalier de bois du second étage sous le poids de Péronnelle qui rejoignait sa chambre, suivi de celui – plus léger – de Florent. Enfin, le faible grincement de sa propre porte quand Léonarde l'entrouvrit pour s'assurer que Fiora dormait. Dans la chambre voisine, le bébé pleura un peu et Marcelline fredonna quelques mesures d'une vieille berceuse pour l'endormir, puis Fiora entendit craquer le lit sous le poids de la nourrice. C'était fini : la maison avait cessé de vivre pour laisser entrer les bruits nocturnes de la campagne environnante. Tout était en ordre, chacun des habitants du manoir ayant emporté avec lui, pour la déposer jusqu'au retour du jour, sa charge de soucis et de peines. Seule Fiora n'avait rien déposé, bien qu'elle essayât de toutes ses forces. C'eût été si bon d'oublier les peines, les devoirs, les obligations que lui créaient son veuvage et l'honneur du nom qu'elle portait, pour n'être plus que ce qu'elle était : une très jeune femme qui n'avait pas vingt ans, un corps fait pour l'amour et qui ne connaîtrait plus jamais les caresses ni le soleil rouge du plaisir, une âme trop tôt meurtrie qui voulait vivre bien qu'elle n'en eût plus vraiment le courage. Qu'attendre d'une vie où il n'y aurait plus le rire de Philippe, les mains de Philippe, la bouche de Philippe, le corps de Philippe dont elle croyait sentir encore, en fermant les yeux, le poids impérieux et doux quand il l'obligeait à s'ouvrir pour lui...

La pensée de la mort lui revint, comme elle lui venait trop souvent depuis qu'elle avait rencontré Mathieu, et, ce soir, elle s'imposait avec plus de force que jamais. Si Fiora disparaissait, ceux qu'elle aimait, les rares êtres que la vie lui eût laissés, pourraient continuer à vivre dans cette maison où ils se sentaient si bien. On l'enterrerait dans l'île, près du prieuré Saint-Côme, afin qu'elle pût reposer en terre bénite, et Léonarde, chaque matin, viendrait fleurir sa tombe avec des bouquets de lilas, de pivoines, de roses et de chèvrefeuille, d'œillets, de pervenches ou de perce-neige, selon les saisons. Entre ses mains, le petit

Philippe serait bien gardé, bien élevé et, certainement, le roi ne lui ménagerait pas sa protection. Oui, ce serait la meilleure des solutions, à condition que la mort vînt naturellement. Un suicide ne ferait que jeter l'opprobre sur ceux qu'elle aimait, à moins que sa mort ne ressemblât à un accident ? Les pêcheurs du pays disaient que la Loire avait d'étranges tourbillons, des courants violents et des creux profonds. Plus d'un imprudent s'y était perdu en se baignant.

Bien sûr, la saison n'était plus guère à la baignade. Les matins étaient frais et déjà brumeux si les couchers de soleil gardaient un peu de chaleur dans leurs pourpres et leurs ors. Ce serait tellement simple, tellement facile! Presque agréable ? Juste un peu de courage pour faire les premiers pas, et puis s'étendre dans l'eau fraîche et se laisser emporter, rouler par elle jusqu'aux portes de l'infini.

Fiora ferma les yeux pour mieux savourer l'idée qu'elle se faisait de cette façon de quitter le monde et ne s'aperçut pas que, à force de s'imaginer dans l'anéantissement fatal, elle finissait par s'endormir...

Une angoisse subite la réveilla et la dressa assise sur son lit, le cœur battant et la sueur au front. La chambre était obscure, mais le vent s'était levé et le battant de la fenêtre tapait contre le mur. Fiora rejeta le drap qu'elle avait gardé serré contre elle et voulut se lever pour aller refermer. Elle n'eut pas le temps de mettre les pieds à terre : le choc étouffant d'une couverture s'abattit sur elle et, aussitôt, elle sentit que des bras l'encerclaient et s'efforçaient de la maintenir tandis qu'une corde se resserrait sur ses bras. Elle se débattit avec une énergie sauvage, hurla :

– Au secours!... A l'aide!... Haaaaa!

Cherchant sa gorge à tâtons, des doigts étouffèrent ses cris, mais d'autres leur faisaient écho. Elle entendit hurler Marcelline et aussi Léonarde qui suppliait le ou les agresseurs de libérer Fiora. Il y eut aussi un bruit de lutte suivi d'un gémissement de douleur, puis une voix hargneuse :

– Tenez-vous tranquille ou je saigne le gamin comme un poulet !

– Non ! hurla Léonarde ! Pas l'enfant, pas l'enfant... pour l'amour de Dieu !

– Laissez Dieu tranquille et dites à l'homme qu'il aille enfermer ses chiens s'il ne veut pas qu'on les égorge. On va l'accompagner pour qu'il ne s'égare pas...

A travers l'épaisseur de la couverture, Fiora entendit encore la voix aiguë de Péronnelle qui hurlait des paroles sans suite et, comme la pression qui la maîtrisait semblait s'être relâchée, elle essaya de se débarrasser de l'épaisse étoffe.

Elle voulut crier de nouveau mais, au premier son, les doigts qui avaient lâché sa gorge se resserrèrent, étranglant le cri. Elle suffoqua, cependant qu'un voile rouge tombait devant ses yeux. Avec un brutal désespoir, elle pensa qu'elle allait mourir là, étranglée par un quelconque bandit, bien que la voix qu'elle avait entendue menacer avec un léger accent étranger ne lui fût pas tout à fait inconnue. C'était trop bête de finir ainsi ! Elle trouva tout juste la force d'un dernier gémissement avant de sombrer dans une totale inconscience.

Le froid de l'eau qu'on lui jetait au visage ranima Fiora. Elle toussa et voulut porter les mains à son cou qui la brûlait, mais les liens qui lui maintenaient les bras écartés l'en empêchèrent. Ouvrant péniblement les yeux, elle vit qu'elle se trouvait dans une petite pièce obscure et entièrement faite de planches qui lui donnaient assez l'air d'une boîte. Une chandelle posée sur un tonneau coulait et fumait en dégageant une odeur âcre et, découpée dans l'un des côtés, une petite ouverture carrée laissait passer un peu de brume. Elle était couchée sur une paillasse, toujours vêtue de la chemise dans laquelle elle dormait, et une couverture – peut-être celle dans laquelle on l'avait ficelée – recouvrait le tout.

L'eau coulait le long de ses joues et de son cou, mouillant désagréablement ses cheveux. Elle tourna la tête pour voir d'où elle lui était venue et poussa un cri de frayeur en essayant de se reculer le plus loin possible dans le lit qui la supportait : ce qu'elle découvrit n'avait pas de visage, mais un long bec blanc et de gros yeux globuleux entourés d'une large bande rouge...

– Qui êtes-vous ? Que voulez-vous ?

– Causer, ma belle, simplement causer. Nous avons une longue route à faire ensemble. Elle sera ce que tu décideras : relativement agréable... ou très pénible. De toute façon, tu seras gardée étroitement et je ne te laisserai pas la moindre chance d'évasion.

– Encore une fois, qui êtes-vous et où m'avez-vous amenée ? On dirait que nous sommes dans un bateau ?

En effet, le cadre de bois qui retenait sa paillasse bougeait légèrement et l'on entendait au-dehors un friselis léger qui pouvait être celui de l'eau glissant contre une coque.

– Bien deviné ! Nous sommes, en effet, sur une barge qui descend la Loire, une honnête barge de marchand sur laquelle personne n'aura l'idée de nous chercher, en admettant que l'on coure après nous !

Le ton sarcastique de l'homme-oiseau passa comme une râpe sur les nerfs tendus de Fiora :

– Ceux de ma maison ? Qu'en avez-vous fait ? Mon enfant n'est pas...

– Mort ? Pour qui me prenez-vous ? Quant à ceux de votre maison, comme vous dites, à l'exception d'un jeune énergumène aux cheveux filasse qu'un de mes hommes a blessé, ils se portent aussi bien que l'on peut se porter quand on est ficelé comme saucissons. J'espère pour eux qu'au jour quelqu'un viendra les délivrer.

– Florent est blessé ? Est-ce grave ?

– Ne m'en demandez pas trop ! Je n'en sais rien. Et si j'ai un conseil à vous donner, c'est d'oublier tous ces gens. Il passera beaucoup de temps avant que vous ne les revoyiez... si même vous les revoyez un jour !

Fiora se tordit pour essayer de libérer une de ses mains, mais réussit seulement à se faire mal. L'homme au masque – car c'était tout juste l'un de ces masques dont s'affublent les médecins en temps de peste – se pencha sur elle :

– Si vous êtes prête à vous tenir tranquille, je libérerai vos mains. D'ailleurs, je vous l'ai dit, vous serez surveillée sans arrêt.

– Alors, pourquoi m'avoir attachée ?

– Pour que vous compreniez mieux ce que vous risquez !

Enlevant d'une main la couverture qui couvrait la jeune femme, il tira une dague de l'autre main et fendit la chemise depuis le haut jusqu'en bas. Le tissu soyeux glissa de chaque côté, révélant le corps de Fiora dans son entière nudité. Instinctivement, elle ferma les paupières en les serrant très fort pour ne plus rien voir : ce qui était une réaction infantile. Elle ne voyait rien, en effet, mais elle sentit... Elle sentit les doigts durs de l'homme autour de ses seins puis le long de son ventre et plus bas encore, se livrant à une indiscrète exploration. Elle se tordit pour échapper à ces mains qui prenaient possession d'elle et hurla :

– Laissez-moi ! Je vous défends de me toucher.

– Tais-toi, sinon ce sera le bâillon ! Tu es belle, la fille, mais ça je le savais déjà. Alors j'ai décidé ceci, car je dois te livrer vivante et en aussi bon état que possible : ou bien tu te montres soumise, tranquille, et tu ne seras qu'enfermée chez moi. Ou bien tu me causes des ennuis et tu vivras enchaînée sur la caraque qui nous attend à Nantes et chaque soir je te livrerai à mes hommes. Ils sont dix dont un Tartare et un nègre du Soudan. Mais, bien sûr, je passerai le premier... et par tous les diables de l'enfer, je me demande bien pourquoi je m'en priverais ! A moi l'étrenne !

Il arracha le masque qui avait dû servir à effrayer les gens du manoir et Fiora, sans véritable surprise car elle s'y attendait plus ou moins depuis quelques instants, reconnut l'étranger du parvis Saint-Martin, celui que Florent avait vu rôder autour de la maison. Elle l'avait trouvé laid et inquiétant lors de leur première rencontre, mais cette fois son visage enflammé par la lubricité lui parut l'image même du démon. Comprenant qu'il allait la violer sans plus attendre en dépit de ce qu'il avait dit, elle poussa un long hurlement qui dut résonner d'une rive à l'autre du fleuve. Furieux, il lui appliqua sur la bouche une main brutale qu'elle mordit. A son tour il cria puis, de toutes ses forces, il la gifla à plusieurs reprises, ajustant ses coups pour qu'ils fassent le plus mal possible.

La tête de Fiora allait et venait. Elle ne criait plus mais gémissait, et des larmes de douleur coulaient sur sa figure qui devenait brûlante. Et puis, quelque chose se passa. Quelqu'un entra dans la cabine et empoigna son tourmenteur. A demi assommée, elle ne vit rien d'abord qu'une ombre qui lui parut gigantesque à travers ses larmes. Puis de cette ombre vint une voix extraordinaire. Profonde comme la mer, elle avait l'épaisseur onctueuse d'un baume.

– Le maître a dit : vivante et en bonne santé ! Pas de blessures, pas de mauvais traitements, sinon il ne paie pas. Et regarde ! elle saigne !

– Elle m'a mordu, la garce ! Elle a crié, crié...

– Domingo a entendu. Laisse-le faire et pense à la récompense ! Cette femme vaut beaucoup d'or. Va !

La porte grinça de nouveau pour saluer la sortie de l'étranger. Fiora vit alors que ce qu'elle avait pris pour une ombre était une sorte de colosse noir dont le visage et les mains se distinguaient mal des vêtements sombres et du turban couleur lie-de-vin qu'il portait. Quand il approcha du lit, la flamme de la chandelle révéla le blanc laiteux des gros yeux bruns et celui, éclatant, des dents qui apparaissaient entre les lèvres semblables à deux bourrelets de cuir rougeâtre. Il considéra un instant la jeune femme liée à sa paillasse, comme la victime expiatoire de quelque monstrueux sacrifice, et haussa les épaules. Les yeux de Fiora n'étaient plus qu'une interrogation angoissée. Elle tremblait à la fois de froid et de peur, car ce sombre visage n'avait rien de rassurant, pourtant ses mains avaient beaucoup de douceur quand il ramena sur elle les deux morceaux de la chemise et, ramassant la couverture, l'en recouvrit. Puis, tirant de la grande ceinture qui lui drapait le ventre un long poignard à manche courbe, il coupa les liens des poignets. Fiora soupira de soulagement et frotta ses chairs meutries avant de glisser ses bras au chaud de l'épais tissu laineux.

– Merci, murmura-t-elle, et merci aussi pour ce que vous avez fait il y a un instant. Me direz-vous qui vous êtes et quel...

– Ne parle pas ! Dors !

– Comment pourrais-je dormir dans la situation où je me trouve ? Ne comprenez-vous pas...

– Tu vas dormir. Avec ça.

Le Noir tira de sa tunique une petite boîte d'argent d'où il sortit une pilule brune qu'il mit dans la bouche de la jeune femme. Puis, prenant un pot d'eau posé dans un coin, il lui en fit boire une gorgée.

– Dors ! répéta-t-il, Domingo reste ici.

La drogue devait être puissante car à peine l'eût-elle avalée que Fiora sentit son corps se détendre sous l'influence d'une torpeur qui n'était pas désagréable. Avant de fermer les yeux, elle eut le temps de voir le Noir s'asseoir en tailleur près de l'étroite ouverture par où entrait l'air et faire glisser entre ses doigts les grains d'un court chapelet d'ambre.

Quand elle rouvrit les yeux après un temps impossible à évaluer, l'étroite cellule de bois était éclairée par un rayon de soleil rouge et horizontal qui annonçait le couchant. L'homme noir avait disparu et Fiora vit qu'elle était seule. En se redressant, elle découvrit des habits posés sur ses pieds et se hâta de les revêtir. Il y avait une chemise et des caleçons d'une toile de Flandre d'assez belle qualité, une robe de tiretaine grenat avec une ceinture de cuir tressé et des manches lacées, enfin des bas et des chaussures qu'elle reconnut pour être celles qu'elle avait ôtées la veille en se couchant. C'était loin d'être élégant, mais ainsi vêtue Fiora se sentit mieux, et surtout plus en sécurité. Un voile de tête et un grand manteau noir à capuche complétaient l'équipement. Elle les laissa de côté pour le moment et s'approcha de l'ouverture qui laissait entrer la lumière pour aspirer l'air tiède déjà chargé de senteurs marines.

La barge avançait toujours, poussée par les longues rames dont elle pouvait entendre le clapot régulier et aidée par le courant du fleuve. Une rive couverte de hautes herbes et bordée de roseaux défilait lentement à la hauteur de ses yeux. Elle était toute proche et Fiora fut saisie de l'envie irrésistible de la toucher, de la rejoindre. Il fallait qu'elle trouve un moyen de quitter ce bateau et d'échapper à ces ennemis inconnus qui l'emmenaient Dieu sait où. Peut-être en Afrique ? L'homme, hier, avait parlé d'une caraque attendant à Nantes et le Noir Domingo avait dit qu'elle valait beaucoup d'or. Se pouvait-il que ces gens l'eussent enlevée pour la vendre comme esclave à quelque Sarrasin ?

Pour évaluer ses chances, elle alla près de la porte. Elle était fermée à clef, bien sûr, mais ne semblait pas très solide. Elle avait cet aspect fragile, un peu branlant des battants qui ne tiennent que par un loquet. Peut-être serait-il possible de le soulever en introduisant un objet long et mince dans la rainure ? Et Fiora commença une inspection minutieuse de sa prison, dans l'espoir de trouver ce qu'il fallait pour s'en servir quand la nuit serait venue.

Évidemment, elle ne savait pas sur quoi donnait cette porte ni ce qu'elle trouverait derrière. Le faux marchand avait bien parlé de dix hommes, mais Fiora avait besoin de cette activité qui lui permettait de rêver sa prochaine libération pour ne pas sombrer à nouveau dans le désespoir.

Le cadre du lit tenait par des pentures de fer plates dont l'une avait du jeu. Agenouillée, Fiora essayait de la détacher quand la basse profonde de Domingo la fit tressaillir. En dépit de sa taille et de son poids, le Noir était entré sans faire plus de bruit qu'un chat :

– Tu vas abîmer tes mains pour rien, jeune femme ! Tu n'as aucune chance de nous échapper. Mange plutôt ce que Domingo t'apporte !

Il tenait une écuelle d'où s'échappait une odeur de viande et d'épices chaudes qui rappela à la captive qu'elle avait faim. Docilement, elle s'assit sur son lit pour recevoir ce qu'on lui apportait et dévora sans se faire prier le ragoût de viandes et de raves contenu dans le récipient. Puis elle vida d'un trait un gobelet de vin qui acheva de lui rendre ses forces et ce goût du combat qu'elle croyait ne plus jamais retrouver, accablée qu'elle était par la douleur et les regrets. Elle leva alors les yeux sur le géant noir qui la regardait :

– Puis-je enfin poser des questions ? fit-elle.

– Que veux-tu savoir ?

– D'abord, qui êtes vous ?

– Rien. On m'appelle Domingo, c'est tout.

– Ce n'est pas beaucoup, en effet. L'homme de cette nuit, celui qui portait un masque d'oiseau blanc et que vous avez empêché de... Quel est son nom ?

– Il te le dira lui-même, s'il le juge bon. Domingo peut seulement dire qu'il est le chef.

Se rappelant la façon dont Domingo l'avait chassé de la cabine, Fiora pensa que c'était là un drôle de chef mais, sentant qu'elle n'en saurait pas plus, elle changea de sujet.

– Pourquoi m'avez-vous enlevée ? Où m'emmenez-vous ?

Le Noir hocha sa tête enturbannée et haussa les épaules dans un geste d'impuissance, mais ne répondit rien. Reprenant les ustensiles qui avaient servi au repas, il se dirigea vers la porte. Ce fut seulement sur le point de sortir qu'il murmura :

– S'il veut te le dire, il te le dira. Repose-toi en attendant!...

– Je me suis assez reposée! s'écria Fiora qui commençait à perdre patience. Va lui dire que je veux le voir!

– Tu n'as aucun intérêt à dire : je veux!

Des heures passèrent, interminables pour celle qui n'avait aucun moyen de les mesurer. Le soir tomba, puis la nuit. Rivée à l'étroite fenêtre, Fiora vit que la berge s'éloignait, sans doute parce que le fleuve s'élargissait. Une odeur de vase dominait à présent celle de l'eau. De temps en temps, des voix se faisaient entendre, mais elles s'exprimaient dans un langage inconnu. De guerre lasse, Fiora finit par rejoindre sa paillasse où elle se roula en boule après s'être enveloppée de son manteau. Elle ignorait où se trouvait cette ville de Nantes où le navire de haute mer les attendait. Elle savait seulement – et pour cause! – que c'était un port, et aussi qu'elle n'y serait plus sur les terres du roi de France, mais sur celles du duc de Bretagne. C'est dire que le secours devenait de plus en plus difficile, sinon impossible.

Un peu avant l'aube, Domingo vint la réveiller. La barge n'avançait plus, elle roulait un peu. A la lumière de la chandelle, Fiora vit que l'ouverture de sa cellule avait été bouchée avec un tampon de bois taillé tout exprès pour s'y encastrer.

– Sommes-nous à Nantes? demanda-t-elle.

– Ne pose pas de questions. Je dois te bander les yeux, ensuite je te porterai.

Il n'y avait aucun moyen de refuser, le rapport des forces n'étant vraiment pas en sa faveur. Fiora se laissa bander les yeux, puis se sentit soulevée de terre et emportée comme un simple paquet. A travers le tissu du bandeau, elle perçut vaguement la lumière et la chaleur d'une torche. Elle entendit quelques voix, s'exprimant toujours dans cette langue inconnue, dont celle du faux marchand. A l'intonation, elle comprit qu'il donnait des ordres.

Le voyage dura un certain temps. En quittant la barge,

Fiora sentit qu'on la déposait dans une barque dont les rames grinçaient un peu. Puis Domingo la reprit, mais, au lieu de la tenir dans ses bras, ce qui était relativement confortable, il la jeta sur son épaule comme un sac de grains et, avec elle, monta une échelle qui devait être placée au flanc d'un bateau. A l'odeur de vase se joignaient à présent celles du bois humide et du goudron. Il y eut un bruit de pas sur les planches d'un pont, puis un escalier, une porte que l'on ouvrit et, finalement, Fiora fut posée sur un matelas ou sur des coussins qui lui parurent assez doux après la paillasse de la barge dont la toile laissait percer quelques brins de paille. Elle espéra qu'on allait lui enlever le bandeau, mais, au contraire, Domingo lui lia soigneusement les mains et les pieds. Elle protesta :

– Pourquoi me ligoter ? Je ne me suis pas défendue, il me semble, et je n'ai pas crié !

– Sans doute, et tu diras à Domingo s'il te serre trop, mais sois sans crainte, cela ne durera pas. Seulement jusqu'à ce que le bateau soit assez éloigné de la terre. Domingo viendra te délivrer et te porter à manger.

– Cela risque d'être long. Quand partons-nous ?

– Bientôt. La marée est là ! Reste tranquille. Domingo va rester devant la porte.

Demeurée seule, Fiora, en dépit des ordres du grand Noir, se tortilla pour essayer de se libérer. Ce n'était pas facile : ses mains étaient liées derrière son dos et, si Domingo n'avait pas serré très fort, les nœuds étaient bien faits, et plus Fiora tirait dessus, plus ils semblaient se resserrer. Mais, à s'agiter ainsi, le bandeau glissa de ses yeux et, bien qu'on ne lui eût laissé aucune lumière, elle vit qu'elle se trouvait, comme elle l'avait supposé, dans le château arrière d'une caraque.

Ce type de navire était familier à la jeune femme. Les deux bateaux de son père, la *Santa Maria del Fiore* et la *Santa Madalena*, étaient du même genre et elle les avait trop souvent visités pour ne pas les connaître à fond. Elle savait que ces navires, dont beaucoup étaient construits à Gênes et à Venise, comportaient deux ponts et deux châteaux à la manière des nefs romaines. Celui de l'arrière, à peine plus élevé que l'avant, renfermait les chambres du capitaine et des passagers de marque. C'était dans l'une de celles-là qu'on l'avait transportée, et elle savait comment s'ouvrait le panneau à petits carreaux sertis de plomb qui prenait jour au-dessus du gouvernail. Si elle parvenait à se libérer, elle pourrait se jeter à l'eau en dépit de la hauteur et nager dans le port assez loin pour n'être pas reprise. La suite appartiendrait à la chance...

Son corps mince ayant toute la souplesse de la jeunesse, elle réussit, non sans peine il est vrai, à faire passer son torse et ses jambes dans l'anneau formé par ses bras puis, ayant amené ses mains à la hauteur de sa bouche, elle attaqua les nœuds avec ses dents. Le jour se levait et grisaillait le vitrage. Sur les ponts, on entendait le claquement des pieds nus de l'équipage qui courait aux manœuvres. Il y eut le long grincement d'un cabestan. Le bateau bougeait sous l'assaut de la marée et tirait sur son ancre comme un chien sur sa laisse. Les commandements se succédaient, hurlés d'une voix forte en italien. Fiora s'activa davantage encore et dut retenir un cri de joie quand enfin les liens cédèrent. Délivrer ses jambes fut l'affaire de quelques instants et, sautant à bas de la couchette, elle courut vers la fenêtre, cherchant à ouvrir le crochet, quelque peu rouillé hélas, qui la maintenait fermée. En bas, elle apercevait l'eau grise et plus loin une forêt de mâts derrière lesquels montaient les toits pointus d'une ville, les flèches des églises et les tours d'un puissant château.

Fiora s'énervait, la proximité de la liberté la rendait maladroite. Le bateau, elle s'en rendait compte, était en train de quitter son mouillage. Il fallait faire vite. Sur le fer rugueux, ses doigts s'écorchaient... et puis la porte s'ouvrit et Domingo parut. Avec une rapidité surprenante chez un homme de sa corpulence, il bondit sur la jeune femme, la maîtrisa et la rapporta sur sa couchette en rattachant hâtivement ses mains :

– Folle que tu es ! souffla-t-il. Le chef arrive. S'il t'avait découverte avant Domingo...

Il n'acheva pas. Elle avait compris et, se rappelant les menaces que l'homme avait fulminées, elle se laissa faire sans chercher à lutter. L'occasion était perdue. Mieux valait patienter, attendre peut-être une circonstance plus favorable... La patience ! Cette vertu des vertus que son ancien ami Démétrios lui avait si souvent prônée ! En vérité, elle se sentait lasse comme après une longue course. Aussi, quand son ravisseur fit sonner le plancher sous le talon ferré de ses bottes, était-elle parfaitement calme et immobile.

Il vint se planter devant elle, plastronnant, les jambes écartées et les mains crochées dans le large ceinturon de cuir qui lui serrait la taille, avec la satisfaction arrogante du brigand qui a réussi un beau coup. Fiora se demanda un instant si elle allait devoir subir à nouveau ses assauts, mais Domingo ne semblait pas décidé à céder la place et demeurait debout auprès d'elle comme un énorme chien de garde. Ce fut à lui que l'homme s'adressa en premier :

– Tu as bien travaillé. Grâce à toi, nous voici en sûreté sur ce bateau et notre belle prisonnière n'a plus aucune chance de nous échapper. Tu peux la délier. Puis tu nous laisseras.

Sans un mot, le grand Noir débarrassa Fiora de ses liens, mais reprit sa place au chevet de la couchette avec une fermeté qui ne laissait aucun doute sur sa détermination. L'autre fit la grimace :

– Eh bien ? tu n'as pas entendu ? Je t'ai dit de nous laisser !

– Non. Domingo a été envoyé avec toi uniquement pour veiller sur la prisonnière. Il doit en répondre. Domingo veille et veillera.

– Mais enfin, s'insurgea Fiora qui, en retrouvant sa liberté de mouvement, se sentait beaucoup plus forte, me direz-vous enfin où vous m'emmenez ? Cet homme a dit hier que je valais beaucoup d'or. Qui doit donner cet or ? Vous n'allez pas, j'espère, me livrer à quelque pirate sarrasin ?

– Rassurez-vous ! Ces gens-là ne sont pas assez riches, et il est vrai que vous valez cher.

– Alors qui ? Pour qui Domingo veille-t-il sur moi ? A qui doit-il répondre de moi ?

– Au pape !

Fiora crut à une boutade et haussa les épaules :

– Vous n'êtes pas drôle ! Répondez-moi sérieusement. Qu'est-ce que vous risquez, à présent ?

– Mais je vous réponds sérieusement.

– Alors vous mentez ! Le pape habite Rome. Si vous m'y emmeniez, je devrais être à cette minute liée au fond de quelque litière ou de quelque chariot en route vers Marseille ou tout autre port de la côté méditerranéenne. Or, on m'a appris assez de géographie pour savoir que nous voguons sur le grand océan.

– Peste ! Vous êtes savante. Eh bien, ma chère, sachez que nous allons tout de même à Rome. Le voyage en contournant l'Espagne est sans doute plus long, mais plus sûr. Rien à craindre sur cette caraque des surveillances du roi Louis. Sur terre, nous risquions de laisser des traces. Pas ici. De toute façon, Sa Sainteté n'est pas pressée. Elle m'a dit : « Gian-Battista, prends le temps qu'il faut afin de mener à bien ta mission. Si tu reviens pour la fin de l'année, Nous en serons satisfait... »

Abasourdie, Fiora n'arrivait pas à en croire ses oreilles.

– Le pape ! répéta-t-elle. Mais qu'est-ce que le pape peut vouloir de moi ? Vous êtes certain de ne pas vous tromper ?

– Tout à fait certain. Vous êtes bien donna Fiora Beltrami ? Votre ami Nardi à qui nous avons rendu visite à Paris nous a donné là-dessus toute assurance quand nous l'avons... convaincu de nous dire où vous étiez cachée.

Un désagréable filet glacé coula le long de l'échine de

Fiora. Ce misérable avait appuyé sur le mot « convaincu » au point de lui faire peur.

– Je n'étais pas cachée, mais je m'étonne tout de même qu'Agnolo Nardi vous ait fait ses confidences.

– Il n'y était guère disposé. Il s'est même laissé griller quelque peu la plante des pieds. Pas trop, rassurez-vous ! Nous avons eu une bien meilleure idée en menaçant de faire subir le même sort à sa femme. Il est devenu beaucoup plus bavard ! Et, bien sûr, nous avons veillé à ce que l'on ne vous envoie aucun message. C'est à la suite de cela que j'ai eu le plaisir de vous voir à Tours.

Horrifiée, révulsée d'horreur et de dégoût, Fiora, toutes griffes dehors, bondit comme une panthère furieuse à la gorge du misérable.

– Vous avez osé ça ? En plein Paris ! Attaquer le meilleur des hommes, la plus douce des femmes ! Qu'en avez-vous fait ? Répondez-moi ! Je veux savoir.

Surpris par l'attaque, l'homme qui étouffait déjà se défendait mollement. Les forces de la jeune femme étaient décuplées par la rage et elle eût peut-être eu raison de son ennemi si Domingo ne l'avait arrachée à temps. L'homme se laissa tomber sur le sol en massant sa gorge douloureuse. D'une voix enrouée, il déversa sur la jeune femme un torrent d'injures italiennes auxquelles, faisant appel à ses souvenirs, elle répondit avec brio. Un instant, la cabine se mit à ressembler à quelque marché de la péninsule où les disputes sont le pain quotidien. Fiora, un peu étonnée de ce vocabulaire imagé qui lui venait tout seul, se retrouvait florentine jusqu'au bout des ongles et Domingo eut beaucoup de mal à empêcher les deux adversaires de se colleter de nouveau.

– Foi de Montesecco ! hurla Gian-Battista, a-t-on jamais vu pareille mégère ? Une panthère ne serait pas plus méchante.

– Tu oses parler de méchanceté, misérable ruffian ? Je veux savoir ce qu'il est advenu de mes amis !

– Ils se portent comme toi et moi, mieux que moi peut-être. Dès l'instant où je savais ce que je voulais, ils ne m'intéressaient plus. Sois tranquille, ils pourront encore voler leurs clients. Quant à toi... estime-toi heureuse que je ne t'envoie pas à fond de cale. Tu vas rester avec elle, Domingo ! Si elle réussissait à s'échapper, sois certain que je ferais voler ta grosse tête noire, même si le pape la considère comme précieuse. Moi, je vous ai assez vus tous les deux.

Il sortit en titubant un peu, à la grande mais fugitive satisfaction de sa prisonnière, vite reprise par l'anxiété. Que pouvait lui vouloir le « vicaire du Christ » ? Pas grand-chose de bon, elle le redoutait. Elle avait fait échouer ses plans sur Florence et envoyé dans une cage de fer l'homme que Sixte IV avait chargé de poignarder le roi de France. Ce n'était certainement pas pour la couvrir de fleurs qu'il avait pris la peine de monter cet enlèvement. Peut-être le temps que durerait ce voyage mesurait-il celui qui lui restait à vivre ? Quelle autre vengeance que la mort pouvait exercer un pape ?

Soudain, une violente nausée souleva l'estomac de Fiora. Le lourd bateau qui atteignait la haute mer tanguait et roulait sur la longue houle atlantique. La jeune femme, aux prises avec un mal de mer aussi subit qu'imprévu, trouva tout juste la force d'aller se jeter sur sa couchette.

Certain désormais qu'elle ne bougerait même pas un doigt, Domingo sortit pour aller chercher de l'eau.

Deuxième partie
LES PIÈGES DE ROME

CHAPITRE V

LES GENS DU VATICAN

Sa Sainteté Sixte IV n'était pas de bonne humeur. Le mauvais temps qui sévissait à Rome depuis plusieurs jours, froid et humide, rendait plus douloureux ses rhumatismes et réveillait même, par instants, la goutte latente qui le tourmentait si souvent et si cruellement. Pour éviter une nouvelle crise, le pape avait déjeuné très frugalement de légumes et de laitages, sans le plus petit verre de ce vin des Castelli Romani qu'il affectionnait. Aussi son estomac criait-il famine tandis que, deux familiers sur les talons, il profitait de ce que la pluie avait fait trêve pour traverser la cour du Vatican et s'en aller inspecter le chantier de sa chapelle en construction.

Il allait à grands pas, enveloppé d'une cape doublée de renard, le « camauro », ourlé de fourrure, enfoncée jusqu'aux sourcils pour se protéger de l'air froid. Assez grand mais aussi large que haut, les traits durs, le nez dans la ligne du front, le menton agressif, la bouche serrée et l'œil inquisiteur, le poil grisonnant, son visage haut en couleur était rasé de près. Sa silhouette sans élégance, qui lui donnait toujours l'air d'être empaqueté dans ses vêtements, lui conférait tout de même – et il le savait – une impression de force qui n'était pas dépourvue de majesté.

En dépit de ses genoux douloureux, Sixte escalada assez facilement les matériaux qui encombraient le chantier. Le travail n'avançait pas à son gré. Depuis plus de quatre ans que cette chapelle [1] était commencée, il n'était même pas encore question du toit et le pontife ne s'était déplacé que dans l'intention de dire leur fait aux gens chargés de l'ouvrage. Quand il éprouvait une contrariété, il aurait fallu autre chose que ses vieilles douleurs pour l'arrêter. En outre – et ses familiers le savaient –, il n'aimait rien tant que se mettre en colère.

Pour cette fois, il n'avait pas tort. Cette chapelle, il l'avait entreprise pour donner au Vatican un lieu de culte digne du trône de Pierre, une vaste enceinte où la pompe papale pût s'étaler à l'aise, chose impossible dans la vieille basilique où reposait le tombeau du prince des Apôtres. Ce n'était qu'une vieille église décrépite, à peine plus imposante que l'église d'un curé de campagne avec son clocher de travers et son toit en pente sur trois étages de voûtes en plein cintre. On avait bien effectué quelques réparations, mais l'ensemble demeurait affligeant et surtout plein de courants d'air. La nouvelle chapelle serait noble, très haute pour que la musique et les chants pussent y prendre toute leur ampleur, et magnifiquement décorée afin que les siècles à venir conservassent le souvenir du bâtisseur. Et Sixte, qui avait décidé de l'appeler chapelle de la Conception, espérait, en son for intérieur, que son nom y demeurerait attaché.

En voyant arriver le pape, les ouvriers qui travaillaient à vrai dire assez mollement se mirent à manier la truelle avec ardeur tandis que les grosses pierres s'envolaient au bout des palans. Dans l'espoir évident d'éviter l'orage qui les guettait et ne les manqua pas. Sixte IV se mit à vociférer comme un simple mortel, déployant en furieuses invectives sa voix qu'il avait forte, belle, puissante et douée d'une grande éloquence. Architecte et travailleurs se retrouvèrent bientôt à genoux dans la poussière et courbant humblement la tête en attendant que la bourrasque

1. Elle sera la Sixtine.

cessât. Même un pape devait reprendre haleine de temps en temps.

Profitant d'une accalmie, l'architecte Dolci plaida le mauvais temps, source de nombreuses maladies qui s'abattaient sur ses ouvriers.

– Ça suffit! coupa Sa Sainteté. Tu as toujours de bonnes excuses toutes prêtes, signor Dolci. Mais moi je veux ma chapelle et je la veux vite. Je suis las d'attendre!

– Que Sa Sainteté prenne encore un peu patience. Les fenêtres se terminent ainsi qu'Elle peut s'en rendre compte, et j'espérais qu'Elle en serait satisfaite. Si hautes et si larges, ne sont-elles pas nobles et d'une grande beauté?

Le pape, soudain, se mit à rire :

– C'est bien dans ta manière, ça! Je te fais des reproches mérités, et tu t'arranges pour me tirer des compliments. Tes fenêtres sont belles, j'en conviens, mais un toit par-dessus me ferait bien plus plaisir. Je suis fatigué de voir la pluie tomber dans ma chapelle.

Les deux personnages qui accompagnaient le pape étaient restés un peu en arrière, à l'abri d'une porte. L'un était le trésorier du Vatican, un financier retors du nom de Meliaduce. L'autre était le cardinal vice-chancelier, un personnage assez remarquable pour que l'on s'y arrête un instant. C'était un prélat de belle mine et de complexion vigoureuse, très brun de peau sous une couronne de cheveux d'un noir de jais, avec de grands yeux très sombres à fleur de tête. Le long nez courbe aux narines sensibles, la bouche bien ourlée mais épaisse et sensuelle dénonçaient le jouisseur, tandis que la splendeur un peu trop voyante des habits de pourpre et d'hermine, les fortes mains brunes et le teint olivâtre signalaient un étranger. En fait, le cardinal Rodrigo Borgia avait vu le jour en Espagne, à Jativa, et y serait peut-être demeuré si son oncle, archevêque de Valence, n'avait été élevé, quelques années plus tôt, au pontificat suprême sous le vocable de Calixte III et n'avait importé avec lui toute sa famille. Ce Rodrigo, habile et énigmatique, avait su mener sa barque mieux que les autres et se retrouvait, à quarante-sept ans, le troisième dignitaire de l'Église. Sans compter qu'il était, tout de suite après le cardinal français d'Estouteville, le plus riche du Sacré Collège et pourvu de nombreux biens.

La scène entre le pape et son architecte semblait l'amuser. Il se pencha vers son voisin et murmura :

– Savez-vous, messer Meliaduce, comment ceci va se terminer ? Dolci va pleurer qu'il est à court d'argent, que le travertin et le carrare ne cessent d'enchérir, que le cuivre est hors de prix et qu'en résumé il ne peut faire plus avec ce qu'il a reçu. Le Saint-Père va tonner un peu, puis il vous appellera et on vous demandera d'ouvrir votre caisse.

– Mais elle est presque vide, ma caisse! Où Votre Grandeur veut-elle que je prenne l'argent ? Hier encore le neveu de Sa Sainteté, le comte Girolamo, s'est fait donner trois mille ducats.

– Vous ne pensez pas m'attendrir avec une pareille misère ? Vous en trouverez, de l'argent, mon ami. D'ailleurs, tenez! On vous appelle! Vous voyez que j'avais raison.

Tandis que le trésorier s'en allait, le dos rond et traînant les pieds, rejoindre son maître, le cardinal alla examiner les travaux en cours d'un œil connaisseur. Il avait le goût du faste et, partageant celui du pape pour les bâtiments, il approuvait les nombreux travaux que celui-ci entreprenait un peu partout dans Rome, dont il voulait ressusciter l'antique splendeur.

Laissant son trésorier aux prises avec son architecte, le pape revint vers Borgia :

– Rentrons à présent! Mes jambes me font de plus en plus mal.

– Votre Sainteté devrait prendre un peu de repos.

– Je suis trop vieux pour prendre du repos. A mon âge on n'a plus de temps à perdre. Conduis-moi à la bibliothèque! Rien de tel qu'une heure de lecture pour calmer les humeurs.

Solidement étayé par son vice-chancelier, Sixte gagna lentement les grandes salles où il avait installé la Bibliothèque vaticane, son œuvre la plus précieuse jusqu'à ce jour et, à mesure qu'il s'en approchait, son humeur s'améliorait. L'ancien moine franciscain, pauvre et sans naissance, qu'avait été Francesco della Rovere n'aimait rien tant que les lettres et les sciences, si ce n'est l'or et la puissance. Jadis, il avait professé successivement dans les universités de Pavie, de Florence, de Bologne et de Sienne; il en avait conservé une vaste érudition et un grand appétit de savoir tourné surtout vers l'étude des astres. Les meilleurs moments de sa journée, il les passait au milieu des trésors qu'il avait accumulés, en compagnie du savant humaniste Platina dont il avait fait leur gardien.

Quand les gardes ouvrirent devant le pape et le cardinal les portes de la longue galerie entièrement tapissée d'armoires peintes et dorées et meublée de larges tables où s'entassaient manuscrits et instruments d'optique, Platina s'avança à sa rencontre, étayant sur une canne sa mauvaise jambe [1]. Il voulut s'agenouiller pour baiser l'anneau du Pêcheur mais Sixte l'en empêcha, sachant que toute génuflexion lui était une souffrance, et le prit familièrement par le bras pour l'entraîner vers un pupitre. Là était posé un grand livre relié de velours cramoisi, avec des ferrements d'argent, que l'on avait délivré de la chaîne qui l'attachait à l'une des armoires :

– Je vois que tu as sorti le *Saint Augustin*. Montre-moi vite ces passages qui t'ont paru si étonnants!

1. Il avait subi la torture sous Paul II, un pape qui n'aimait pas les livres, et moins encore ceux qui les écrivaient.

D'un petit geste désinvolte, il avait congédié le cardinal Borgia, mais il était écrit que, ce jour-là, le pape n'aurait pas droit à sa récréation. Au moment même où Borgia allait franchir la porte, un nouveau personnage s'y glissa : le cérémoniaire de la cour pontificale, Agostino Patrizi, dont le long visage pâle semblait souffrir de perpétuelles offenses. Confit dans les règles d'une étiquette sévère à laquelle il croyait plus qu'à la loi divine, Patrizi avait le génie de déranger le pape au moment le plus inopportun, mais il lui était si aveuglément dévoué que celui-ci lui passait bien des choses, quitte à le faire bénéficier d'une de ses célèbres colères quand il dépassait les bornes. Ce qui faillit advenir ce jour-là.

– Qu'est-ce que tu veux encore ! lui jeta le pape du plus loin qu'il l'aperçut.

L'autre se jeta à genoux :

– Très Saint-Père, bafouilla-t-il, voici plusieurs semaines déjà vous m'aviez dit de vous prévenir, en quelque lieu que vous soyez, lorsque Gian-Battista de Montesecco viendrait au palais.

Sixte tourna aussitôt le dos à saint Augustin :

– Il est là ?

– Oui, Votre Sainteté !

– Seul ?

– Non. Votre esclave nubien Domingo est avec lui... et il y a aussi une femme.

– Quel genre de femme ? Ne fais pas cette tête-là ! Décris-la-moi !

L'air offensé de Patrizi était en effet plus évident que jamais. Il leva les yeux au ciel et soupira :

– Jeune, brune... et je crois qu'on peut dire qu'elle est très belle. Du moins elle le serait si elle n'avait pas l'air si fatigué.

– Tiens donc ? souffla Borgia entre ses dents. Tu joues les maquereaux à présent, monsignore ! Où l'as-tu dénichée, celle-là ?

Dédaignant de répondre, Patrizi fit le geste de chasser

une mouche importune et marcha au-devant du pape qui clopinait vers lui.

– Fais-les attendre dans la salle du Perroquet dont tu feras fermer les portes soigneusement. Ah ! j'oubliais : fais prévenir le cardinal camerlingue [1], mais qu'il vienne seul ! Donne-moi ton bras, Rodrigo !

Borgia se fit d'autant moins prier que ce préambule l'avait alléché et qu'il grillait de curiosité. Dès qu'il était question d'une femme, et surtout d'une inconnue, l'appétit proverbial du beau cardinal espagnol se manifestait. Toujours « merveilleusement disposé à l'amour », il entretenait, outre une maîtresse en titre dont il avait deux enfants, de nombreuses courtisanes qui contribuaient à l'agrément du somptueux palais qu'il possédait à la Zecca. Flairant d'autre part une odeur de mystère car Montesecco, l'homme de main du pape, avait disparu du Vatican depuis plusieurs mois, il eût porté Sa Sainteté dans ses bras si Celle-ci en eût manifesté l'intention.

Hélas, à sa grande déception, une fois arrivé dans ses appartements, Sixte IV le remercia benoîtement de son aide, puis lui donna sa bénédiction et un rendez-vous pour le lendemain.

Dire que Fiora était fatiguée relevait de l'euphémisme. Jamais elle n'avait connu pareille lassitude, même après la naissance de cet enfant à qui elle n'osait plus penser pour ne pas sombrer dans le désespoir, même dans cette vie épuisante qu'elle avait connue l'an passé en suivant les pas du Téméraire.

Durant des semaines, la caraque avait tracé son chemin difficile au long des côtes de France, d'Espagne et du Portugal, emportée par les tempêtes d'équinoxe où la prisonnière avait pensé périr cent fois. En passant les anciennes colonnes d'Hercule, on n'avait dû qu'à un brouillard sou-

1. Cardinal de la Cour pontificale qui administre la Justice et le Trésor, préside la Chambre apostolique et gouverne l'Église quand le Saint-Siège est vacant.

dain d'échapper à un pirate maure et c'est seulement une fois entré en Méditerranée que le courageux navire avait connu un peu de calme. Mais l'automne était là, et il avait fallu lutter contre un grain furieux qui s'était levé au large de la Corse et l'avait jeté à la côte, heureusement assez près de Civita Vecchia pour qu'il pût entrer au port en évitant le naufrage.

Tout ce temps, Fiora l'avait passé enfermée dans sa cabine sans voir quiconque, sinon Domingo qui veillait sur elle avec une constance qui avait fini par la toucher. Il lui apportait à manger, lavait son linge et même lui racontait les menus faits qui se passaient sur le bateau. Bien sûr, il avait soigné le mal de mer qui l'avait laissée sans forces au fond de sa couchette, souhaitant éperdument que cet infernal vaisseau s'engloutît corps et biens pour que cesse son supplice. Mais, après deux bonnes semaines, les nausées s'étaient retirées et Fiora, qui n'avait guère pu avaler pendant tout ce temps que des tisanes de menthe froides et sucrées, put s'alimenter un peu mieux. Les bouillies de céréales et la viande séchée n'étaient pas vraiment susceptibles d'ouvrir l'appétit, mais il fallait vivre. Une courte escale que l'on fit à Cadix permit d'embarquer des vivres frais, des œufs et des oranges, et de poursuivre le voyage sans trop de dommages. Fiora d'ailleurs n'était pas seule victime du mal de mer. Montesecco en avait souffert sévèrement et, de ce fait, n'avait visité sa prisonnière que deux fois. Ce dont elle ne s'était pas plainte.

A fréquenter quotidiennement le grand Nubien, Fiora avait fini par apprendre de lui certaines choses. D'abord que, s'il jouissait de la confiance du pape, il n'en était pas moins un esclave attaché à sa maison particulière. Le Saint-Père appréciait sa force, sa sagesse et son goût du silence. S'il l'avait envoyé avec Montesecco, c'était pour être bien certain que la prisonnière aurait une chance d'arriver à destination sans avoir été trop molestée.

– C'est étrange, dit alors la jeune femme. Lorsque tu

m'as sauvée de lui sur la barge, il venait de me menacer, si je ne lui obéissais pas en tout, de m'attacher à fond de cale et de me livrer à ses hommes qui étaient au nombre de dix dont un Tartare et un Noir. Y a-t-il un autre Noir que toi ?

– Non. Je suis le seul et c'était pure vantardise. Il voulait te terrifier dès le premier abord.

– Pourquoi, alors, te laisse-t-il t'occuper seul de moi ? Il ne craint pas que...

Pour la première fois, la jeune femme entendit rire Domingo. Un rire à sa taille qui fit vibrer les petits carreaux de la fenêtre.

– Je n'ai aucune honte à l'avouer, fit-il alors. Il y a dix ans que les Turcs m'ont privé de ma virilité. Une cruelle épreuve alors, mais à laquelle je dois bien des compensations : par exemple d'avoir été offert au pape par le seigneur Ramon Zacosta, grand maître des chevaliers de Saint-Jean de Jérusalem. C'est lui qui m'a baptisé Domingo après avoir fait pendre à Rhodes le reis qui me tenait captif sur sa galère avec d'autres esclaves. Mon nouveau maître n'était pas encore devenu le souverain pontife, mais il m'a bien traité parce que je suis un lettré. Je lui suis tout dévoué.

– Alors, sais-tu pourquoi il m'a fait enlever ? Ai-je donc tant d'importance pour qu'il envoie en France une bande de coupe-jarrets et surtout qu'il se prive d'un serviteur de ta valeur ?

– Je ne sais rien, sinon qu'il a promis de l'or si nous te ramenons à Rome. Mais ses ordres étaient formels : on ne devait te faire aucun mal et, je te le répète, Montesecco a voulu te faire peur. Tu es belle et il espérait, en faisant de toi sa maîtresse, réussir un coup double.

Bien souvent, au cours de l'interminable voyage, Fiora avait retourné ces pensées dans sa tête sans parvenir à leur trouver un sens, puis elle avait fini par y renoncer. La claustration forcée altérait sa santé bien que Domingo ouvrît sa fenêtre matin, soir, et aussi souvent que le temps le permettait pour que l'air de la mer pût assainir la cabine. La nourriture aléatoire et le manque d'exercice, joints aux regrets incessants de ceux qu'elle avait laissés derrière elle, faisaient le reste et quand, enfin, elle put quitter le navire, Domingo demanda que l'on restât deux ou trois jours au château papal de Civita Vecchia pour que la prisonnière se remît un peu de la traversée : elle avait une mine effroyable et le pape ne serait pas content.

Il obtint sans peine cette faveur, car Montesecco et sa bande n'étaient pas beaucoup plus frais. Et ce n'est que deux jours après avoir touché terre que le Nubien fit monter Fiora dans la litière aux armes papales qui devait la conduire enfin à Rome.

En dépit de sa situation dramatique, celle-ci avait senti comme un frémissement de joie en touchant à nouveau du pied la terre italienne. Tout au long des quelque vingt lieues qui séparaient de la mer l'antique cité des Césars, et malgré les rafales de pluie qui noyaient la campagne, elle respira avec une sorte d'avidité l'air qui soufflait des Apennins. Ces nuages qui volaient si bas avaient peut-être survolé Florence, sa Florence jamais oubliée, jamais reniée et dont seulement soixante-dix lieues la séparaient, mais le plat pays que l'on traversait n'évoquait en rien les douces collines toscanes. Ce n'étaient qu'étangs glauques qui sous le ciel gris semblaient faits de mercure, maigres boqueteaux, et par endroits l'imposante et noire silhouette d'un grand pin parasol. Ce pays était celui de la fièvre qui revenait chaque été et Fiora pensa que, même sous le soleil, il devait dégager une profonde mélancolie. Aussi fut-ce avec un vague soulagement qu'elle vit se profiler sur les lointains les formes amples des monts Albains. Rome, qu'annonçaient déjà nombre de ruines antiques, n'était plus loin.

A présent, assise sur un tabouret de velours, auprès de la fenêtre d'une petite antichambre peinte à fresques dont le sol de marbre était en partie couvert par un tapis du Khorassan, elle regardait, en bas dans la cour qu'elle venait de traverser, et sans vraiment s'y intéresser, le va-et-vient des soldats armés de longues pertuisanes et des équipages d'où sortaient des simarres pourpres ou violettes et même des robes plus modestes. Un profond sentiment d'absurdité occupait son esprit. Que faisait-elle là, dans ce palais dont la somptuosité se voulait offerte à Dieu, mais s'adressait surtout à un homme dont la puissance, il est vrai, s'étendait jusqu'aux limites de la Chrétienté. Son sort allait dépendre de cet homme dont elle était la captive. Elle ne savait même pas pourquoi on lui avait fait parcourir un bon tiers du tour de l'Europe.

Montesecco allait et venait devant elle, creusant la laine du tapis d'un talon impatient. Remis de ses malaises, il avait hâte à présent de toucher le prix de son exploit, mais les regards triomphants que, de temps en temps, il laissait peser sur sa prisonnière la laissaient de glace. Ce ruffian ne l'intéressait pas parce que son propre sort ne l'intéressait pas vraiment. Tout ce qu'elle souhaitait, c'était dormir, dormir à n'en plus finir, fût-ce au fond d'un tombeau et, au cas où le pape l'aurait fait enlever pour la mettre à mort, il ne ferait que lui rendre service en lui permettant au moins de rejoindre les deux hommes qu'elle avait aimés : son père et Philippe.

Le long cérémoniaire blême qui semblait se déplacer en flottant comme une algue dans l'eau vint mettre fin à l'attente. Le pape les attendait. Tandis qu'il les conduisait vers la porte couverte de plaques d'argent ciselé où veillaient des gardes, Patrizi jeta sur Fiora un coup d'œil mécontent :

– Vous n'êtes guère en état d'être présentée au Saint-Père ! fit-il du bout des lèvres. Ne pouviez-vous faire quelque toilette avant de venir ?

– Elle est comme elle est, coupa Montesecco. Mes ordres étaient de l'amener dès l'arrivée. Tu peux être certain que Sa Sainteté ne s'attend pas à la voir couverte de satins et de brocarts.

Quand les portes s'ouvrirent, Fiora pensa que, depuis

la grande tente du Téméraire, elle n'avait rien vu d'aussi fastueux que cette salle où on l'introduisait. La décoration, outre les fresques des parois, le plafond à caissons dorés, les stucs et les marbres des consoles et des cadres, comportait des tentures de soie tissées d'or disposées sous les peintures et, sur le pavage de marbre d'une éclatante blancheur, de nombreux tapis d'Orient. Soigneusement rangés, des tabourets, des fauteuils et des coussins s'étageaient autour de l'espèce de trône où était assis le souverain pontife. Mais dès que la jeune femme eut posé les yeux sur lui, elle ne vit plus rien. Un seul regard lui avait suffi pour comprendre qu'elle n'avait à attendre de lui nulle bénignité. Tapi au fond d'un grand fauteuil de velours rouge, clouté d'or et orné de gros pompons, la mosette écarlate tranchant sur la blancheur de ses robes, le sourcil agressif et l'œil venimeux, il ressemblait à quelque batracien hargneux sorti tout droit d'un conte fantastique. Sous l'arcade rectiligne des sourcils gris, la prunelle avait le reflet sourd des eaux dormantes de la maremme, couveuses incessantes de bêtes visqueuses.

– Allez vous agenouiller devant la dernière marche du trône ! souffla Patrizi. Puis, vous vous prosternerez.

– Celui que je vois là est-il le souverain pontife, ou quelque idole barbare ? riposta la jeune femme à mi-voix. Je m'agenouillerai parce que le protocole le veut ainsi, mais ne m'en demandez pas plus.

D'un pas redevenu, comme par miracle, singulièrement ferme, elle marcha vers le trône de Pierre. Une voix de bronze qui avait les sonorités d'un faux-bourdon la cueillit à mi-chemin :

– Fille d'iniquité ! Comment oses-tu venir vers Nous de ce pas assuré quand tu devrais ramper dans la poussière pour tenter de détourner Notre juste colère ?

Du coup, Fiora s'arrêta où elle était :

– On ne m'a jamais appris à ramper, Très Saint-Père, et pourtant il m'est arrivé de me trouver devant le trône des plus puissants princes de ce temps. Je sais ce que je dois au vicaire du Christ, mais je suis dame noble et non esclave enchaînée en dépit du traitement que j'ai subi depuis deux mois, au mépris du droit des gens et du fait que je me trouvais sur les terres personnelles du roi de France. Donc sous sa protection.

Sans accélérer le moins du monde son allure, elle poursuivit son chemin à travers l'archipel rutilant des tapis. Puis, arrivée au bas des marches, elle prit sur la dernière un coussin de brocart qu'elle plaça sous ses genoux avant de s'y laisser tomber.

– Puis-je savoir, articula-t-elle calmement, ce qui me vaut l'honneur d'être admise, à cette heure, à m'agenouiller devant Votre Sainteté ?

Tant de tranquille courage, tant d'audace aussi parurent désarmer un instant la colère de Sixte, colère toute artificielle d'ailleurs sous laquelle il s'efforçait de cacher la joie qu'il éprouvait à voir, ainsi réduite à sa merci, cette femme en laquelle il voyait une ennemie irréductible. Un moment, il la considéra, mécontent de trouver tant de rigidité dans cette mince forme féminine visiblement éprouvée par le trop long voyage. Sous les habits grossiers, le corps semblait diaphane et le visage avait la pâleur d'un ivoire, mais l'allure demeurait celle d'une altesse et le pape dut s'avouer que peu de princesses gardaient devant lui cette contenance fière.

– Tu as le caquet bien relevé pour une fille née sur la paille pourrie d'une prison !

Souffletée par ce rappel aux malheurs de sa naissance, Fiora se sentit rougir, mais ne faiblit pas :

– Je suis surprise, dit-elle, que le souverain pontife soit éclairé à ce point sur l'histoire d'une femme qui ne devrait pas intéresser le successeur de saint Pierre. Née en prison sans doute, mais noble tout de même, j'ai, en outre, été élevée par l'un des plus hauts hommes de Florence. De plus...

– En voilà assez ! Je sais qui tu es, femme ! A cause de toi l'un de nos meilleurs serviteurs, un saint homme, subit la plus dure des captivités dans une prison inhumaine...

– Si c'est fray Ignacio Ortega que Votre Sainteté canonise ainsi, un peu à la légère, le Paradis doit être d'un accès singulièrement plus facile qu'on ne me l'avait dit. Suffit-il donc de tuer un roi pour y accéder sans encombres ? Fray Ignacio a tenté d'assassiner le roi Louis de France et, si j'ai pu l'en empêcher, vous devriez, Très Saint-Père, m'en remercier : le sang des rois aurait marqué d'une tache indélébile la blancheur de l'Agneau dont vous êtes le représentant visible...

– Quel conte est-ce là ? s'écria Sixte dont les gros doigts nerveux réduisaient en charpie les pompons de ses accoudoirs. Fray Ignacio était chargé d'obtenir la libération d'un prince de l'Église retenu en dure prison, au mépris de tout droit, par le roi Louis. Il n'est pas notre serviteur, mais celui de la reine Isabelle de Castille qui le réclame. Au surplus, ce n'est pas la première fois que nous te trouvons en travers du chemin de la vraie foi et de l'honneur du Christ-Roi ! Déjà à Florence, voici deux ans, tu causais horreur et scandale par tes turpitudes.

– Est-ce turpitudes que vouloir défendre la mémoire de son père assassiné ? Et si scandale il y avait, j'en étais infiniment moins responsable que ceux qui, devant l'enfant sans défense que j'étais, avaient accumulé pièges et chausse-trapes. Était-ce pour la gloire de la reine Isabelle que fray Ignacio, affilié aux Pazzi, complotait la perte des Médicis ?

Le bruit des pertuisanes frappant sur le dallage coupa court à la philippique dans laquelle se lançait Fiora qui, hors d'elle, avait décidé de jouer le tout pour le tout. Un nouveau personnage faisait son entrée, une entrée singulièrement majestueuse dont elle suivit la progression avec une sorte d'émerveillement. Si quelqu'un avait mérité le titre de prince de l'Église, c'était bien l'homme qui venait d'entrer et qui traînait d'un tapis à l'autre, dans un bruissement de feuilles mortes, la splendeur de ses moires pourpres.

Qu'il fût âgé ne faisait de doute pour personne, mais à

soixante-quinze ans, Guillaume d'Estouteville, cardinal camerlingue et archevêque de Rouen, gardait une jeunesse d'allure que beaucoup lui enviaient, à commencer par le pape. Grand, mince, racé jusqu'au bout des mains qu'il avait admirables, de vraies mains de prélat, il était le plus riche cardinal du Sacré Collège et le plus fastueux. Rome lui devait d'avoir arraché à la ruine certaines églises et d'avoir répandu ses largesses sur nombre de foyers misérables, car c'était aussi un homme de bien. Quant au pape, il respectait dans cet ancien moine bénédictin issu d'une haute famille normande le sang royal de France – la grand-mère maternelle du cardinal était sœur du roi Charles V –, la vaste culture et l'esprit délié du diplomate. Doué en outre d'une grande éloquence et d'idées nettement en avance sur son siècle, Estouteville, au cours d'une légation en France, avait réformé profondément la Sorbonne et réclamé la révision de l'inique procès de Jeanne d'Arc. Sa position à Rome était assez exceptionnelle pour qu'il arrivât au pape de la lui envier.

Ses jambes ne devaient pas lui causer le moindre souci en dépit de son âge, car il s'agenouilla pour baiser l'anneau avec une parfaite aisance mais, en se relevant, c'est sur Fiora qu'il posa le regard interrogateur de ses yeux qui avaient la couleur candide des fleurs de lin. Du fond de son fauteuil rouge, Sixte IV croassa :

– Voyez cette femme, mon frère ! C'est à son propos que nous vous avons fait prier de venir jusqu'ici. La connaissez-vous ?

– Pas du tout ! fit le cardinal, qui ajouta, avec un demi-sourire : si c'était le cas, je crois que je m'en souviendrais. Me direz-vous, Très Saint-Père, qui elle est ?

– Un être d'autant plus nuisible qu'il est plus dangereux. Cette Fiora Beltrami qui a été la maîtresse du dernier duc de Bourgogne est à présent celle de votre roi, Louis de France !

La stupeur et l'indignation balayèrent d'un seul coup chez Fiora toute prudence comme toute notion de respect envers de si hauts personnages.

– Qu'est-ce que cette fable ? s'écria-t-elle. Je n'ai jamais été la maîtresse du Téméraire, et encore moins celle du roi.

– Les rapports de nos espions sont pourtant formels, gronda Sixte IV. Avez-vous, oui ou non, suivi, et parmi ses intimes, le défunt duc du premier siège de Nancy jusqu'à sa mort ?

– Certes, je l'ai fait. Mais j'étais son otage car, bien que mariée à l'un de ses capitaines, il voyait en moi une espionne du roi de France.

– Curieux ! Un otage, vraiment ? Nous avons ouï dire pourtant qu'à cet otage, il a fait, avant le dernier combat, de tendres adieux assortis du présent de son joyau préféré ?

– Veuillez me pardonner d'intervenir, Saint-Père, fit le cardinal français, mais cette femme ne vient-elle pas de dire qu'elle est mariée à un capitaine bourguignon ?

– Il y aura trois ans, au début de l'année prochaine, j'ai épousé à Florence le comte Philippe de Selongey venu en ambassade auprès de Mgr Lorenzo. Le mariage fut secret d'abord puis hautement reconnu.

– Où donc est votre époux, en ce cas ?

– Mort, Votre Grandeur ! Exécuté à Dijon en juillet dernier par ordre du roi... de ce roi dont on ose me dire en face que je suis la douce amie.

Un sourire chargé de venin apparut sur les lèvres du pontife, cependant qu'un éclair s'allumait dans son regard dur :

– Que d'invraisemblances ! Je vous fais juge, Estouteville. Mes gens sont allés prendre cette soi-disant dame bourguignonne dans un petit domaine proche du château de Plessis-lès-Tours, domaine qui lui a été offert par le roi.

– C'est vrai, dit Fiora en haussant le ton. Le roi Louis m'a donné ce manoir, où sont encore mon fils nouveau-né, ma gouvernante et mes serviteurs, en remerciement d'un service que je lui ai rendu.

– Grand service en effet! grinça le pape. A cause de cette créature immonde, l'un de mes légats pourrit dans l'une de ces inhumaines cages de fer que le roi Louis prise si fort. Il y est en compagnie de notre malheureux frère, le cardinal Balue.

– J'ai empêché, en effet, votre soi-disant légat d'assassiner le roi. Quant à votre Balue, je ne sais rien de lui sinon qu'il est un traître.

– Tant de bruit pour quelques marques d'amitié données à la Bourgogne! Le duc est mort. Il n'y a donc plus de raison de conserver notre frère en prison, et c'est pourquoi je t'ai fait saisir, fille d'iniquité : si Louis XI veut te revoir un jour vivante, il devra relâcher Balue et surtout fray Ignacio Ortega. Enfin, il devra nous donner tous apaisements sur sa politique à l'égard de Florence dont le maître ne songe qu'à se rebeller contre notre autorité.

– Jamais Florence n'a reconnu d'autre autorité que celle de ses prieurs et de ceux qui ont su lui apporter richesse, honneur et liberté : les Médicis.

– Écoutez-la, mais écoutez-la donc! hurla le pape en se dressant sur ses jambes douloureuses, ce qui accrut sa colère. C'est une princesse en vérité que cette fille! Elle ose parler de droits, de liberté, et discuter politique avec nous? Cardinal, vous ferez bien d'envoyer très vite un émissaire en France afin de faire connaître les conditions de rachat que nous allons dicter. Cette femme attendra la réponse en prison.

– Alors, vous pouvez aussi bien me faire exécuter tout de suite, dit Fiora avec amertume. Jamais le roi n'acceptera les clauses de votre marché, Saint-Père! D'ailleurs, peut-être qu'à cette heure il n'a plus pour moi la moindre amitié : je lui ai fait savoir, en effet, mon désir de lui rendre son manoir parce que mon fils ne saurait être élevé sur les terres de celui qui a ordonné la mort de son père.

– Tu veux dire que le roi ne lèvera pas le petit doigt pour te sauver?

– Exactement. Votre Sainteté, en me faisant enlever, a fait un très mauvais marché.

A ce moment, la porte de la salle s'ouvrit et, avant que Mgr Patrizi ait pu l'annoncer, une jeune femme était entrée d'un pas rapide et s'avançait hardiment vers le trône. Très jeune en vérité, mais ravissante avec ses cheveux de miel et ses yeux couleur d'aventurine, elle était vêtue avec une magnificence que Fiora ne put s'empêcher d'admirer. Rien de plus élégant que cette robe de satin noir brodée d'or ouvrant sur des jupes de satin cramoisi. D'énormes rubis d'un rouge profond brillaient sur sa gorge, à son corsage, aux agrafes de ses amples manches et sur la résille d'or qui retenait la masse de ses cheveux. Sur ses épaules, elle portait un grand manteau de velours vert prairie doublé de zibeline noire. D'autres rubis étincelaient à ses mains et à ses oreilles.

L'expression de colère du pape s'éteignit comme par enchantement et se changea en un aimable sourire quand la belle enfant vint baiser sa main, puis sa joue, avant de s'installer familièrement sur l'un des coussins disposés sur les marches de l'estrade où le flot chatoyant de sa robe s'étala.

– Ma nièce, reprocha doucement le pape, quand donc perdrez-vous cette habitude d'entrer ici comme un tourbillon sans vous soucier du protocole ?

– Jamais, je crois ! Si cela vous déplaisait, vous n'auriez pas cet œil vif et ce sourire chaleureux que j'aime tant vous voir, déclara-t-elle avec un rayonnant sourire dont elle envoya la fin au cardinal d'Estouteville à qui elle tendit la main sans façons.

– Vous êtes plus belle que jamais, Madonna, fit celui-ci galamment.

– Oui, n'est-ce pas ? fit-elle avec une enfantine satisfaction. On ne dirait jamais que j'attends un enfant pour ce printemps !

Tandis qu'elle parlait, ses yeux s'étaient fixés sur

Fiora. Un instant les deux regards s'accrochèrent, se fondirent. Il n'y avait nul dédain dans celui de la nièce du pape, et même Fiora crut y lire une sorte de sympathie.

– J'ai un autre défaut, ajouta tranquillement la nouvelle venue. Mes oreilles sont beaucoup trop fines et j'entends souvent des choses qui ne me sont pas forcément destinées. En outre, je suis déplorablement curieuse et il se trouve que ces mêmes choses m'intriguent toujours plus que les autres.

– Ce qui veut dire ?

– Que j'aimerais savoir, par exemple, pourquoi Votre Sainteté a fait enlever cette jeune dame ? Où elle l'a prise ? Et pourquoi donc représente-t-elle un si mauvais marché ? Le roi en question ne serait-il pas le vôtre, Monseigneur d'Estouteville ?

– Il se peut que vous ayez raison, Madonna, fit le prélat un peu embarrassé, mais il s'agit là d'affaires d'État et si grande que soit l'affection de Sa Sainteté pour votre personne...

– Ne tournez pas autour du pot, mon frère ! coupa le pape que l'irritation reprenait. Cela ne la regarde en rien. Catarina, vous savez combien vous êtes chère à notre cœur paternel, mais nous aimerions que vous restiez en dehors de cette histoire qui relève entièrement de notre politique.

– La politique est une chose, la charité en est une autre ! fit audacieusement la jeune femme. Et je vois là, devant vous, une jeune dame, noble très certainement en dépit des habits grossiers qui sont les siens et, plus certainement encore, parvenue au bout de ses forces.

– Qu'elle s'agenouille, alors, au lieu de se dresser devant nous comme un défi ! Vous ignorez tout d'elle, Catarina : c'est une Florentine, une ennemie résolue des Pazzi qui nous sont proches, comme vous le savez. Par deux fois, elle s'est mise à la traverse de nos desseins et le sort normal qui devrait lui être réservé est la mort. Mais...

Un éclair brilla dans les yeux de Catarina au nom des Pazzi, Fiora l'aurait juré. Les souvenirs lui revenaient à présent et elle savait qui se trouvait devant elle : la nièce du pape, en effet, mais par alliance, Catarina Sforza, fille bâtarde du duc de Milan, mariée à onze ans à Girolamo Riario, le neveu favori du pape – peut-être même son fils ! –, un rustre dont on disait qu'il avait été épicier ou douanier et entre les mains avides de qui Sixte voulait remettre un royaume dont la Toscane serait le centre.

– Mais, reprit la jeune femme avec audace, Votre Sainteté n'est pas certaine encore que son marché soit si mauvais ?

– En effet. Suivant la réponse que Mgr d'Estouteville recevra de France, nous déciderons de son sort. En attendant, elle va être conduite au château Saint-Ange et tenue en étroite prison tant qu'il plaira à notre sainte volonté.

– Si vous la traitez en otage, ne l'envoyez pas pourrir sur la paille de votre prison ! Confiez-la-moi. Je saurai la garder d'aussi près qu'il le faudra, mais du moins sera-t-elle bien traitée, ce dont le roi de France vous saura gré s'il en vient à composer avec vous.

C'était plus que Sa Sainteté n'en pouvait supporter, même de la part d'une jeune femme pour laquelle, de toute évidence, elle nourrissait une particulière tendresse. Se dressant à nouveau de toute sa taille, le pape ordonna :

– Encore une fois, ma nièce, cessez de vous mêler de cette affaire ! Il en sera comme je l'ai dit : elle ira en prison... et vous, vous viendrez souper avec nous.

Les gardes s'approchaient. Alors, à la grande surprise de Fiora, Mgr d'Estouteville s'interposa :

– Un moment encore, Saint-Père, s'il vous plaît ! L'auriez-vous enfermée au château Saint-Ange si elle avait représenté la monnaie d'échange escomptée ?

– Non. J'avais décidé de l'envoyer au couvent San Sisto.

– Alors, pourquoi changer vos plans ? Je connais bien le roi Louis et sa grande intelligence. Il n'est pas de ceux qui donnent leur amitié au hasard. Surtout quand cette amitié va jusqu'à offrir château et terres dans son voisinage immédiat. Et, à moins que Votre Sainteté ne songe à faire la guerre à mon pays, ce qui déchirerait mon cœur...

– La guerre à la France ? Vous êtes fou, mon frère ! L'Universelle Aragne possède la meilleure armée du monde. Les armes de l'Église me suffiront.

– Alors, ne changez rien à votre premier projet. Faites conduire donna... Fiora ? C'est bien cela ?

– Quel joli nom ! s'écria Catarina qui, décidément n'aimait pas se taire longtemps. Qu'est-ce qu'il y a après ?

– Beltrami, Madonna, répondit Fiora en offrant à la jeune femme une révérence et l'ébauche d'un sourire. Vous pouvez ajouter comtesse de Selongey.

– Trêve de mondanités ! s'écria Sixte dont le teint brun virait à nouveau au pourpre foncé. Vous avez peut-être raison, Estouteville. Envoyons-la à San Sisto ! Elle y sera bien gardée et il sera toujours temps de lui trancher la tête ou de la faire pendre si son maître ne répond pas convenablement à notre attente. Qu'on l'emmène et qu'on dise au capitaine des gardes de la conduire sur l'heure. La supérieure attend.

Il fallut à Fiora beaucoup d'empire sur elle-même pour saluer ce pape qui ne ressemblait que de très loin à l'idée qu'elle s'était faite d'un vicaire du Christ, mais elle s'agenouilla presque aux pieds du cardinal d'Estouteville.

– Soyez remercié de votre charité, Monseigneur, et daignez prier pour moi et pour l'enfant auquel on m'a arrachée. Je jure que je suis digne de votre protection !

La main si blanche où brillait un lourd saphir traça sur sa tête inclinée le signe de la bénédiction, puis le regard bleu la suivit tandis qu'elle se tournait vers donna Catarina :

– Merci à vous, Madonna ! Je n'oublierai pas.

Enfin, elle se plaça d'elle-même entre les soldats et retraversa la salle sous leur escorte. Elle atteignait le seuil quand elle s'aperçut qu'une troupe d'hommes, jeunes pour la plupart et richement vêtus, encombraient l'antichambre. Un personnage d'une trentaine d'années, mais déjà gras, pérorait au milieu d'eux, s'en prenant aux gardes qui lui refusaient l'entrée et au cérémoniaire.

– Vous avez laissé passer ma femme! Je veux la rejoindre. D'ailleurs, le Saint-Père m'attend!

– Un instant, messer Girolamo, un tout petit instant! plaidait Patrizi. Le Saint-Père a formellement indiqué qu'il ne voulait être dérangé par quiconque.

– Et la comtesse Riario n'est pas quiconque, on dirait?

– Rien ne saurait l'arrêter, Monseigneur. Son charme lui donne droit à toutes les indulgences.

Fiora se désintéressa du débat et passa son chemin. Elle avait entrevu Riario, sa tête vulgaire aux traits lourds, aux cheveux raides, l'insoutenable vulgarité de son comportement que sa robe tissée d'or ne faisait qu'aggraver. Que la charmante Catarina fût mariée à ce lourdaud était l'une des absurdités qui semblaient le lot de ce palais plus que royal.

Le destin venait de la faire basculer dans un monde dont elle n'avait jamais eu la moindre idée, même quand elle habitait Florence. Ce pape sans grandeur, uniquement occupé de politique tortueuse et de biens terrestres, dont on pouvait se demander quel genre de prières il adressait à Dieu – si d'aventure il lui arrivait de prier! –, cette cour peuplée d'hommes de main et d'esclaves, jusqu'à cette jolie Catarina qui s'installait sur les marches du trône papal en habituée, tout cela ne faisait que confirmer ce que ses rapports avec Ignacio Ortega et son séjour au couvent de Santa Lucia à Florence lui avaient laissé entrevoir: Rome sur les chemins de laquelle peinaient encore tant de pèlerins, tant de pauvres gens soutenus par l'unique et patient désir de prier au tombeau de l'Apôtre et de recevoir la bénédiction du souverain pontife, Rome n'était-elle pas en train de devenir un repère de voleurs?

Pour sa part, Fiora allait bientôt pouvoir constater à quoi ressemblait un couvent romain; elle éprouvait malgré tout une sorte de soulagement en pensant qu'elle y trouverait au moins le calme de la clôture, le silence et la paix, tout ce dont son corps épuisé et son esprit douloureux avaient besoin. Même à Santa Lucia[1] elle avait réussi à dormir, et c'était de repos qu'elle avait le plus besoin après ce qu'elle venait de subir. Plus tard, elle recommencerait à penser et à chercher le moyen de bénéficier le moins longtemps possible de l'hospitalité papale.

Le grand Domingo avait disparu, et elle en éprouva un regret. Il avait représenté pour elle un appui qui allait lui manquer. Dans la cour du Vatican, on la fit monter sur une mule qu'une troupe de soldats enveloppa aussitôt. Leur chef ressemblait assez à Montesecco avec qui, d'ailleurs, elle le vit parler un instant. Elle devait apprendre plus tard que les deux hommes étaient frères, tout en étant dissemblables.

La nuit était venue. Une nuit humide et froide qui changeait l'aspect des choses et effilochait la flamme des torches aux mains des serviteurs. Passé le grand portail, on plongea dans les ténèbres extérieures, mais les yeux de Fiora s'accoutumèrent vite et elle s'aperçut que la nuit était moins sombre qu'elle ne l'avait cru. Les seules lumières encore visibles éclairaient les tabards aux armes du pape à la tête de son escorte. Elle s'efforça de repérer de son mieux le chemin qu'on lui faisait suivre, précaution indispensable pour une possible fuite.

Après la place Saint-Pierre, guère plus grande qu'un parvis de village, on défila devant quelques bâtiments aux portes desquels des pots à feu brûlaient dans des cages de fer, puis devant une forteresse constituée pour l'essentiel par une énorme tour cylindrique au sommet de laquelle se devinait la silhouette géante d'un ange aux ailes déployées. En face, un pont garni de boutiques aux volets clos enjambait le Tibre, dont l'eau noire était à peu près invisible. Puis l'on s'enfonça dans un dédale obscur qui semblait être un énorme chantier de construction coupé de terrains vagues.

1. Voir *Fiora et le Magnifique.*

Longtemps abandonnée par les papes au profit d'Avignon, la Rome des Césars et ses monuments gigantesques se fût sans doute effritée tranquillement jusqu'à disparition totale si certains papes comme Nicolas V et surtout Sixte IV n'avaient pris son sort dans leurs mains vigoureuses, obligeant les architectes qui reconstruisaient les églises à se procurer des pierres hors de la ville au lieu d'aller les chercher sur les vieux bâtiments voisins devenus ainsi de confortables carrières.

Bien sûr, avec le retour des papes, la richesse avait afflué de nouveau sur Rome. Les pontifes construisaient sur la colline vaticane pour remplacer leur antique palais du Latran détruit par un incendie et, autour d'eux, cardinaux et hauts fonctionnaires se hâtaient de se bâtir des palais plus grands et surtout plus riches que ceux des anciennes familles demeurées sur place. Mais toutes ces constructions se faisaient sans ordre, Rome ne comportait guère alors que quelques places et, en dehors de ruelles capricieuses, une ou deux artères un peu larges et aérées comme le Corso, ainsi nommé parce qu'il servait jadis à des courses de chevaux, d'ânes... et de Juifs. Sixte IV, qui avait décidé de faire de cet immense coupe-gorge délabré où dominaient les champs de ruines une cité civilisée, ordonnée, aux rues pavées autrement qu'avec les cruels petits cailloux ronds du fleuve, avait fort à faire pour édifier une capitale à la mesure de ses ambitions. Après avoir bâti un pont sur le Tibre, construit l'hôpital San Spirito, des églises et des couvents, il couvrait Rome de chantiers qui abattaient les masures et dégageaient les monuments antiques livrés au lierre et aux herbes folles.

A cette heure vespérale, constructions neuves et vieilles bâtisses étaient fraternellement confondues dans la même grisaille sous une brume qui brouillait tout et Fiora finit par renoncer à démêler un chemin quelconque dans le dédale où l'on s'enfonçait. Elle ne sut pas que l'on chevauchait vers le Circus Maximus, que l'on passait devant les ruines encore debout du palais à sept étages de Septime

Sévère pour rejoindre les thermes de Caracalla qui dressaient vers le ciel noir un imposant fragment mutilé de la grande architecture impériale. La majesté de ce fantôme des temps anciens, rouge et noir, força tout de même son intérêt et elle demanda au capitaine ce que cela représentait. Il lui répondit, ajoutant :

– Vous aurez tout le temps de les admirer. Voici le couvent San Sisto où je vous mène : il est juste en face.

En effet, un peu en contrebas du chemin où les grandes dalles romaines affleuraient encore, se dressaient des murs ocre qui enserraient un fouillis de végétation, des bâtiments bas mais harmonieux et le campanile carré d'une église. Quand la troupe fit halte, on put entendre l'écho d'un chant religieux étouffé par l'épaisseur des murs, et aussi le croassement des grenouilles du marais voisin.

De son poing ganté de cuir, l'un des soldats alla frapper à la porte où se découpait un étroit guichet. Il frappa plusieurs fois, jusqu'à ce qu'un visage mince encadré dans une guimpe blanche se montrât derrière les barreaux.

– Par ordre de Sa Sainteté le Pape, ouvrez ! ordonna le capitaine qui se tenait auprès de Fiora. J'amène celle que l'on vous avait annoncée.

Le guichet se referma et la porte s'ouvrit lentement, mais sans bruit, découvrant la forme blanche de la sœur tourière :

– Que le Seigneur veuille tenir en Sa garde notre Très Saint-Père ! murmura-t-elle en se signant. Entrez, ma sœur ! Il est vrai que nous vous attendions.

Fiora descendit de sa mule et s'avança tandis que l'escorte reculait, les hommes non prêtres n'ayant pas le droit de franchir la clôture. La voix de la religieuse était douce et les chants que l'on entendait d'une grande beauté. Une main pâle se tendit vers Fiora qui, tout naturellement, y plaça la sienne avec la sensation qu'en elle s'apaisaient les angoisses, les méfiances et les craintes. Se pouvait-il que ce couvent-là fût réellement un asile de paix ?

CHAPITRE VI

LE JARDIN DE SAN SISTO

Le couvent des dominicaines de San Sisto, qui bénéficiait de la protection toute particulière du pape, était l'asile préféré des jeunes filles nobles ayant choisi de renoncer au monde, mais il arrivait qu'une jeune veuve pût y trouver refuge ou encore une femme suffisamment bien en cour pour qu'on l'y admît. Venant tout droit du Vatican, Fiora fut reçue avec courtoisie par mère Girolama, femme d'un certain âge qui avait dû être d'une grande beauté et qui, de toute évidence, avait l'habitude du commandement. Elle avait des yeux clairs qui regardaient droit, une voix sonore et musicale, et un sourire peu fréquent mais chaleureux qui lui gagnèrent aussitôt la confiance de Fiora. Après avoir craint successivement d'être livrée au bourreau puis d'aller endurer un calvaire au fond d'une prison, c'était bon de s'en remettre aux mains de mère Girolama.

– Vous êtes en piteux état, constata celle-ci en considérant sa nouvelle pensionnaire d'un œil apitoyé. Êtes-vous malade ?

– Non, ma mère, je ne crois pas. Mais, durant deux longs mois, j'ai voyagé sur la mer où j'ai beaucoup souffert. La nourriture a fait le reste.

– Je vois. Pour ce soir, je vais vous conduire à votre chambre où l'on vous apportera un repas.

– Ne pourrais-je avoir de l'eau pour me laver ? Je n'ai pas fait une vraie toilette depuis des semaines.

– Je n'osais pas vous le proposer, fit la prieure avec un demi-sourire. Il m'est arrivé d'avoir des pensionnaires qui dédaignaient les soins du corps et j'avoue que je ne les appréciais guère. On vous portera de l'eau, du linge et des vêtements, mais je n'ai à vous offrir que des habits de novice.

– Je serai heureuse de les porter. Quant à ceux-ci...

– On les lavera et, si vous n'en voulez plus, on les donnera aux pauvres. Tant que vous serez chez nous, vous n'en aurez pas l'usage. Venez à présent ! Je crois, en vérité, que vous avez surtout besoin de repos.

La cellule qui l'accueillit ouvrait sur une galerie à colonnettes donnant directement sur le jardin mouillé. Avec son lit étroit à rideaux blancs et son mobilier simple, elle ressemblait beaucoup à celle que Fiora avait occupée à Santa Lucia de Florence au temps de la catastrophe qui avait détruit sa vie. La sœur converse qui vint l'y rejoindre alluma un petit brasero pour combattre la froide humidité et lui permettre de se laver sans trop grelotter, déposa une rose tardive dans un petit pot de majolique verte et se mit à bavarder joyeusement tout en déployant les draps propres qu'elle destinait au lit et en secouant les couvertures.

Fiora apprit ainsi qu'elle s'appelait sœur Cherubina, nom peu courant, mais que justifiaient son visage rose et joufflu et ses yeux d'un azur léger. Elle était fille d'un paysan des environs de Spolète dont le seigneur avait fait entrer Cherubina au couvent en même temps que sa fille cadette, Prisca, sœur de lait de la petite paysanne qui lui était fort attachée. Il y avait à présent cinq ans qu'elle était à San Sisto, et s'y serait trouvée pleinement heureuse – car elle n'imaginait pas qu'il y eût un endroit plus beau au monde – si sœur Prisca n'y eût dépéri depuis le dernier été sans que l'on pût trouver remède à son mal.

– On n'y peut rien, conclut-elle en écartant des mains

désolées. C'est le marécage qui est à côté du couvent. L'été, il y a beaucoup de moustiques et ils portent la malaria.

En résumé, San Sisto était peut-être le plus bel endroit du monde, mais probablement l'un des plus insalubres. Grâce au ciel, l'été était fini depuis longtemps et lorsqu'il reviendrait, Fiora espérait bien avoir quitté le couvent. Mais ce soir-là, en s'étendant entre des draps frais qui sentaient la bergamote, après avoir soupé de pâtes au basilic et d'une succulente salade de fruits, la jeune femme pensa que, moustiques ou non, ce couvent était à sa manière un de ces lieux privilégiés où la douleur fait trêve et où l'on peut encore croire en la miséricorde divine. Sœur Cherubina était un peu déçue de n'avoir point reçu de confidences en échange de son histoire, mais Fiora s'était excusée en invoquant sa très réelle envie de dormir et en promettant d'être plus communicative par la suite.

L'impression délicieuse de se trouver à l'abri de la méchanceté des hommes et de reprendre pleine possession d'elle-même persista dans les jours qui suivirent. Sous la direction douce mais ferme de mère Girolama, le couvent semblait former une grande famille dont chaque membre paraissait satisfait de son sort. Sereines, les dominicaines trouvaient dans le travail, la musique, la méditation et la prière cette paix du cœur et cette sécurité de l'âme que peut apporter un ordre spirituel. Contre les murailles de San Sisto venaient se briser les bruits du dehors, le chuchotement des intrigues comme les cris d'agonie des victimes que, chaque nuit, l'incessante, l'éternelle querelle des deux puissantes familles qui se partageaient Rome, les Orsini et les Colonna, abandonnait dans les carrefours ou dans l'ombre d'une ruelle. On y vivait pour chanter les louanges de Dieu et pour œuvrer à sa plus grande gloire. Aussi les offices y étaient-ils d'une grande beauté. Fiora aima à en prendre sa part et à joindre sa voix à celles des nonnes qui l'avaient accueillie avec une simple gentillesse et sans lui poser trop de questions.

On savait bien sûr qu'elle était florentine, la seule du couvent, et l'on apprit bientôt qu'elle était veuve d'un des meilleurs capitaines du Téméraire. Mais le défunt duc de Bourgogne était parfaitement inconnu des nonnes, hormis d'une seule qui, après quelques hésitations, vint un matin rejoindre Fiora au jardin.

Ce jardin, la jeune femme en avait fait son lieu de prédilection et, dès que le temps le permettait, elle s'y installait avec un travail de broderie ou en parcourait lentement les allées tracées avec soin. Il n'avait rien de comparable avec celui de la maison aux pervenches, ni même avec celui de la villa Beltrami à Fiesole, que Fiora avait tant aimé. Celui-là, en dépit de l'hiver tout proche qui le privait de la plus grande partie de ses fleurs, rassemblait autour d'un grand pin parasol des bosquets de citronniers, de grenadiers et de lauriers-roses. Contenu par les sentiers couverts de petites plaques de marbre qui rejoignaient des bassins où chantaient des fontaines, c'était un fouillis des plantes méditerranéennes les plus odoriférantes d'où jaillissaient parfois un buisson de rosiers ou les longues plumes du genêt d'Espagne. Bien sûr, il y avait un potager savamment ordonnancé et planté avec une grande rigueur, protégé des vents par des haies de cyprès, mais tout le reste semblait l'œuvre d'un jardinier à la fois génial et un peu fou.

Assise sur le banc qu'elle avait élu dès le premier jour, une nappe d'autel qu'elle s'était offerte à broder entre les mains, mais sur laquelle ses doigts ne s'activaient guère, Fiora vit approcher une jeune moniale. Elle l'avait remarquée à la chapelle pour sa voix angélique, et son visage lui semblait vaguement familier. Elle lui sourit pour l'encourager à la rejoindre, car la jeune fille était visiblement timide :

– Souhaitez-vous me parler, ma sœur ? demanda-t-elle.

– Je vous ai dérangée et vous en demande bien pardon, fit la petite nonne en rougissant très fort.

Elle ne devait pas être au couvent depuis très longtemps car elle portait, comme Fiora elle-même, la robe blanche des novices.

– Dites plutôt que vous me surprenez en flagrant délit de paresse puisque, vous le voyez, je ne faisais que rêver. Venez donc vous asseoir sur ce banc !

– Merci. Voilà plusieurs jours déjà que je souhaite vous parler, mais il a fallu que je rassemble mon courage. On nous a seulement dit que vous êtes une demoiselle de Florence mariée à un grand seigneur de Bourgogne. Et je voudrais savoir... Seriez-vous la comtesse de Selongey ?

– Mais oui, fit Fiora étonnée, comment cette idée vous est-elle venue ?

– Je vous en prie, ne croyez pas que je cède à une curiosité vulgaire. Vous comprendrez mieux lorsque je vous aurai dit qui je suis.

– Vous êtes sœur Serafina. J'aime tant vous entendre chanter que je me suis renseignée.

– Oui. Ici je suis Serafina, mais dans le monde j'étais Antonia Colonna.

Une brusque lumière entra dans l'esprit de Fiora en même temps qu'une bouffée de joie :

– Battista ! s'écria-t-elle. Mais c'est à lui, bien sûr, que vous me faites penser. Vous êtes de sa famille ?

– Nos mères sont sœurs et nous avons le même âge. Si nous avions été jumeaux, nous n'aurions pu être plus proches. Depuis qu'il est parti, il m'a souvent écrit... et il a parfois parlé de vous. Vous étiez amis, je crois ?

– Plus qu'amis ! Vous dites qu'il est pour vous comme un frère. C'est un peu ce qu'il a été pour moi : un jeune frère plein d'attentions et de gentillesse. J'étais alors l'otage du duc de Bourgogne et c'est grâce à Battista si je n'ai pas sombré dans le désespoir en certaines circonstances. Mais après les funérailles du duc Charles, il a disparu et je n'ai plus rien su de lui. Vous allez pouvoir me donner de ses nouvelles à présent ? ajouta-t-elle avec animation. Je suppose qu'il est rentré à Rome ?

– Non. Il est resté là-bas !

Sœur Serafina détourna les yeux pour que sa compagne ne vît pas ses larmes, et chez Fiora la joie fit place à l'inquiétude.

– Il est resté à Nancy ? Mais pourquoi ? Il n'a pas été blessé à la dernière bataille qui a coûté la vie au duc, et j'ai entendu dire qu'en raison de son âge, il ne serait pas retenu prisonnier ?

– En effet, et il aurait pu rentrer. S'il est resté dans ce pays, c'est de sa propre volonté. Il a demandé à être admis au nombre des moines chargés de veiller sur le tombeau où est enseveli celui qu'il appelait le Grand Duc d'Occident. Il ne reviendra jamais !

Cette fois, Serafina pleurait sans plus chercher à se cacher et Fiora, navrée, ne sut comment apaiser ou au moins adoucir cette douleur. En même temps, elle se faisait de vifs reproches : toute à son amour retrouvé, elle ne s'était plus souciée du page et avait quitté Nancy sans chercher seulement à le revoir. Mais la conduite de Battista n'en demeurait pas moins incompréhensible. Aimait-il donc le duc au point de se vouloir son serviteur pour l'éternité ? Au point d'ensevelir avec lui tous les espoirs qu'il était en droit de mettre dans la vie ? Vouloir rester près du tombeau ? Quelle chose absurde ! Que s'était-il donc passé auprès de l'étang Saint-Jean où Battista avait guidé ceux qui recherchaient le corps du vaincu ? Quel bouleversement la vue du cadavre à demi dévoré par les loups avait-elle opéré sur l'âme de ce garçon qui rêvait de gloire, qui aimait la vie et qui, jeune, beau, riche et prince, n'avait rien d'autre à en désirer ? Sinon peut-être l'amour... un amour qui n'attendait que lui et n'avait jamais osé dire son nom. Serafina cependant reprenait :

– Personne, chez nous, n'a compris cette décision, et moins encore notre oncle, le comte de Celano, avec qui Battista était parti rejoindre les armées de Bourgogne. Il a tout tenté pour le ramener, mais il s'est heurté à une volonté farouche, irréductible. Battista voulait être moine.

– C'est insensé! Mais enfin, peut-on entrer ainsi en religion sans l'assentiment du chef de famille ? Son père l'a-t-il autorisé ?

– En aucune façon. Il nourrissait de grands espoirs pour Battista.

– Alors, pourquoi ne pas en avoir appelé au pape ? Je sais que vous êtes l'une des deux plus puissantes familles de Rome.

– Nous l'avons été, mais nous ne le sommes plus. Les Orsini l'emportent en ce moment parce que le prince Virginio est l'intime ami du comte Girolamo Riario, le préféré parmi les quinze neveux du Saint-Père. Évidemment, nous n'avons pas renoncé à la guerre contre cette famille de forbans, mais à présent c'est à nos risques et périls.

– Quinze neveux ? Quelle famille ! Rien que des hommes ?

– Non. Il y a aussi des filles et on les marie bien. Quant aux garçons, s'ils ne sont pas cardinaux, on les décrasse pour en faire de vrais seigneurs. Le « comte » Girolamo qui a épousé la bâtarde préférée du duc de Milan a obtenu les Romagnes et guette Florence. Un autre est préfet de Rome, le cardinal Giuliano della Rovere [1] est évêque de Lausanne, Avignon, Constance, Mende, Savone, Viviers et Vercelli. Son palais del Vaso, que l'on nous a pris, est plein d'objets rares, d'artistes, d'érudits et de poètes, car il s'intéresse beaucoup plus à la pensée grecque ou romaine qu'aux Évangiles. Un autre, disgracié physiquement, a épousé une fille naturelle du roi de Naples, qui a été contrainte à ce mariage, comme Catarina Sforza. Je ne peux tout vous dire mais, dans un temps proche, le jeune Rafaele Riario, qui a dix-sept ans et étudie à Pise, recevra le chapeau de cardinal au titre de San Giorgio in Velabro [2] et ce n'est certainement pas le dernier bienfait dont le pape fera bénéficier sa famille.

1. Le futur pape Jules II qui fera décorer par Michel-Ange la chapelle Sixtine.
2. Chaque cardinal était en quelque sorte le curé d'une paroisse romaine.

Rome et même l'Italie entière ne sont pour lui qu'un immense jardin dans lequel il pille les fruits les plus succulents pour les offrir aux siens, quitte à spolier ceux qui lui déplaisent.

– Et vous, les Colonna, vous lui déplaisez ?

– Bien sûr. Heureusement, nous gardons beaucoup d'amis et de partisans. Cela nous permet de faire à ces gens tout le mal que nous pouvons.

Fiora avait peine à en croire ses oreilles. Cette petite nonne vouée en principe à la prière, au pardon des injures, au renoncement et au seul amour de Dieu venait de dépouiller la douceur lisse de son apparence pour laisser voir le fond d'une âme emplie d'amertume et peut-être de haine. Elle approuvait les meurtres dont accouchait chaque nuit romaine. Une question, alors, lui vint naturellement :

– C'est de votre plein gré que vous êtes entrée ici, sœur Serafina ?

– Quand nous serons seules, appelez-moi Antonia, je préfère.

Elle se tut un moment, hésitant à se livrer davantage, mais se décida, pensant probablement en avoir déjà trop dit :

– Quant à votre question, c'est bien moi qui ai demandé à prendre le voile ici pour ne pas épouser Leonardo della Rovere, celui que l'on a marié à la Napolitaine. Mon père a évité de plus graves ennuis en abandonnant à cet avorton la plus grande partie de ma dot. Je l'avoue, j'étais révoltée lorsque je suis arrivée, mais à présent, je n'ai plus envie de m'en aller. A quoi cela me servirait-il puisque Battista ne reviendra plus ?

Dans les grands yeux noirs à ce point semblables à ceux du page qu'elle en éprouva une sorte de vertige, Fiora lut un désespoir si poignant qu'elle eut envie de prendre cette enfant dans ses bras, comme une petite sœur malheureuse. Mais tout, dans l'attitude d'Antonia, disait qu'elle eût refusé sa pitié.

– Vous l'aimiez à ce point-là ?

– Je l'aime toujours et je l'aimerai tant que je vivrai. A présent laissons mes misères de côté ! C'est de lui que je voudrais vous entendre parler, car vous avez longtemps vécu auprès de lui...

– Plus d'un an : du premier siège de Nancy au second.

– Un an ! J'aurais donné ma vie pour ces quelques mois et, je peux bien vous l'avouer : je vous ai jalousée, détestée. Il disait que vous étiez si belle... et il avait raison.

– Mais vous, vous aviez tort. Quiconque nous a connus l'an passé pourrait vous le dire : nous étions frères d'armes en quelque sorte, car Battista était otage, lui aussi. Il répondait de moi sur sa tête si j'avais essayé de m'enfuir. Le duc Charles savait employer tous les moyens pour obtenir ce qu'il voulait. Je m'en veux de n'avoir pas cherché à revoir Battista avant de partir de Nancy et je vous promets, si je parviens à retourner chez moi, ce que j'espère, que j'irai là-bas et il faudra bien que Battista me dise ce qui lui est passé par la tête pour agir ainsi.

– De toute façon, même s'il revenait maintenant, je ne suis plus que sœur Serafina...

– Vous n'êtes que novice, comme il doit l'être aussi. Essayez de ne pas prononcer vos vœux trop vite et priez pour que je réussisse à m'enfuir !

Avec une spontanéité enfantine, Antonia se jeta à son cou et posa sur ses joues deux gros baisers sonores. Les nuages qui l'instant précédent embrumaient les grands yeux noirs venaient de faire place à un ciel nocturne plein d'étoiles.

– Je ferai tout pour vous aider ! promit-elle.

Elle n'eut pas le temps d'en dire davantage. Sœur Cherubina accourait, retenant à deux mains ses cotillons pour aller plus vite et se retournant de temps en temps pour voir si quelqu'un la suivait.

– Sauvez-vous, sœur Serafina ! fit-elle. Notre mère prieure vient par ici avec Mgr le cardinal vice-chancelier qui a émis le désir de vous voir, donna Fiora !

– Le vice-chancelier ? Qui est-ce ? demanda la jeune femme. Je m'y perds un peu dans tous ces cardinaux.

Mais sœur Serafina avait filé sans demander son reste et disparu dans le bosquet de citronniers. Ce fut Cherubina qui se chargea de la réponse :

– Sa Grandeur le cardinal Borgia, un Espagnol et un bien bel homme. Il a des yeux... comme de la braise !

Un moment plus tard, tandis qu'elle s'agenouillait pour baiser l'anneau du prélat, Fiora pensa que sœur Cherubina, qui s'était d'ailleurs enfuie aussi vite qu'elle était venue, avais émis dans sa candeur naïve un jugement d'une grande justesse : sous leurs sourcils noirs, les prunelles de Rodrigo Borgia brasillaient littéralement, mais que son sourire à belles dents blanches était donc aimable quand il remercia mère Girolama d'avoir pris la peine de le mener elle-même vers sa pensionnaire ! Dans le cadre austère du camail de toile blanche, le visage de celle-ci en prit la couleur de ces belles cerises dont Péronnelle faisait de si bonnes confitures. Et quand elle s'éloigna, Fiora constata que sa démarche était d'une légèreté toute nouvelle.

Immobile dans la splendeur de ses hermines neigeuses et de ses velours pourpres, le cardinal attendit qu'elle eut disparu pour se tourner vers Fiora qui s'était relevée, puis son regard fouilla la luxuriante végétation autour du banc. Sans doute peu satisfait de son examen, il dit soudain :

– Faisons quelques pas, voulez-vous ? Nous pourrions aller jusqu'à ce bassin que j'aperçois là-bas. J'ai toujours aimé les fontaines. Elles sont, avec les cloches, les voix les plus harmonieuses que la terre puisse offrir au Seigneur. Et il y a là un banc où nous serons à merveille pour causer...

D'où Fiora conclut que le beau cardinal n'aimait pas la musique et qu'il souhaitait surtout que personne n'entendît ce qu'il avait à dire. Ce qui l'étonna : elle ne l'avait encore jamais vu et, s'il était envoyé par le pape comme tout le laissait supposer, elle ne voyait pas bien ce que l'on pouvait avoir à lui transmettre de si confidentiel.

Tout en cheminant modestement un peu en retrait de son imposant visiteur, elle ne pouvait s'empêcher de remarquer que, sur les gants rouges, l'anneau pastoral n'était pas le seul ornement, qu'il voisinait avec de lourdes bagues enrichies de pierreries, que la « capa magna » portait des broderies d'or, que sur la mosette d'hermine la croix d'or longue comme une main d'homme était constellée de gros rubis et que le chapeau rouge à larges bords, signe distinctif de la dignité, qui ombrageait le profil impérieux de Borgia avait des glands d'or et une riche agrafe. Même le cardinal d'Estouteville qui avait si fort impressionné Fiora n'était pas si fastueux. Quant au pape, il devait disparaître complètement derrière la splendeur de son « frère en Jésus-Christ ».

Parvenu au banc indiqué, le cardinal s'assit, étalant autour de lui un tel flot de moires et de velours qu'il ne restait plus la moindre place pour Fiora, qui d'ailleurs ne fut pas invitée à prendre place. Elle resta donc debout devant lui, n'osant rompre la première un silence que le visiteur semblait prendre plaisir à prolonger. Son regard brillant examinait la jeune femme avec une insistance qui mit un peu de rouge à ses pommettes et un plaisir évident qui s'épanouit en un sourire affable. Enfin, il se décida à parler.

– En dépit de ce que l'on dit, le séjour à San Sisto semble avoir une heureuse influence sur votre santé, donna Fiora. Vous étiez en triste état lors de votre arrivée, mais il n'y paraît plus et vous avez retrouvé tout votre éclat.

Encore qu'elle lui fût reconnaissante de lui éviter les « ma fille » ou « mon enfant » habituels aux gens d'Église lorsqu'ils s'adressent aux simples mortels, Fiora fut surprise d'une si curieuse entrée en matière. Elle était d'un galant homme, sans doute, mais les prêtres cultivaient en général peu le compliment.

– Je remercie Votre Grandeur d'une sollicitude qui me touche, dit-elle prudemment, mais je ne comprends pas comment elle peut faire la différence. Je ne me souviens pas de l'avoir vue lorsque je suis arrivée au Vatican ?

– Moi, je vous ai vue : non à votre arrivée, mais quand vous avez quitté le palais. Vous êtes de celles qui éveillent l'intérêt et j'ai voulu en savoir davantage sur vous. Cela a été relativement facile. J'entretiens d'excellentes relations avec le cardinal d'Estouteville, que votre présence à Rome met dans un grand embarras.

– Je ne vois pas pourquoi. Son rôle se borne, si j'ai bien compris, à faire savoir au roi de France que, par ordre du pape, j'ai été enlevée à quelques pas de sa résidence, séquestrée sur un bateau et conduite ici après un voyage qui a duré le double de temps qu'il aurait dû prendre normalement.

Rodrigo Borgia éclata de rire. Il aimait à rire, cela lui permettait de montrer ses belles dents blanches et ajoutait à l'attrait qu'il exerçait sur les femmes :

– Et vous trouvez que c'est un rôle facile ? Je n'ai pas le privilège de connaître le roi Louis et je le déplore, mais, d'après ce que j'en ai entendu dire, ce genre de message a peu de chances de lui plaire, surtout assorti de conditions qui, à mon sens, ne peuvent être acceptées d'un souverain. Fray Ignacio Ortega, que je connais bien, n'est qu'un fanatique dangereux et il devrait remercier Dieu de n'avoir pas été exécuté. C'est ce que j'aurais fait, moi. Quant au cardinal Balue, il n'est qu'un prétexte commode pour permettre à Sa Sainteté de s'immiscer dans les affaires de France. Puis-je vous demander quels sont au juste les sentiments du roi Louis envers vous ?

Fiora commençait à trouver que l'entretien prenait une étrange tournure. A moins que cette visite ne fût un piège, il semblait bien que le pape n'en était pas l'inspirateur.

– Connaître les sentiments du roi a toujours été la plus difficile des entreprises, Monseigneur, car il est un maître en fait de dissimulation. Je crois néanmoins qu'il a pour moi de l'amitié, car il l'a prouvé.

– Mais pas d'amour ?

– Je ne comprendrai jamais d'où vient cette fable. Pour ma part, je n'ai jamais entendu dire que le roi eût des maîtresses.

– Il en a eu, jadis, quand il était plus jeune, et elles lui ont même donné des enfants, mais à son âge et avec sa santé que l'on dit mauvaise...

– Qu'il en ait ou n'en ait pas, ce n'est pas là mon affaire, Monseigneur. Si vous voulez m'accompagner jusqu'à la chapelle, je suis prête à jurer sur les saints Évangiles que je ne suis pas et n'ai jamais été sa maîtresse. Voilà pourquoi j'ai dit l'autre jour que le pape avait fait un marché de dupes : Louis de France ne concédera rien pour me retrouver.

– Et surtout, il n'abandonnera pas Florence et c'est cela le but profond du Saint-Père. C'est pourquoi j'ai voulu vous voir.

– Qu'espérez-vous de moi ? Que j'aiderai le pape à se défaire des Médicis ? N'y comptez pas ! Je suis florentine avant tout et les Médicis me sont restés chers. Je ne ferai rien contre eux, fût-ce au péril de ma vie.

– Loin de moi une pareille idée ! Je n'ai pas d'affection particulière pour Lorenzo et son frère, mais que Riario devienne le maître de Florence me paraîtrait insupportable. Aussi bien, je ne suis pas venu vous parler politique, mais simplement vous dire ceci : le palais d'un cardinal, et singulièrement celui du vice-chancelier de l'Église, est un lieu d'asile inviolable au seuil duquel s'arrête la volonté du pape.

Il se tut, peut-être pour laisser ses paroles prendre tout le poids de leur signification. Seul se fit entendre le bruit de la fontaine qui jaillissait et retombait en pluie scintillante dans le bassin de marbre blanc. Comme si elle éprouvait le besoin de reprendre contact avec quelque chose de réel, Fiora alla y tremper ses doigts, laissant l'eau claire glisser sur eux et les rafraîchir. !

– Le couvent où je suis n'est-il donc pas un lieu d'asile ?

– Pas entièrement. On vous y a mise ; on peut vous en faire sortir que vous le vouliez ou non. Ce n'est pas le cas chez moi.

– J'entends bien, mais alors pour quelle raison m'offririez-vous un refuge ? Vous êtes l'un des plus hauts dignitaires de la cour papale et...

– Je viens de vous le dire : je ne suis pas venu parler politique. Sachez seulement que je n'approuve pas toujours celle du Vatican. En outre, il se peut que je souhaite ménager l'avenir en obligeant le roi de France. Enfin, je serais inconsolable s'il vous arrivait malheur car, en véritable hidalgo, j'aime à me dévouer au service des dames autant que j'apprécie les œuvres d'art. Vous êtes l'une et l'autre.

Fiora secoua ses mains, les essuya à un pan du voile qui couvrait sa tête et revint vers Borgia qui s'était levé.

– Parlons clair, Monseigneur ! Suis-je en danger ici ?

– Pas dans l'immédiat, peut-être, mais cela ne saurait tarder. J'ai entendu des bruits que je désire préciser. Bien sûr, après ce que vous avez subi, je devine qu'il vous est difficile d'accorder votre confiance, mais écoutez ceci : au cas où un événement quelconque vous inquiéterait, sachez qu'à partir de demain quelqu'un à moi viendra pêcher dans l'étang voisin. Si vous avez besoin d'aide, jetez un voile comme celui-ci, alourdi d'une pierre, par-dessus le mur que vous voyez là. La nuit venue, vous franchirez vous-même ce mur. Vous serez attendue.

C'était si surprenant que Fiora ne répondit pas tout de suite, essayant de réfléchir. Néanmoins, elle murmura :

– Votre bonté me confond, Monseigneur, mais, en allant chez vous, ferai-je autre chose que changer de prison ? Si vous voulez me secourir, aidez-moi à rentrer en France.

– Chaque chose en son temps ! Vous ne pouvez quitter Rome sans préparation. Votre fuite causera des remous qu'il faudra laisser s'étaler. Êtes-vous si pressée de retourner chez vous ?

– J'ai un fils de trois mois. Son père est mort, et il n'a plus que moi.

– Gardez l'espoir et donnez-moi votre confiance. L'important est de vous mettre à l'abri. Ensuite, nous verrons à vous faire partir.

L'entretien était terminé. Le cardinal levait déjà une main étincelante de joyaux pour une bénédiction sous laquelle Fiora fut bien obligée de se courber, mais le respect n'y était pour rien. Simplement le souci des apparences, car elle en venait à se demander si cet homme au regard caressant était réellement un prince de l'Église. Fût-il venu seul et non escorté par mère Girolama qu'elle en aurait douté fortement.

– Réfléchissez! murmura-t-il encore sans bouger les lèvres, mais réfléchissez vite! Il se pourrait que le temps presse.

La simarre pourpre glissa le long des dalles blanches dans un doux bruit de soie froissée. Fiora regarda s'éloigner l'imposante silhouette du prélat entre les massifs de feuillage. Que cet inconnu dégageât un charme était indéniable, mais au fil des tribulations subies durant les deux années écoulées, la méfiance lui était devenue naturelle. Que le beau cardinal souhaitât se ménager le roi de France n'avait, à tout prendre, rien d'extraordinaire. Bien plus jeune que le pape, il pouvait convoiter le trirègne [1] et l'amitié de la France serait alors d'importance, mais cet avantage éventuel valait-il le risque certain qu'il courrait en donnant asile à une fugitive?

Le temps était passé plus vite que Fiora ne le pensait et, à présent, le soleil se couchait dans un feu d'artifice et de longues traînées rouges annonçant du vent pour le lendemain. Sur ce fond sanglant, les arbres du jardin noircissaient et la jeune femme eut froid. Elle rejoignit le banc où elle avait laissé sa broderie, l'enferma dans un sac de toile et revint vers le cloître dont les fresques se décoloraient

1. La triple couronne que coiffait le pape.

dans la lumière pourpre. Elle allait à pas lents, écrasée soudain par le sentiment de sa solitude, gagnée par la désespérante idée qu'elle était à jamais perdue au cœur d'un monde inconnu et hostile, truffé de pièges d'autant plus perfides qu'ils se cachaient sous des apparences séduisantes.

Le besoin de retrouver son bébé, la chère Léonarde et Péronnelle, et son Étienne tout bourru, et Florent qui l'aimait tant, et sa maison aux pervenches fut si violent tout à coup qu'elle passa un bras autour d'une colonnette encore tiède de soleil en s'y appuyant, tant elle avait besoin de s'accrocher à quelque chose de solide. Elle ferma les yeux, laissant les larmes couler librement.

– Ne pleurez pas! chuchota une voix douce tandis qu'une petite main chaude se posait sur la sienne. Je suis venue vous chercher pour vous conduire à la chapelle car c'est l'heure de complies. Je chanterai pour le Seigneur, mais aussi pour vous!

A travers le brouillard des larmes, Fiora crut revoir Battista et l'entendre lui dire : « Demain c'est Noël et nous sommes tous deux des exilés. Si vous voulez je passerai la journée auprès de vous et je vous chanterai des chansons de chez nous. » Le temps avait passé mais ils étaient toujours des exilés : lui dans ces neiges de Lorraine où il avait choisi de s'ensevelir, elle sous ce soleil romain qui ne ressemblait à aucun autre.

Un élan la jeta au cou de la petite sœur Serafina, qu'elle embrassa :

– Pardonnez-moi ce moment de faiblesse que je n'ai pas su retenir, murmura-t-elle. Je pensais aux miens, à mon petit garçon...

– Le cardinal Borgia ne vous a pas apporté de mauvaises nouvelles, au moins?

– Non. Pas vraiment mais, je vous l'avoue, je ne sais que penser. Si vous voulez, je vous en parlerai. Pour ce soir, merci, merci de votre amitié...

Elles se sourirent puis, se tenant par la main comme

deux fillettes, rejoignirent la double file blanc et noir des dominicaines qui se rendaient à la chapelle.

En tant que sœur Serafina, la cousine de Battista pensait le plus grand bien du cardinal vice-chancelier que l'on disait fort aumônier, généreux et plein de mansuétude pour les péchés d'autrui, mais en tant qu'Antonia Colonna son jugement se nuançait curieusement. Elle était assez sage pour faire la part des choses, car la noblesse romaine n'avait aucune sympathie pour cette bande d'Espagnols venus de leur province de Valencia dans les bagages de l'oncle Calixte III. Tout les avait alors opposés aux Romains : différences de caractère, de mœurs et même de civilisation, les Espagnols venant d'une nation encore très féodale. Tout cela concourait à la mésentente, sans compter la solide xénophobie des Italiens qui, individualistes à l'extrême, commençaient à ressentir l'attrait des anciennes civilisations et à s'en imprégner. Ils jugèrent d'abord grossiers et peu fréquentables ces hommes encore marqués par les fureurs de leur vieille lutte contre les Maures, mais les nouveaux venus avaient les dents longues, et l'amour du faste. Ils s'intégrèrent très vite et, sous la houlette de Rodrigo, s'imposèrent en flattant le goût des Romains pour les fêtes et, surtout, en adoptant leur morale assez particulière qui veut que le crime puisse avoir de la grandeur et que l'homme, libéré d'anciennes contraintes par la culture, soit à peu près seul juge de son propre comportement.

En ce qui concernait le vice-chancelier, sa réputation était désormais bien assise : la messe n'était pas son occupation principale et il ne comptait plus ses maîtresses dont la favorite, une certaine Vanozza, mariée à un fonctionnaire, lui avait déjà donné deux fils, Juan et César, reconnus par le mari postiche mais dont le cardinal ne celait nullement qu'ils étaient de son sang et qu'il les adorait. Pourtant Vanozza, richement installée dans une belle maison de la place Pizzo di Merlo et possédant une vigne sur l'Esquilin, ne pouvait prétendre à l'exclusivité d'un homme dont on disait – et sœur Serafina devint rouge vif en prononçant ces mots impurs – que « plus charnel ne pouvait exister ».

– Je crois, dit-elle en conclusion, qu'avant de vous en remettre à sa protection, il vous faut peser ce que vous risquez. Ne vous a-t-il rien dit de ce danger qu'il pressent ?

– Rien. Il n'est pas certain et veut vérifier certaines choses.

– Ce pourrait être aussi un danger imaginaire pour vous conduire plus sûrement entre ses mains. Vous êtes très belle, et c'est sans doute la raison majeure pour laquelle il s'intéresse si fort à vous, allant même jusqu'à venir vous visiter ici sans la permission du pape.

– Alors que dois-je faire ? Il a dit aussi qu'il m'aiderait à rentrer en France.

– Et, bien sûr, vous êtes prête à courir tous les hasards pour ce bonheur de retrouver les vôtres ?

– Et pouvoir aller poser quelques questions à notre Battista, ne l'oubliez pas !

– Je ne l'oublie pas et je voudrais pouvoir vous aider davantage, mais croyez-moi : ne précipitez rien ! Je vais faire porter une lettre à mon oncle, le protonotaire Colonna, en lui demandant de venir ici me parler. Le pape ne l'aime pas, mais c'est un homme fin et rusé qui arrive toujours à savoir ce dont il a besoin. Il nous a déjà sauvés de bien des aventures.

Cette promesse réconforta Fiora. Dans la situation où elle se trouvait, elle avait besoin de se faire des amis. Sans cela, jamais elle ne reverrait le doux pays de Loire.

Elle décida donc de suivre le conseil de sa jeune compagne et d'user de cette vertu de patience dont Démétrios prétendait qu'elle était la plus importante de toutes. Peut-être parce qu'elle était la plus difficile à pratiquer. De toute façon elle n'était plus seule et, en écoutant la voix de cristal de sa nouvelle amie chanter les louanges de la Mère de Dieu sous les voûtes blanches de la chapelle, l'idée lui vint que les prières dont Léonarde devait, depuis son départ, accabler Dieu en sa Trinité, la Vierge Marie et les saints et saintes qui jouissaient de sa confiance, lui avaient peut-être valu de trouver un ange sur son chemin.

Elle n'en avait pas encore fini ce jour-là avec la visite du cardinal Borgia car, en sortant du réfectoire, mère Girolama la prit à part pour faire quelques pas sous les arches du cloître qu'éclairaient deux gros cierges de cire jaune.

– J'espère, commença-t-elle en fixant le bout de ses pieds, que Sa Grandeur ne vous a rien appris d'inquiétant ? Il est rare que notre modeste maison soit honorée à ce point.

Fiora pensa irrévérencieusement que mère Girolama grillait de curiosité comme une vulgaire sœur converse et elle cacha un sourire sous l'abri de son voile blanc.

– J'en ai été la première surprise, Ma Mère, mais, en fait, Sa Grandeur est venue m'exhorter à la patience et à l'obéissance. Les façons, un peu vives peut-être, que j'ai eues en face du Saint-Père au soir de mon arrivée l'ont inquiété. Il sait, en effet, que j'appartiens à l'entourage du roi de France et il m'a fait comprendre que, pour le bien de tous, il était préférable que je me soumette à une volonté contre laquelle, en effet, je suis sans forces.

Au prix de son âme, elle eût été incapable de dire où elle avait pris l'inspiration de ce chef-d'œuvre d'hypocrisie, mais en voyant sa compagne approuver silencieusement de la tête d'un air pénétré, elle eut presque honte de duper ainsi cette sainte femme qui l'avait accueillie si généreusement.

– La sainte obéissance! ma fille, soupirait mère Girolama. C'est notre premier devoir à toutes et je sais gré au cardinal d'être venu vous le rappeler, d'autant que votre conduite peut être de quelque importance pour la politique de Sa Sainteté. Je connais peu le cardinal, mais je sais que c'est un grand diplomate, fort soucieux de sa charge. Sur ce point, l'on ne peut que se trouver au mieux de suivre ses conseils. Ce à quoi je vous engage vivement!

A cent lieues d'imaginer quel genre de conseils le vice-chancelier venait de dispenser à sa pensionnaire, mère Girolama s'en alla méditer, comme elle le faisait chaque soir avant de se mettre au lit, sur la vie éternelle et les meilleurs moyens de guider dans cette voie les jeunes âmes confiées à sa garde. Fiora, elle, un peu mal à l'aise, choisit de pousser la porte de la chapelle pour passer un moment dans son obscurité apaisante en face de la petite flamme rose qui veillait au pied du tabernacle. En dépit d'une piété demeurée assez tiède, elle comprenait parfois Léonarde qui, au moindre ennui, allait le déverser au pied de quelque autel. Peut-être lui serait-il donné de recevoir, d'en haut, la lumière ?

Mais rien ne se produisit ; ni ce soir-là ni les soirs suivants et cinq jours passèrent sans qu'aucune nouvelle vînt animer pour Fiora la vie bien réglée du couvent. Si sœur Serafina avait fait passer, par le truchement de sœur Cherubina, un billet au palais du cardinal Colonna, celui-ci n'était pas encore apparu à San Sisto.

L'impatience gagnait Fiora, car il n'est rien de plus agaçant que craindre quelque chose sans savoir au juste ce que c'est. Aux approches de Noël, le temps changea et devint pire encore qu'il n'était au moment de son arrivée. Une tempête s'était déchaînée en Méditerranée et les rafales du vent d'ouest balayaient la côte tyrrhénienne, emportant parfois les fragiles maisons des pêcheurs. En ville, le vent arrachait des toits les tuiles rondes, tordait les branches des arbres et faisait s'écrouler un peu plus les ruines, de moins en moins altières, des antiques palais impériaux. Il s'engouffrait dans la moindre porte ouverte, éteignait les cierges à la chapelle et faisait voler les cendres des braseros. Les courants d'air achevèrent l'œuvre de la malaria et sœur Prisca mourut dans la première nuit de l'hiver entre les bras de la pauvre Cherubina dont la bonne figure, si gaie d'ordinaire, était bouffie de larmes.

Quand on la porta en terre dans la vêture sévère de l'ordre et les pieds nus, Fiora assista comme les autres au service funèbre et à l'ensevelissement qui suivit, mais seul son corps était présent. Elle écoutait hurler le vent qui faisait claquer les robes des nonnes comme des drapeaux sur leurs hampes et son esprit vagabondait au jardin du côté du mur qui regardait vers l'étang. L'envoyé du cardinal Borgia était-il à son poste en dépit de cet affreux temps ? C'était à peu près impossible.

Néanmoins, le service terminé, elle prit une mante noire et voulut descendre au jardin pour en avoir le cœur net. Elle avait repéré l'endroit exact du mur où il faudrait jeter le signal blanc et le suivre la nuit venue. Il y avait là un vieux pied d'aristoloche qui avait dû connaître son enfance au temps des Guelfes et des Gibelins et qui avait fermement accroché aux pierres du mur ses branches devenues grises et noueuses. Grâce à lui, le franchissement de l'obstacle devait se faire avec une relative facilité. Mais, au moment où elle se dirigeait vers les parterres, mère Girolama vint la rejoindre.

– Vous avez vraiment l'intention de descendre au jardin par ce temps ?

– Pourquoi pas, ma mère ? Ce n'est qu'une tempête et j'ai besoin de respirer autre chose que la fumée des cierges.

– N'avez-vous pas suffisamment respiré au cimetière d'où nous venons ? Pour ma part, j'avais peine à me tenir debout ! Au surplus, là n'est pas la question. On vous demande au parloir.

– Moi ? Est-ce encore... le cardinal Borgia ?

– Le cardinal ne serait pas au parloir. Il a tous les droits de franchir la clôture. C'est une dame dont il s'agit, et elle a montré une permission de communiquer qui porte le sceau privé de Sa Sainteté.

– Je ne connais personne ici. Qui est-ce ?

– Elle a donné le nom de Boscoli et je ne saurais vous en dire plus, sinon qu'elle est en grand deuil. Une veuve, probablement.

– Boscoli ? dit Fiora réfléchissant à haute voix. Le nom ne me dit rien. En savez-vous un peu plus sur cette dame ?

– Je ne saurais vous répondre, donna Fiora. De toute façon, vous ne risquez rien à la rencontrer. Voulez-vous que je vous accompagne ?

– Vous êtes bonne de me le proposer, mais il vaut peut-être mieux que j'aille seule.

– Alors, surtout, rappelez-vous ces bonnes résolutions que Mgr le vice-chancelier a obtenues de vous et gardez en mémoire que cette dame est, en quelque sorte, l'envoyée de notre Très Saint-Père !

– J'essaierai de m'en souvenir, Révérende Mère.

Elle pensait que tout dépendrait de ce que la dame en question avait à lui dire, mais qu'elle fût l'envoyée de Sixte IV ne pouvait qu'éveiller sa méfiance. Sans prendre la peine d'ôter sa cape noire, Fiora se dirigea vers le parloir du couvent.

C'était une grande salle voûtée en plein cintre et passée au lait de chaux qu'une grille d'épais barreaux de fer partageait en son milieu. Du côté du cloître, elle n'avait pour seul ornement qu'un crucifix de bronze, mais, du côté des visiteurs, des fresques hautes en couleur retraçaient le martyre du bienheureux pape Sixte II, décapité en l'an 258 avec quatre de ses diacres dans le cimetière de Calliste. L'artiste avait peint le saint plus grand que les autres personnages afin de bien montrer à quel point il leur était supérieur.

En ouvrant la porte qui eut le bon goût de ne pas grincer, Fiora ne vit qu'une silhouette noire, de formes amples, et qui lui tournait le dos. La visiteuse était en contemplation devant la scène où un bourreau musculeux abattait la tête nimbée d'or du martyr. Et Fiora, pour la première fois, bénit les affreuses sandales de corde tressée que l'on portait au couvent et dans lesquelles ses pieds n'arrivaient pas à se réchauffer, car elles lui permirent d'avancer jusqu'à la grille sans faire plus de bruit qu'un chat. Elle souhaitait observer sa visiteuse, mais ne vit pas grand-chose d'autre qu'un ample manteau de beau drap noir à ramages d'argent dont la capuche était ourlée de renard sombre. Et comme il lui était impossible d'en savoir davantage, elle se décida :

– Puis-je savoir, Madonna, ce qui me vaut l'honneur de votre visite ? fit-elle d'une voix nette.

La femme prit son temps pour se retourner, mais, quand ce fut fait, Fiora dut faire appel à tout son empire sur elle-même pour ne pas pousser le cri que l'autre attendait peut-être. Celle qui la regardait avec un méchant sourire et des yeux brillants de joie mauvaise n'était autre que Hieronyma...

CHAPITRE VII

UN SCRIBE RÉPUBLICAIN

En dépit de la séparation qu'imposait la grille, Fiora recula d'un pas, instinctivement, comme elle eût fait si un serpent s'était dressé sur son chemin, mais son visage garda une parfaite impassibilité. Au contraire, Hieronyma s'approcha de la clôture jusqu'à toucher les barreaux de sa main gantée de noir.

– Bonjour, cousine! fit-elle d'une voix chuintante que Fiora ne lui connaissait pas et qui était due, sans doute, aux deux dents qui lui manquaient à la mâchoire supérieure. Nous aurons mis du temps à nous retrouver, mais j'espère que tu apprécies les circonstances présentes à leur juste valeur?

– On m'a annoncé une signora Boscoli? Qu'est-ce que cette comédie?

– Une comédie? En aucune façon: c'est bien mon nom. Il y a un peu plus d'un an, j'ai épousé ici même le seigneur Bernardo Boscoli, un juriste de la cour pontificale. Hélas, j'ai eu le malheur de le perdre l'été dernier... la peste!

Du bout d'un doigt, elle écrasa une larme factice cependant que Fiora s'offrait le luxe d'un sourire chargé de dédain:

– Ce n'est pas flatteur pour toi: choisir la peste après quelques mois de mariage! C'est néanmoins une attitude que je peux comprendre. A présent, dis-moi ce que tu viens faire ici et va-t'en!

Le visage de Hieronyma n'avait pas encore perdu l'éclat de sa maturité épanouie, il s'empourpra d'abord sous la poussée d'une colère brutale qui fit étinceler ses yeux noirs, puis jaunit d'un seul coup comme si le fiel qui emplissait son âme venait de s'infiltrer sous sa peau blonde. Elle avait grossi durant ces deux années, mais elle avait acquis une sorte de majesté perverse qui lui seyait et Fiora pensa que la Gorgone de la légende devait lui ressembler. Reprenant le souffle que l'insolence de son ennemie lui avait coupé un instant, elle parut se gonfler encore.

– Baisse le ton, ma fille! Tu n'es pas ici en position de donner des ordres, siffla-t-elle. En fait, tu n'es plus grand-chose et il suffirait d'un rien pour te renvoyer d'où tu viens, à la paille d'une prison, à l'échafaud.

Le goût amer de la haine envahit Fiora et emplit sa bouche. Cette misérable femme qui avait assassiné son père, brisé sa vie, qui osait prostituer son corps au service de Satan [1] et qui avait échappé par miracle à la justice des Médicis osait venir la narguer et l'insulter. Sans la grille, peut-être se fût-elle jetée sur elle pour l'étrangler de ses mains et débarrasser enfin la terre d'une créature immonde. Un violent effort de volonté la sauva des manifestations d'une colère qui eût peut-être fait plaisir à Hieronyma. Plus droite que jamais, elle la toisa et laissa tomber :

– Je suis infiniment plus que tu ne seras jamais, suppôt du démon. Et je t'ai assez entendue!

Virant sur ses talons, elle tourna le dos à la grille et se dirigea calmement vers la porte du parloir. Un cri de Hieronyma la retint :

– Attends! Je n'ai pas encore tout dit!

– Ce que tu peux dire ne m'intéresse pas.

1. Voir *Fiora et le Magnifique*.

– Vraiment ? Toi qui n'as pas voulu être ma belle-fille, tu aimerais peut-être apprendre que tu vas être ma nièce ?

– Quoi ?

Le cri de Fiora résonna dans le silence. Les mains enfouies dans ses manches doublées de renard, Hieronyma regardait son adversaire par en dessous, comme si elle cherchait l'endroit sensible où elle pourrait frapper, et mordillait nerveusement sa lèvre inférieure. Tapie dans ses fourrures comme une bête malfaisante au fond de son repaire, elle jouissait visiblement de voir pâlir le beau visage de la jeune femme. Celle-ci, finalement, haussa les épaules.

– Tu es folle ! lança-t-elle méprisante.

– Que non pas ! Le Très Saint-Père qui est fort ami de notre famille et dont Francesco Pazzi, mon beau-frère, est devenu le banquier, le Très Saint-Père donc, après de longues hésitations sur le sort qu'il convenait de te réserver, a bien voulu se rendre à notre avis. Te tuer serait trop simple, même si l'on ajoutait à la chose quelques agréments, et surtout cela ne servirait à rien. Tandis que, mariée à Carlo Pazzi, mon neveu, tu serais encore de quelque utilité pour notre maison.

– Je suis déjà mariée.

– Je sais. Compliments, d'ailleurs ! Le comte de Selongey, le très séduisant ambassadeur du duc de Bourgogne à Florence ! Tu avais réussi là un joli coup ! Malheureusement il est mort, lui aussi, et tu es veuve... comme moi.

– Et j'entends le rester ! Ainsi, après avoir clamé à la face de Florence que j'étais indigne du plus misérable des hommes, après avoir tenté de me réduire à l'état de fille publique, tu as l'audace de vouloir me marier à ton neveu ? Qu'est-ce qui te prend ? Tu oublies que tu m'as ruinée ?

– Ruinée ? Crois-tu ? Il me semble que tu ne l'es pas autant que tu le prétends. Les Médicis y ont veillé. Agnolo Nardi, à Paris, est en train de te constituer une gentille fortune, sans compter ce que les Médicis ont mis sous séquestre, comme la villa de Fiesole, et qui pourrait te revenir. Sans compter la faveur du roi de France; sans compter...

– Tu comptes trop! gronda Fiora écœurée. J'ai honte que tu aies porté, étant fille, le nom de Beltrami et je regrette que tu aies quitté celui de Pazzi qui te convenait tout à fait car c'est une famille de forbans. Je n'infligerai jamais à mon fils la honte de voir sa mère porter ce nom-là! Va rêver ailleurs!

– Tu pourrais bien être obligée d'admettre que mes rêves sont simple réalité. Le choix qui t'est offert est réduit : ou tu épouses Carlo ou tu seras exécutée.

– Sans attendre la réponse du roi de France? Cela m'étonnerait.

– Pauvre innocente! Ta mort est déjà décidée. Si le roi fait droit aux réclamations du Saint-Père, il recevra en échange les très profonds regrets du Vatican. Le climat de Rome est malsain, tout le monde sait cela. Tu auras été victime de la fièvre des marais. Ta seule chance de vivre est d'accepter ce que je t'offre, avec, bien sûr, l'accord du pape.

– Jamais! Je préfère la mort.

– Et celle de ton fils? Nous savons où il est. Ce serait si facile de le faire disparaître. Réfléchis, cousine, mais réfléchis vite! Demain on viendra te chercher.

Si le regard de Fiora avait pu tuer, Hieronyma fût tombée raide morte. La fureur qui s'empara d'elle était si violente qu'elle annihila l'angoisse et le désespoir, et la tint debout, droite et fière en face de cette créature démoniaque qui n'avait de femme que l'apparence. Fiora devinait qu'elle ne devait à aucun prix laisser voir que ces menaces la touchaient car, dès lors, l'autre ne cesserait d'abuser du pouvoir qu'elle croirait avoir pris sur elle. Une idée se glissait en elle : Hieronyma exagérait peut-être sa puissance, surtout en ce qui concernait le petit Philippe. Ceux qui l'entouraient devaient faire bonne garde et, en outre, le premier soin de Léonarde, une fois libérée de ses liens, avait sûrement été de courir au Plessis pour s'y plaindre violemment. L'enfant devait être bien protégé.

Une fois de plus, elle tourna le dos sans un mot et franchit la porte du parloir. La voix haineuse de Hieronyma la poursuivit.

– Ne compte pas t'enfuir! Les portes du couvent seront gardées cette nuit.

Le lourd vantail, en se refermant, coupa court à ce dernier débordement de fiel. Épuisée par la tension nerveuse qu'elle s'était imposée, Fiora s'y adossa et ferma les yeux, attendant que son cœur retrouvât un rythme normal. Elle les rouvrit quand une main se posa sur son épaule :

– Il n'y a pas une minute à perdre, fit la voix douce de sœur Serafina. Il faut préparer votre fuite. Cette femme est abominable.

– Vous avez entendu ?

– J'ai eu cette curiosité et vous en demande pardon. Je sais, les murs sont épais et la porte aussi, mais quand on l'entrouvre... Il ne faut pas que vous tombiez entre les mains de cette créature.

– Vous la connaissez ?

– Ma mère la connaît, et je peux dire qu'elle n'a pas bonne réputation. Elle habite le palais que le pape a donné, dans le Borgo, à Francesco Pazzi, et l'on dit que c'est elle qui régente tout. Mais ne perdons pas de temps! Je vais aller au jardin jeter un voile blanc par-dessus le mur. Il vaut mieux que vous n'y alliez pas vous-même.

Elle allait s'élancer, Fiora la retint par sa manche :

– Un instant! Je vous ai une immense reconnaissance, mais vous avez vu le temps qu'il fait ? Sûrement pas un temps pour pêcher dans un marais et personne, certainement, n'attend notre signal.

– Il faisait aussi mauvais hier et avant-hier. Pourtant l'envoyé du cardinal y était. Il y a, tout au bout, entre les murs de la ville et l'étang, une espèce de ruine près de laquelle il se tient.

– Vous êtes allée voir ?

– Où croyez-vous que j'ai déchiré ma robe avant-hier ?

Sœur Serafina, en effet, avait reçu ce jour-là une semonce de la part de la maîtresse des novices pour l'accroc sérieux que montrait son vêtement. Elle avait prétendu l'avoir accroché contre un des bancs du réfectoire, mais les bords de la déchirure portaient des traces d'un brun verdâtre difficilement imputables à un meuble, même ciré de frais. L'affaire s'était conclue par une série d'Ave Maria à dire à la chapelle les bras en croix, épreuve dont la novice était sortie passablement épuisée et qui, à présent, donnait des remords à Fiora.

– Je vais y aller, conclut-elle. Je n'ai pas envie que vous soyez punie de nouveau.

– Soyez sans crainte pour cette fois : je connais à fond les pièges de l'aristoloche et il vaut mieux que l'on ne vous voie pas au jardin à présent.

– De toute façon, cela ne servira à rien. Vous avez entendu : le couvent sera gardé cette nuit.

– Sûrement pas du côté du marais. C'est beaucoup trop vaste. En outre, quiconque s'y aventurerait sans un appui quelconque s'y enliserait irrémédiablement et connaîtrait une mort horrible. Si avisée qu'elle soit, la signora Boscoli ne saurait tout imaginer.

Un moment plus tard, Antonia revint apprendre à son amie que le signal avait été donné et que l'envoyé de Borgia était toujours là.

– Cette nuit, chuchota-t-elle, je vous accompagnerai jusqu'au mur pour vous montrer l'endroit où j'ai jeté le voile. Reprenez confiance à présent ! D'autant qu'il ne pleut plus...

Ce n'était qu'une accalmie. Pendant le repas du soir que les moniales prenaient toujours au son d'une pieuse lecture, la tempête reprit de plus belle et Fiora, incapable de s'intéresser à la *Cité de Dieu* de saint Augustin, écoutait avec quelque inquiétude les rafales de pluie sur les vitres et le sifflement du vent sous la porte du réfectoire. De temps en temps, elle cherchait le regard de sœur Serafina, mais celle-ci offrait un visage tellement serein qu'elle finit par se rassurer. Après tout, mieux valait, pour réussir une évasion, ce temps à ne pas mettre un chien dehors qu'une belle nuit douce, claire et constellée d'indiscrètes étoiles.

Après le dernier office et la révérence à la mère prieure, Fiora regagna sa cellule pour y attendre que son amie vînt la chercher. Elle ne se déshabilla pas, se contentant de s'étendre sur sa couchette après avoir soufflé sa chandelle. Comme il faisait vraiment froid, Cherubina, toute à son chagrin, ayant oublié d'allumer le brasero, elle étendit son manteau sur elle. Soudain, elle entendit un bruit qui lui glaça le cœur : au-dehors, quelqu'un était en train de tourner la clef dans sa serrure.

La déception fut si violente qu'elle faillit crier. Tous ses espoirs s'envolaient d'un seul coup et elle allait devoir subir le choix abominable que lui avait ménagé Hieronyma : épouser ce Carlo inconnu et qui d'avance lui répugnait ou se laisser mener à la mort : l'autel ou l'échafaud !

– Philippe ! gémit-elle du fond de sa détresse, pourquoi m'as-tu abandonnée ? Sans ta passion de la guerre, nous serions heureux à présent.

Combien de temps resta-t-elle ainsi, les yeux grands ouverts sur les ténèbres de sa chambre, écoutant le vent mugir sous la galerie et faire craquer les branches des arbres ? Il était impossible de l'évaluer mais, de toute façon, elle ne fermerait pas les yeux avant que revienne le jour... Et puis, tout à coup, il y eut à la porte un léger bruit et une forme noire, plus noire encore que l'obscurité, se glissa jusqu'à son lit :

– Vous êtes prête ? chuchota sœur Serafina.

Instantanément, Fiora fut debout :

– Comment avez-vous fait pour entrer ? Quelqu'un avait fermé ma porte et j'ai entendu la clef tourner dans la serrure.

– Sans doute notre mère Girolama. La dame Boscoli a dû prendre ses précautions mais, heureusement, on a oublié d'enlever la clef. Venez à présent, mais d'abord enveloppez-vous dans votre manteau. Il faut être aussi peu visible que possible.

Elle-même se fondait complètement dans la nuit et, sans l'étreinte rassurante de sa main, Fiora eût pu croire qu'elle parlait à un fantôme. L'une derrière l'autre, elles sortirent dans le promenoir puis plongèrent à la fois dans la tempête et dans le jardin. Fiora eut l'impression de s'enfoncer dans une forêt sous-marine. Il n'y avait pas une branche, pas une feuille qui se tînt immobile et qui ne secouât sa charge d'eau.

– Je n'y vois rien! souffla-t-elle aveuglée par une gifle mouillée qui lui arriva en pleine figure.

– N'ayez pas peur, je connais le chemin par cœur. Je pourrais vous conduire au mur les yeux fermés.

– Pour ma part, qu'ils soient ouverts ou fermés ne change rien. Quelle nuit!

– Réjouissez-vous-en! Les gardes du couvent se sont mis à l'abri où ils pouvaient et, sur le marais, il ne doit pas y avoir un chat. Tenez, nous arrivons!

Peu à peu, l'accoutumance venait et Fiora distingua, droit devant elle, une masse plus noire encore qui était le mur couvert de plantes. Sœur Serafina guida la main qu'elle tenait jusqu'à ce qu'elle se referme sur une branche épaisse :

– Voilà l'aristoloche. Grimpez! Quand vous serez en haut, sifflez! Ou je me trompe fort ou celui qui vous attend doit être près du mur... Que Dieu vous garde, à présent!

A tâtons, Fiora chercha la tête de la novice et l'embrassa.

– Pourquoi ne viendriez-vous pas avec moi? J'ai peur que vous ne soyez en danger quand on s'apercevra de ma fuite.

– Soyez sans crainte. Même si mère Girolama se doutait de quelque chose, elle n'en soufflerait mot. Elle m'aime bien, alors qu'elle déteste le pape, sa tribu et ses amis. Je suis sûre qu'au fond d'elle-même, elle se réjouira de leur déconvenue.

– Elle m'a tout de même enfermée dans ma chambre ?

– Simple acquit de conscience. Elle a laissé la clef sur la porte. Quand vous le reverrez, embrassez Battista pour sa cousine Antonia et dites-lui...

– Remettez-vous en à moi. Je sais exactement ce que je lui dirai.

Avec décision, Fiora empoigna une brassée de branches dégoulinantes d'eau et commença à grimper vers le sommet du mur. Elle y arriva sans trop de peine, mais dut s'agripper pour ne pas être emportée par le vent qui frappait là de plein fouet. Une voix, alors, lui parvint :

– Ne sifflez pas ! Je suis là ! Je vous ai entendue venir. Descendez doucement à présent pour ne pas rompre l'équilibre de la barque.

Elle se retourna sur son mur et tâtonna avec ses pieds pour trouver des appuis. Cette descente lui parut durer un temps infini. Et soudain, une main se referma sur une de ses jambes, puis sur les deux.

– Je vous tiens. Laissez-vous aller !

Elle glissa, mais les mains en question étreignaient déjà sa taille, et elle se retrouva sur un plancher mouvant qui ne pouvait être que celui de la barque. L'homme la tenait contre lui fermement et, à sa grande surprise, elle respira un délicat parfum d'ambre. Pourtant, ce qu'elle touchait était une étoffe rude, une bure quelconque, et d'ailleurs la grande silhouette qu'elle distinguait à peu près était celle d'un moine.

– Je vous demande pardon pour ces jours d'attente, dit-elle doucement. Ce temps abominable...

– Chut ! Nous causerons plus tard. Asseyez-vous là et ne bougez plus !

Il l'installa au fond de l'esquif, puis, empoignant une longue perche, la plongea dans l'eau vaseuse et se dirigea vers la rive. Mais, sur les derniers mots, il avait parlé presque normalement et Fiora avait identifié en même temps la voix et le parfum. Tous deux appartenaient au cardinal Borgia. Elle ne put garder pour elle sa découverte :

– Comment, Monseigneur ? Vous êtes venu vous-même ? C'est vous qui avez attendu tous ces jours ?

Elle l'entendit rire doucement :

– Tout de même pas. Mon absence aurait été trop remarquée au Vatican. Simplement, mon serviteur avait ordre de me prévenir dès que vous feriez le signal. A présent, taisons-nous ! Ce marais passe pour hanté, mais on comprendrait mal que des fantômes s'y entretiennent aussi agréablement que dans une salle de compagnie.

Fiora garda le silence, tandis que son compagnon se consacrait à la navigation que le vent ne facilitait pas et qui devint plus difficile encore quand ils eurent quitté l'abri du mur. La barque glissait lentement sur l'eau épaisse et, parfois, traversait des bouquets de roseaux qu'elle froissait. En dépit du froid, l'odeur de vase et de végétaux pourrissants était pénible et, dans son manteau trempé, Fiora frissonnait. Pas seulement parce qu'elle se sentait mouillée. Un peu de crainte augmentait son malaise à se sentir aussi complètement livrée à cet homme à qui elle n'arrivait pas à accorder une pleine confiance. Qu'il fût venu la chercher lui-même était stupéfiant et ne s'expliquait pas de façon rationnelle. A moins qu'il n'espérât un paiement que la jeune femme ne se sentait pas disposée à lui donner...

Le petit bateau entra une dernière fois dans les roseaux, heurta quelque chose de dur et ne bougea plus.

– Tu as réussi, Monseigneur ? fit une voix en espagnol.

– Oui. Va chercher les chevaux puis, quand nous serons partis, tu couleras la barque.

Les chevaux étaient abrités dans la maison en ruine que sœur Serafina avait signalée à Fiora. Borgia prit Fiora par la taille et la hissa sur l'un d'eux car elle était trop transie pour l'escalader seule, puis il sauta sur le sien avec une légèreté qui trahissait une longue habitude. Il se pencha alors, et prit la bride de Fiora :

– Je vais vous guider. Nous avons un bout de chemin à faire et malheureusement nous ne pouvons pas aller vite car il nous faut passer par des rues qui sont de vraies fondrières. Tenez-vous bien... et tâchez de ne pas trop claquer des dents ! Vous avez froid à ce point ?

– Je suis gelée !

– N'y pensez plus ! Quand nous arriverons, vous trouverez tout ce qu'il faut pour vous réconforter. Gardez votre esprit fixé là-dessus ! Tout vaut mieux qu'épouser Carlo Pazzi !

De ce voyage qui lui fit traverser du sud au nord la Rome nocturne battue par une pluie diluvienne, Fiora devait garder le souvenir d'une sorte de cauchemar. Son compagnon l'entraînait au creux d'un tunnel noir et sans fin d'où surgissaient, par endroits, des fûts de colonnes blanchâtres, des murs écroulés, un lumignon rouge balancé à la porte d'une taverne et, parfois, les pierres énormes et grises d'un palais à la porte duquel la poix des pots à feu n'était plus que braise privée de flamme. Il arrivait que l'écho d'une fête, le son des luths et des tambourins perçassent ces murailles ou encore, aux abords d'un cabaret, des braillements d'ivrognes et des chansons à boire, mais le plus souvent on marchait à travers une ville silencieuse comme un cimetière. Et Fiora avait de plus en plus froid.

L'attaque se produisit quand on atteignit le Corso. Sortis des ombres denses du palais San Marco construit jadis par le cardinal Barbo [1], des hommes se jetèrent à la tête des chevaux, en arrachèrent les cavaliers qui roulèrent à terre. Ce fut si soudain que Fiora, à demi assommée, n'eut

1. Qui fut le pape Paul II. Son palais est aujourd'hui le palais de Venise que Mussolini rendit célèbre.

pas le temps d'avoir peur, mais Borgia se relevait déjà avec une souplesse inattendue chez un homme de sa corpulence et, jurant avec une luxuriance qui faisait grand honneur au vocabulaire d'un prince de l'Église, empoignait le plus proche de ses assaillants. Une lame brilla dans sa main et il y eut un cri de douleur. Mais deux des autres bandits qui s'occupaient à maintenir les chevaux s'élancèrent sur lui. Fiora, courageusement, se relevait pour tenter de prêter main-forte à son compagnon et se jeter sur le dos d'un des agresseurs quand une voix sèche claqua :

– On s'arrête ou je lâche mes chiens!

Des aboiements furieux soulignèrent ces paroles et, à la lumière de la lanterne qu'il tenait d'une main, on put voir un homme qui devait avoir trente-cinq ans, tout vêtu de noir et un grand chaperon sans ornements enfoncé jusqu'aux yeux. Au bout d'une double laisse enroulée autour de son poing gauche, deux grands chiens, aussi noirs que leur maître, grondaient en montrant des crocs impressionnants. Déjà les voleurs sautaient sur les chevaux et s'enfuyaient sans demander leur reste, abandonnant sans hésiter leur compagnon qui râlait dans une flaque de boue.

Le nouveau venu alla jusqu'à lui et le retourna d'un pied botté.

– Il n'en a pas pour longtemps, constata-t-il. D'ailleurs, les hommes de Soldan [1] vont bientôt passer. Ils s'en chargeront.

La lumière qu'il élevait pour examiner le mourant dessinait un profil acéré d'oiseau de proie, des yeux profondément enfoncés sous l'arc épais des sourcils, une bouche mince au pli sarcastique. Se redressant, il attacha ses chiens à un anneau de fer planté dans le mur d'une maison voisine, puis s'approcha de ceux qu'il venait de secourir et leva sa lanterne pour mieux les considérer. La lumière accrocha d'abord la robe blanche, évidemment

1. Fonctionnaire chargé de la police.

monastique, de Fiora, avant de passer au froc brun dont son compagnon était revêtu. Le pli méprisant de sa bouche s'accentua :

– Une nonne!... et un moine! Que fait-on à pareille heure dans les rues de Rome, mes bons amis ? On fuit son couvent où la vie manque peut-être de gaieté pour aller tranquillement forniquer ensemble ?

– Vous nous avez sauvés, soyez-en remercié, fit la voix autoritaire de Borgia. Ne diminuez pas votre bienfait en nous insultant! Prenez ceci!

L'or qui brilla soudain sur la paume de sa main arracha un sourire au nouveau venu et fit remonter la lanterne jusqu'au visage que l'homme dut reconnaître.

– Ah! Il paraît que je me trompe : nous avons à faire à un cardinal! Gardez votre or, Monseigneur, je suis amplement payé par la satisfaction d'avoir porté secours à mon prochain.

– Qui êtes-vous ? Il me semble vous avoir déjà aperçu ?

L'homme parut grandir encore tant il se redressa, et ce fut avec orgueil qu'il lança :

– J'ai nom Stefano Infessura, juriste, scribe, républicain et homme libre!

– L'Infessura! Je vous connais! L'ennemi de l'Église, du pape et de toute autorité.

– Non pas, car je suis ennemi du désordre et, si je suis l'ami de la liberté, ce n'est certes pas celle que nous vivons en cette époque : la liberté de tuer, d'opprimer, d'égorger au coin des rues, liberté de transformer Rome en coupe-gorge, votre liberté à vous et à vos pareils. La mienne n'est pas celle qui vous permet à vous, prince de l'Église, d'enlever nuitamment une religieuse. Évidemment, elle est plus que belle!

– Je ne suis pas une religieuse, protesta Fiora dont la lanterne éclairait le visage à cet instant. Je suis une prisonnière qui s'évade. A présent, laissez-nous poursuivre notre chemin car, si je suis reprise, je serai mise à mort!

– Ah!

La lanterne ne s'abaissant pas. L'homme scrutait les grands yeux gris qui le regardaient avec sévérité comme s'il cherchait à pénétrer leur vérité. Ceux-ci ne se baissèrent pas davantage.

– Qui te menace ?

La curiosité de cet inconnu ne choqua pas Fiora. Quelque chose lui disait qu'elle pouvait lui faire confiance et, en dépit de la main que Borgia posait sur son bras pour l'inciter à la prudence, elle répondit :

– Le pape et certains de son entourage dont le cardinal Borgia essaie de me protéger. Écoute ! Nous n'avons que trop perdu de temps...

Le pas ferré d'une troupe faisait résonner en effet les échos de la nuit. La milice du Soldan – le guet romain – ne servait pas à grand-chose si l'on considérait le nombre de meurtres qui se perpétraient quotidiennement, mais il fallait tout de même compter avec elle, lorsqu'on la rencontrait, si l'on ne voulait pas tâter des cachots de la Torre di Nona qui étaient sous sa juridiction.

– Ils ne sont pas loin, dit Borgia, et nous n'avons plus de chevaux. Il faut marcher, et marcher vite.

– Je vous accompagne, déclara Infessura en allant détacher ses chiens. Il y a encore un mauvais endroit près des ruines de la colonne de Marc Aurèle. Zeus et Héra peuvent vous être utiles.

Le scribe républicain, sa lanterne et ses molosses prirent la tête. Solidement soutenue par le bras du cardinal, Fiora suivait de son mieux car, bien que le Corso fût la plus grande voie de Rome, son sol où alternaient dalles antiques et gros pavés offrait maints obstacles au piéton qui s'y engageait de nuit. La pluie avait disparu comme par magie avec les malandrins, mais les gouttières la remplaçaient avantageusement. On passa sans encombres l'endroit délicat et, comme la rue s'élargissait encore, on put cheminer de front.

– Est-il indiscret, demanda Borgia à leur compagnon, de te demander ce que tu fais dans les rues, la nuit et par un temps pareil ?

– Non. Il y a trois raisons à cela : j'aime Rome, j'aime savoir ce qui s'y passe quand les gens sont censés dormir et j'aime la nuit. Je dors peu et le jour m'est contraire. Je l'emploie à étudier et à écrire tout ce que j'ai appris.

– Cela veut dire que, tout à l'heure, tu raconteras dans ton « diario » notre rencontre ?

– J'écris pour ceux qui viendront après moi, non pour les sbires du Vatican. Ton nom ne sera pas mentionné... et je ne connais pas celui de cette jeune dame. Je ne veux savoir qu'une chose : elle est une victime et, comme telle, tous les droits à mon aide lui sont acquis. A présent, si vous m'avez menti, c'est affaire entre vous et votre Dieu.

– Nous n'avons aucune raison de mentir, coupa Fiora. Mon seul regret est de ne pouvoir te remercier.

– Souris-moi une seule fois et je serai payé !

On arrivait à destination, c'est-à-dire en face du moins conventionnel des palais romains. Quelques années plus tôt, en effet, le cardinal Borgia avait acheté, pour deux mille florins d'or, une enfilade de vieilles maisons qui servaient jadis à la Monnaie et que l'on appelait en conséquence la Zecca. Ces maisons avaient à ses yeux l'avantage d'être assez loin du Vatican car elles se situaient dans la rue qui, au-delà du Tibre, allait du château Saint-Ange à la place principale du quartier des étrangers [1]. De cet ensemble un peu disparate, la fortune du vice-chancelier avait tiré une résidence d'une grande richesse ornementale que le peuple romain ne cessait d'admirer depuis qu'il l'avait découverte, en 1462, lors de la grande procession qui conduisait à Saint-Pierre la châsse contenant le crâne de saint André rapporté de Grèce par le despote de Morée. Avec une certaine arrière-pensée et l'espoir qu'un jour ou l'autre le cardinal Borgia deviendrait pape, car la coutume voulait que le palais de l'Élu fût livré alors à la foule qui s'y roulait avec délices dans le plus joyeux pillage.

Borgia frappa d'une certaine manière à une petite

1. Aujourd'hui la place d'Espagne.

porte, située en retrait du grand portail, et qui s'ouvrit instantanément, libérant un flot de lumière qui s'étala sur la rue boueuse. Il voulut faire entrer Fiora, mais celle-ci n'en avait pas fini avec leur sauveur :

– Je n'oublierai pas ton nom, dit-elle chaleureusement, et j'espère te revoir un jour.

– Pourquoi ne viendrais-tu pas t'asseoir à ma table quelque jour ? proposa Borgia. Tu es moins sauvage que tu le prétends et je sais que tu hantes certaines maisons.

– Alors oublie-les, car ce sont celles de gens qui ont, ont eu ou auront maille à partir avec le Vatican. L'Infessura chez le vice-chancelier de l'Église ? Tu deviendrais peut-être suspect, mais moi je le serais sûrement, au moins à mes propres yeux.

– Garde dans ta mémoire cependant, homme libre, que cette demeure est un lieu d'asile. Tu pourrais en avoir besoin.

– Garde cela dans ta propre mémoire, Monseigneur ! J'espère que ta maison sera un véritable refuge pour ta jeune compagne... et rien que cela ! Quant à moi, si le pape décide un jour de me supprimer, je ne l'attendrai pas et saurai mourir en Romain. La mort de Pétrone m'a toujours séduit, même s'il n'avait rien d'un républicain ! Les dieux te gardent, jeune femme !

– Tu aimerais peut-être mettre un nom sur mon visage, dit celle-ci vivement. Le mien est Fiora.

– Merci de me le confier, mais dans peu d'heures je saurai tout de toi. Quel que soit le lieu d'où tu as fui, les voix de la rue me l'apprendront...

Il se fondit dans la nuit avec ses chiens tandis que Fiora se laissait entraîner enfin à l'intérieur du palais, non sans un obscur regret. Cet homme « libre » ne ressemblait à aucun autre.

La demeure de Rodrigo Borgia, elle non plus, ne ressemblait à aucune autre et Fiora crut entrer de plain-pied dans l'un de ces fabuleux palais d'Orient décrits, jadis, par le voyageur vénitien Marco Polo et d'autres conteurs plus récents rencontrés chez son père, ayant pu approcher les fastes turcs du Sultan. De son Espagne natale marquée par la splendeur des rois maures, le cardinal avait apporté le goût des pavements précieux, des plafonds sculptés dorés et peints comme évangéliaires, des couleurs éclatantes. Ses armes – taureau d'or sur champ de gueules – sommées du chapeau cardinalice frappaient le dessus des portes et le cuir des sièges. Partout, ce n'étaient que tapis précieux, coussins énormes, tentures de brocart et lits de parade tendus des plus riches étoffes. La vaisselle d'or, d'argent ou de vermeil, les aiguières et les coupes enrichies de pierreries surchargeaient les dressoirs et les crédences au point de fatiguer le regard. Et Fiora, qui avait pu contempler à loisir le faste guerrier du Téméraire et sa splendeur pleine de majesté, finit par trouver que ce palais-là, si éloigné de l'élégance florentine, faisait un peu nouveau riche.

En fait, au moment de son arrivée, Fiora ne distingua pas grand-chose de toutes ces magnificences. Elle ne fit qu'entrevoir un univers de pourpre et d'or où il faisait délicieusement chaud et où une grande femme au teint jaunâtre la dépouilla de ses vêtements humides et maculés de boue, l'enveloppa dans un drap un peu rêche dont elle la frictionna vigoureusement jusqu'à ce qu'elle cesse de claquer des dents. Puis, l'enlevant dans ses bras avec autant d'aisance que si elle eût été une enfant, elle la porta dans un grand lit si moelleux que la jeune femme eut l'impression de plonger dans de la plume, rabattit sur elle les draps de soie, lui fit boire une tisane tenue au chaud près de la cheminée, alluma la veilleuse dorée du chevet, souffla les chandelles et quitta la chambre sans faire le moindre bruit. Déjà Fiora s'était endormie et volait à tire-d'aile vers cet ultime refuge des malheureux : le pays du rêve.

Quand elle en redescendit, vers le milieu du jour, elle

trouva la réalité amère car elle ne se sentait pas bien du tout : des frissons couraient le long de son dos, sa gorge lui faisait mal et elle se mit à éternuer une demi-douzaine de fois, ce qui attira auprès d'elle la femme qu'elle avait vue la veille et qu'elle avait fini par croire intégrée à ses songes. En outre, elle avait la migraine.

Une main fraîche se posa sur son front et la femme dit d'un ton mécontent :

– C'est bien ce que je craignais ! Tu as pris froid en dépit de mes soins et tu as de la fièvre. Rodrigo ne sera pas content !

– Comment va-t-il ? demanda Fiora dont la phrase s'acheva par un nouvel éternuement.

– Il se porte merveilleusement comme d'habitude, quelques gouttes d'eau ne sauraient altérer sa superbe santé. Il possède la force du taureau de nos armes ! ajouta la femme avec une soudaine exaltation qui surprit Fiora.

Cette créature était d'ailleurs assez surprenante en elle-même pour que Fiora s'y intéressât en dépit de son état quelque peu brumeux. Grande et peut-être aussi forte que Borgia, mais osseuse, elle avait une longue figure olivâtre que ne flattait guère son sévère costume noir de duègne espagnole, à peine adouci par le mince ruché blanc qui terminait son haut col montant fermé par une belle agrafe d'or et de perles. Un voile noir était épinglé sur ses cheveux coiffés en tour. Enfin, un trousseau de clefs pendait à sa ceinture de cuir.

– Je voudrais le remercier, dit encore Fiora. Pensez-vous qu'il m'en donnera l'occasion aujourd'hui ?

– Il m'a annoncé qu'il viendrait te voir ce soir, fit la femme d'un ton mécontent. Il a même ordonné que l'on prépare à souper dans cette chambre et il va être très déçu de te trouver dans cet état.

– Après la nuit que j'ai passée, cela n'a rien d'étonnant. En outre, je ne suis pas « dans cet état ». J'ai un gros rhume et j'espère que, dans deux ou trois jours, il n'y paraîtra plus.

– Tu ne le connais pas. Il a horreur de la maladie et des malades. Et regarde-toi ! ajouta-t-elle en tendant un miroir à main : Tu as le nez rouge, la figure enflammée... Tu n'es pas montrable.

– Eh bien, ne me montrez pas ! grogna Fiora que cette femme commençait à agacer et qui détestait cette façon qu'elle avait de la tutoyer. Dites à Sa Grandeur ce qu'il en est quand elle rentrera et suppliez-la de m'accorder quelques jours pour être... montrable.

– Nous verrons cela ! Pour l'instant, il faut faire tout ce qu'il est possible pour te guérir.

Elle se mit à la tâche sur l'heure et entreprit de noyer sa malade dans les tisanes, le miel et le lait de poule, lui fit ingurgiter force pilules, l'obligea à prendre deux fumigations dont la malheureuse émergea plus rouge que jamais et prétendit même lui administrer un clystère auquel Fiora se refusa avec la dernière énergie. Elle ignorait où en était sa fièvre, mais elle se sentait à présent complètement abrutie et, en outre, elle avait mal au cœur.

– Laissez-moi tranquille ! cria-t-elle. Vous allez me tuer à force de médecines car, sachez-le, je n'en prends jamais !

– Quand on est malade, on se soigne ! glapit l'autre. Tu dois avaler encore ce sirop bien propre à adoucir la gorge et...

– Je n'avalerai rien du tout ! La seule chose dont j'ai besoin, c'est qu'on me laisse dormir en paix !

Empoignant draps et couvertures, elle se disposait à disparaître dessous quand l'entrée du cardinal mit fin à la scène. Fiora ne le reconnut pas tout de suite. Il portait en effet un élégant pourpoint court de velours noir brodé d'or, des chausses collantes qui rendaient pleine justice à ses jambes qu'il avait fort belles et, surtout, il était tête nue, ce qui permettait de constater qu'il commençait à perdre ses cheveux.

En découvrant les deux femmes dressées face à face comme des poules en colère, l'une rouge, échevelée et cramponnée à ses draps, l'autre brandissant un flacon et une cuillère, il éclata de rire.

– Vous ne pourriez pas crier moins fort ? fit-il en reprenant son souffle. On vous entend jusqu'au bout de la galerie. J'aimerais qu'au moins pendant quelques jours, la présence de donna Fiora chez moi reste ignorée de la majeure partie des domestiques.

Brandissant toujours sa fiole et sa cuillère, la duègne fonça sur lui comme si elle souhaitait le pourfendre.

– Cette fille est malade, Rodrigo. Tu ne peux pas souper avec ça ? Regarde-là ! Elle est à faire peur ! J'ai fait tout ce que j'ai pu pour la soigner, mais elle prétend m'en empêcher.

– Je prétends surtout que cette femme arrête de m'empoisonner avec ses drogues. Mais elle ne cesse de répéter que vous serez sûrement furieux d'apprendre que...

– Que vous avez pris froid cette nuit ? Je n'en suis pas surpris le moins du monde... ni furieux d'ailleurs.

– Mais tu as dit que tu souperais avec elle, fit la duègne qui semblait prête à pleurer.

– Je ne vois pas où est la difficulté, Juana ? On placera la table près du lit et tu feras servir des nourritures légères. Allons, calmez-vous toutes les deux ! Le mal vient de ce que, cette nuit, je ne vous ai pas présentées l'une à l'autre. J'avais besoin de me reposer et pensais le faire dès votre réveil, ma chère amie.

Il expliqua aussitôt à Fiora que « doña Juana de Llançol » était une cousine éloignée dont la famille avait eu des malheurs et qu'il avait ramenée de Valence lorsque cinq ans plus tôt le pape l'avait envoyé dans son pays natal en ambassade. Elle veillait « aux armoires et aux servantes de la maison » et possédait toute sa confiance plus une part de son affection.

A Juana qui l'écoutait avec des larmes d'attendrissement, il exposa que son invitée n'était pas « cette fille », mais « une noble dame venue de France » qui avait eu le malheur de déplaire à Sa Sainteté et à laquelle il convenait d'offrir une large hospitalité.

Ce discours, très naturel en apparence, n'en éveilla pas moins la défiance de Fiora. Pourquoi donc Borgia avait-il attendu qu'elle soit arrivée chez lui pour prévenir Juana ? D'autant que, la nuit dernière, celle-ci les attendait visiblement, qu'elle n'avait pas posé la moindre question ni relevé seulement un sourcil en constatant que la nouvelle venue portait la robe des novices.

En rapprochant cette singularité des confidences d'Antonia Colonna à propos de « l'homme le plus charnel qui soit », Fiora en vint à se demander s'il n'était pas dans ses habitudes d'aller courir de nuit les rues de Rome pour en ramener des filles et – pourquoi pas après tout ? – de débaucher de temps en temps la pensionnaire de quelque couvent. Sans doute ne les gardait-il pas longtemps, et de là venait ce grand affolement de la duègne en constatant que la dernière trouvaille avait jugé bon de tomber malade. Ses soupçons se confirmèrent en entendant Juana bougonner :

– Il fallait me prévenir que ce n'était pas comme d'ha...

Un geste autoritaire lui coupa la parole et elle parut se rétrécir sous le regard étincelant dont il la couvrait. Fiora pensa qu'il était temps d'intervenir si elle ne voulait pas se faire de cette femme, visiblement sotte, une ennemie mortelle.

– Doña Juana s'est donné beaucoup de mal pour moi, Votre Grandeur, et j'ai bien peur de l'en avoir fort mal payée, mais je vous avoue que la seule idée de souper me lève le cœur. La simple odeur des mets...

– Vous est insupportable ? fit Borgia avec bonne humeur. Eh bien, ma chère, soignez-vous, je vais aller souper chez une amie. Mais peut-être pouvons-nous bavarder un moment ?

– Bien sûr, approuva Fiora enchantée d'en être quitte à si bon compte. Je serai heureuse d'avoir des nouvelles.

– C'est ce que je pensais. Va me chercher un verre de

vin d'Espagne, Juana, puis laisse-nous! Tu reviendras ensuite accommoder donna Fiora pour la nuit.

Il suivit du regard la sortie de la duègne, puis tira un siège près du lit.

– Je crois, fit-il en baissant le ton, que vous trouverez intéressantes les nouvelles que j'apporte. Je tenais compagnie au Saint-Père dans sa volerie où il s'occupait à nourrir son aigle quand Leone da Montesecco, le chef de ses gardes, chargé d'aller vous chercher à San Sisto, en est revenu bredouille.

– Et alors?

– Je ne me souviens pas l'avoir déjà vu dans une telle colère. Tout le monde en a eu sa part : le capitaine parce qu'il ne vous ramenait pas, le cardinal d'Estouteville convoqué sur l'heure et accusé aussitôt de vous donner refuge, et même l'aigle qui a été privé de la moitié de son repas : le pape l'a planté là pour regagner sa chambre où il a cassé deux ou trois vases afin de se détendre les nerfs. Le reste s'est passé sur donna Boscoli qui arrivait tout juste avec son neveu. Dites-moi, donna Fiora, elle est allée au couvent hier?

– Oui, mais le pape doit le savoir : elle avait une autorisation de visite.

– C'est aussi ce qu'a dit mère Girolama. Elle a ajouté que la dame, toujours au nom du pape, lui avait donné l'ordre de fermer votre porte à clef.

– Et le pape n'en savait rien? Ce n'est tout de même pas elle qui a fait disposer des gardes devant les portes?

– Non. L'ordre est bien venu du Vatican, mais la permission de vous visiter était fausse. Le Saint-Père a voué donna Boscoli aux gémonies en l'accusant d'avoir tout fait manquer pour le plaisir d'aller vous narguer.

Il se tut. Juana revenait avec un plateau d'argent sur lequel un magnifique verre de Venise rouge et or voisinait avec un flacon de même origine. Elle posa le tout sur une table, emplit le verre avec les gestes pieux d'un officiant à l'autel et vint l'apporter à son cousin dans une sorte de génuflexion qu'il parut considérer comme toute naturelle.

– Merci, Juana! Tu peux te retirer à présent. Je te rappellerai tout à l'heure.

– La colère du pape n'est pas tombée aussi sur vous? s'étonna Fiora.

– A cause de ma visite de la semaine passée? La prieure de San Sisto est une femme intelligente. Elle a jugé préférable de n'en point parler, estimant sans doute que, si elle se taisait, je pourrais lui apporter une aide. Ce que j'ai fait. J'ai expliqué au pape que tout était de la faute de la dame Boscoli qui vous avait effrayée au lieu de laisser le Saint-Père conduire l'affaire comme il l'entendait. J'ai ajouté que vous êtes sans doute une femme pleine de ressources. Ensuite, la bagarre est presque devenue générale quand le cardinal d'Estouteville qui avait spontanément proposé de laisser visiter son palais est revenu, cette fois en accusateur.

– En accusateur? Et qui donc a-t-il accusé?

– Mais le pape, ma belle amie, le pape tout simplement. Le cardinal camerlingue n'est pas n'importe qui, et il est en outre le plus puissant des cardinaux français. Il a bien fallu lui dire ce qui s'était passé au juste et en apprenant le choix qui allait vous être offert de la hache du bourreau ou de la main du triste Carlo, il est monté sur ses grands chevaux, protestant de l'injure faite à son souverain puisque l'on disposait ainsi de vous sans même attendre la réponse du roi de France. Il menaçait de se plaindre au roi. Je n'entre pas dans le détail des propos échangés : ils étaient si vifs que ma mémoire préfère les oublier.

– Mgr d'Estouteville n'a donc pas peur du pape?

– Pourquoi voulez-vous qu'il en ait peur? Il représente ici le roi Louis de France, il est le maître de la diplomatie vaticane, il est aussi le cardinal le plus riche de tous et, en plus, il est de sang royal. C'est une chose qui compte pour le pauvre moine franciscain, sorti de rien, qu'il a aidé à accéder au trône de saint Pierre.

– Je vois. Quelle a été la conclusion de cette... bagarre?

– Eh bien, pour l'instant, chacun reste sur ses positions. Le Saint-Père clame que s'il met la main sur vous, il vous fera exécuter que cela plaise ou non à la donna Boscoli, et le cardinal précise, car ce n'est pas un braillard tant s'en faut, que si le pape dispose de vous sans l'agrément du roi Louis, les alliances resteront ce qu'elles sont et qu'il ne reverra jamais, sinon en rêve, le moine Ortega et le cardinal Balue.

Fiora garda le silence un moment, jouant avec le tissu soyeux de son drap qu'elle enroulait et déroulait autour d'un de ses doigts.

– Et ce mariage dont m'a parlé... la dame Boscoli ? J'aimerais avoir votre avis à ce sujet.

Borgia considéra un instant la jeune femme pelotonnée dans la soie blanche de ses draps qui laissaient dépasser la douce rondeur d'une épaule et son œil s'alluma en imaginant d'autres rondeurs, plus savoureuses encore, qui se cachaient sous le luxe de ce lit princier.

– Quel avis puis-je avoir ? Il faut vous haïr bien fort pour oser proposer une union entre vous, belle parmi toutes les belles, et ce malheureux.

– Jadis, Hieronyma voulait me marier à son fils, Pietro Pazzi, qui était un monstre et qui suait la méchanceté par tous les pores de sa peau. C'est à cause de lui qu'elle a fait tuer Francesco Beltrami, mon père. En dépit de ma naissance... irrégulière, Hieronyma est possédée par la rage de me marier dans sa famille, tant elle craint qu'une parcelle, si minime soit-elle, de notre fortune détruite puisse lui échapper.

Quittant son siège, Borgia alla remplir à nouveau son verre et, au moment d'y poser ses lèvres, l'offrit à la jeune femme :

– Buvez ! Je suis sûr que cela vous fera du bien.

Elle prit le verre dans les transparences duquel la flamme d'une chandelle allumait des rutilances somptueuses :

– Est-il si difficile de me parler de Carlo Pazzi ? Vous

pensez que j'ai besoin d'un réconfort avant d'aborder le sujet ?

Elle vida le verre d'un trait et le lui tendit. Il ne le prit pas, mais enveloppa de sa grande main les doigts de la jeune femme, posa ses lèvres à l'endroit où elle avait bu et y cueillit une dernière goutte du vin doré.

– C'est un autre genre de monstre, soupira-t-il enfin. Pas méchant, j'en suis certain, mais une de ces ruines humaines comme il en naît parfois dans les plus nobles familles. On dit qu'il est le produit d'un viol et qu'en naissant il a déchiré irrémédiablement le corps de sa mère. L'idée que l'on puisse vous marier à ce déchet humain est intolérable pour tout homme normalement constitué. Je n'ai pu la supporter... Vous êtes faite tout entière pour l'amour des princes...

Il s'était assis sur le bord du lit et détachait doucement le verre des doigts qui le retenaient encore, puis il le jeta dans la cheminée comme une chose sans importance. La fragile merveille s'y brisa en une multitude d'éclats de pourpre et d'or.

– Il a touché vos lèvres, murmura-t-il d'une voix dont les raucités traduisaient le désir. Plus personne n'a le droit d'y poser les siennes.

Entre ses lourdes paupières qui se resserraient, le regard filtrait, glauque, presque opaque. Cependant, une de ses mains emprisonnait l'épaule qui le tentait depuis un moment, tandis que l'autre glissait sur la courtepointe brodée d'or, cherchant le contour d'un sein. Fiora se recula brusquement jusqu'au fond du lit et replia ses jambes contre sa poitrine.

– Dois-je vous rappeler, Monseigneur, que je suis malade ? dit-elle d'une voix si froide qu'elle doucha la convoitise de Borgia.

A regret, les doigts glissèrent en une double caresse. Il se releva :

– Pardonnez-moi, murmura-t-il. Vos yeux ressemblent à un ciel d'orage dans lequel il doit être trop facile de se perdre... et je ne souhaite rien d'autre que vous plaire.

Elle vit qu'en se redressant, il titubait un peu, et s'en amusa cruellement :

– Est-ce pour me plaire que vous avez pris ce risque inouï de venir me chercher vous-même la nuit dernière ?

– Et quand cela serait ? fit-il avec une hauteur soudaine. Un objet précieux ne se confie pas aux mains grossières d'un valet.

– C'est la seconde fois que vous me comparez à un objet. Vous oubliez que je suis une femme ?

– Oh non, je ne l'oublie pas. Je ne pense même qu'à cela. Oui, vous êtes une femme et la plus désirable que j'aie jamais rencontrée. Même au jour de votre arrivée. Vous étiez maigre comme un chat affamé et pâle comme un rayon de lune, mais vous étiez pour moi, qui vous observais sans que vous me puissiez voir, la plus belle de toutes les créatures et je me suis alors juré que vous seriez à moi.

– C'est pour cela que vous m'avez sortie du couvent et amenée ici ?

– Et pour quelle autre raison ? Le roi de France m'intéresse, certes, mais si vous aviez été laide je ne me serais pas soucié de vous un instant. Quant à moi, chaque fois que j'ai voulu une femme, je l'ai eue et très vite mais, pour vous, je suis prêt à montrer quelque patience parce que je sais que vous en valez la peine et parce que le plaisir, pour l'avoir attendu, n'en sera que plus vif lorsqu'enfin je vous posséderai.

– Vous perdrez votre temps et votre patience, Monseigneur, gronda Fiora que la colère commençait à gagner. Je me suis fiée à vous parce que j'espérais que vous m'aideriez à fuir... cette sainte ville et à rentrer chez moi.

– Sans doute. Mais pour l'instant, c'est impossible, et je crains que cela le soit encore longtemps. Tout au moins jusqu'à ce que vous m'ayez donné ce que j'attends de vous. Je veux être payé de mes efforts et des dangers courus pour vos beaux yeux, et payé dans la seule monnaie qui m'intéresse.

– C'est-à-dire moi-même ? Vous êtes très content de

vous-même, n'est-ce pas, don Rodrigo, mais je n'ai que vingt ans, alors que vous en avez plus du double. L'idée ne vous vient-elle pas que je pourrais ne pas vous aimer ?

Il éclata de rire, ce qui lui permit de montrer largement ses dents. Il en était très fier et à cause de cela il riait souvent.

– Qui parle ici d'amour ? Moi, je ne cherche que le plaisir et plus la femme est rare plus le plaisir est grand. Le plaisir, ma Florentine ! Si vous ne le connaissez pas je saurai vous l'apprendre, car il est plus enivrant s'il est partagé. Oh, je vois ce que vous pensez : je vais me donner à lui tout de suite et ainsi j'en serai débarrassée. Ce n'est pas cela que je veux. Mon appétit est exigeant, mais il est raffiné et pour l'instant, pardonnez-moi de vous le dire, les médicaments de Juana vous ont rendue peu appétissante.

Suffoquée, Fiora se sentit rougir et comprit qu'elle était vexée d'être percée à jour, car c'était effectivement ce qu'elle avait pensé. Ce n'était pas la première fois qu'elle se trouvait prise au piège des désirs d'un homme et il lui était même arrivé de les provoquer, comme à Thionville quand elle avait rejoint Campobasso [1].

– Retrouvez votre santé, mon bel ange, ajouta Borgia d'une voix caressante, et redevenez aussi éclatante que vous l'étiez dans le jardin de San Sisto ! Moi, je vous parerai comme une idole, j'exalterai votre beauté par tout ce dont la richesse peut orner un corps de femme, et je vais prendre plaisir à ce jeu aimable... Quant à mon âge, il ne m'a encore jamais causé le moindre souci et vous verrez que je suis plus ardent au plaisir, plus expert et plus puissant que n'importe quel damoiseau.

Devant la mine effarée de Fiora il se mit à rire de nouveau :

– Vous en doutez ? Les courtisanes de Rome m'appellent « le taureau Borgia »; Vous serez ma Pasiphae [2] et nous engendrerons un nouveau Minotaure.

1. Voir *Fiora et le Téméraire*.

2. Reine légendaire de Crète, épouse de Minos, qui fut la mère de Phèdre, d'Ariane, du Minotaure qu'elle eut avec un taureau dont elle s'était éprise.

Se retrouvant ainsi confrontée à sa culture grecque, Fiora laissa déborder la colère qui se gonflait en elle depuis un moment :

– Je n'engendrerai rien du tout ! hurla-t-elle. J'ai un fils en France et je veux aller le retrouver. Comment pouvez-vous imaginer un seul instant que j'aie envie de me donner à vous ?

Il lui sourit comme si elle avait fait la plus aimable des déclarations, et passa sur sa joue un doigt caressant :

– Cela viendra, je vous l'assure. De toute façon, puisqu'il vous faut demeurer enfermée ici durant quelques semaines, pourquoi ne pas passer ce temps de la plus aimable façon qui soit ? Et je suis un maître en amour...

Le sang que la fureur avait fait monter à la tête de Fiora lui valut une quinte de toux :

– Reposez-vous, dit son étrange hôte. Juana va venir dans un instant vous accommoder pour la nuit...

Il sortit enfin et, comme par magie, la malade cessa de tousser. Elle ne savait plus du tout où elle en était, sinon que très probablement cet homme-là n'était pas normal. Un instant auparavant, elle pensait à Campobasso dont elle ignorait ce qu'il était devenu et qui était possédé lui aussi par une véritable fureur génésique, mais au moins Campobasso l'avait aimée tandis que, pour celui-là, elle n'était qu'un animal rare, une chair différente de celles dont il avait l'habitude et que, pour cette raison, il entendait asservir. Il l'avait mise en cage et cette cage était environnée par tous les dangers d'une ville hostile. En plus, cet homme était un prêtre !

Tout à coup, elle pensa à Léonarde. Pauvre chère et sainte créature ! Elle devait être à des milliers de lieues d'imaginer son « agneau » enfermé dans cette Rome qui pour elle était l'antichambre du Paradis, menacé de mort par le vicaire du Christ et livré aux caprices lubriques d'un prince de la Sainte Église catholique.

Quand Juana revint peu après avec une tasse de tisane, elle ne comprit pas pourquoi la malade lui éclata de rire au nez puis, balayant le plateau d'un revers de main, se jeta la tête la première dans ses oreillers et refusa d'en sortir. Au mouvement de ses épaules, la duègne crut bien s'apercevoir qu'elle pleurait, et elle n'osa pas insister. Les filles, et même les vierges, qu'on lui donnait à préparer pour la couche du maître ne se comportaient jamais comme celle-là, qui n'était même pas pucelle puisque Rodrigo avait parlé d'une « dame ». Certaines pleuraient bien un peu, pour la forme, mais les étoffes précieuses dont on les revêtait, les mets épicés et les vins chaleureux avaient tôt fait de les consoler et elles étaient plus que consentantes quand venait l'heure du sacrifice.

Ne sachant plus que faire, la cousine de Borgia quitta la chambre sur la pointe des pieds, en referma soigneusement la porte, mit la clef à sa ceinture et alla se coucher mais, en dépit de la nuit blanche qu'elle avait passée, elle ne réussit pas à trouver le sommeil et passa plusieurs heures à se demander ce qui avait pu se produire entre cette étrange créature et son bien-aimé Rodrigo.

CHAPITRE VIII

LA NUIT DES SURPRISES

Fiora mit quatre jours à guérir de son rhume et, durant tout ce temps, ne revit pas Borgia. La dévotieuse Juana lui apprit que le cardinal était parti pour le fameux couvent de Subiaco, dans les monts de la Sabine, qui faisait partie de ses bénéfices et dont il ne reviendrait qu'à la fin de la semaine. Ce dont la jeune femme se montra grandement soulagée. Elle profita de ce répit pour achever de se rétablir et pour essayer de faire le point de sa situation.

Celle-ci n'était guère brillante en dépit du fait que Fiora habitait une chambre somptueuse, toute tendue de velours vert à crépines d'or dont le pavage, fait de marbre de plusieurs couleurs, disparaissait sous un fabuleux tapis que les femmes du lointain Kirman avaient semé de fleurs inconnues et d'oiseaux fantastiques. Elle avait chaud – trop chaud même car Juana, craignant qu'elle ne retombe malade, entretenait dans la pièce une chaleur de four – et elle était presque trop bien nourrie par la duègne qui ne cessait de lui apporter friandises et confiseries dans l'espoir de la voir engraisser.

– Tu es trop maigre, reprocha-t-elle. Rodrigo aime les femmes un peu rondes avec des chairs moelleuses. Sa maîtresse préférée, Vanozza, qui lui a donné ses deux fils, Juan et César, est une blonde superbe qui a l'air d'être cousue dans du satin blanc. Ses seins sont comme de jeunes melons et...

– Je n'ai pas envie d'avoir des seins comme des jeunes melons et je refuse d'être traitée comme une oie à l'engrais. Au lieu de m'apporter ces sucreries, vous feriez mieux de me dire ce qui se passe en ville.

Rien. Il ne se passait rien, du moins pour ce qu'en savait Juana. Les cris de guerre des deux bandes rivales des Colonna et des Orsini troublaient chaque nuit, mais Fiora les entendait comme les autres habitants de Rome, et, chaque matin, on retrouvait un ou deux cadavres flottant sur le Tibre ou abandonnés au coin d'une rue.

Guérie, Fiora commença à s'ennuyer. La maladie au moins est une compagnie et, réduite à celle de Juana, la jeune femme se mit à trouver le temps long car les ordres du cardinal étaient formels : la porte de sa chambre devait rester fermée à clef et, en aucun cas, elle ne devait en sortir. On pouvait faire confiance à Juana pour les respecter.

Le seul moment un peu agréable était le matin. Après son lever, Fiora prenait un bain qu'on lui préparait dans une petite pièce attenante à la chambre et très ornée elle aussi. Une vasque creusée dans le sol occupait presque toute la place ; elle était assez grande pour que deux personnes pussent s'y baigner ensemble, ce qui était, paraît-il, « un des grands plaisirs de Rodrigo ». L'eau que montaient les esclaves du palais – il y en avait une trentaine de couleurs variées – se vidait lentement par un étroit conduit qui débouchait dans une gouttière. Baignée, ce qu'elle appréciait toujours infiniment, Fiora était massée par une grande fille noire qui riait tout le temps et la malaxait comme pâte à pain avec des huiles parfumées, ce qui était moins agréable mais Fiora sortait de ses mains débordante d'une vitalité dont, ensuite, elle ne savait plus que faire. Quand elle avait effectué le tour de sa chambre vingt fois dans un sens et vingt fois dans l'autre, il ne lui restait plus qu'une seule distraction : regarder par la fenêtre. Encore Juana ne consentait-elle à en ouvrir une qu'après avoir appliqué un masque sur le visage de la jeune femme et jeté un voile sur ses cheveux.

La chambre occupée par Fiora était située, en effet, au plus haut de la tour carrée sans laquelle un palais romain ne pouvait se concevoir. Immédiatement au-dessus, il n'y avait que les créneaux en ailes de papillon et les deux guetteurs qui se renouvelaient jour et nuit. Toutes les grandes demeures de la ville offraient d'ailleurs cet aspect de forteresse, même si leurs murailles étaient peintes et décorées, même si elles possédaient un jardin qui, comme celui du palais Borgia, descendait jusqu'au Tibre. Fiora ne le constata que plus tard car ses fenêtres donnaient, l'une sur la cour intérieure du palais toujours pleine de serviteurs, de gardes, de familiers et d'esclaves, et l'autre sur la ville.

Fiora qui, depuis le premier jour, ne songeait qu'à s'enfuir, eut un choc en s'apercevant que sa chambre se trouvait à si grande hauteur. Pour s'échapper par là, le seul moyen eût été une échelle de corde et elle ne voyait pas comment s'en procurer une. Mais la vue était splendide et elle en profita pour étudier enfin Rome dont la plus grande partie s'étendait devant elle.

Juana, lorsqu'il ne s'agissait pas de son idole, était assez bonne fille. Plutôt contente de voir sa prisonnière s'intéresser à quelque chose, elle lui donna bien volontiers toutes les explications qu'elle souhaitait.

La couleur de Rome était un ton d'ocre chaud et profond dont les siècles avaient patiné les églises, les palais, les maisons et les tours médiévales qui affirmaient leur arrogance. On avait ouvert la fenêtre vers la fin du jour et le soleil, à son déclin, exaltait encore les couleurs. A main droite et par-delà le Tibre au flot jaunâtre, Fiora vit la masse rouge du château Saint-Ange dominant le Borgo, les tours crénelées et les campaniles ajourés du Vatican adossés aux grands pins, aux cyprès et aux ifs noirs d'un jardin. Elle vit aussi la Torre di Nona, quartier général de la police plantée comme une menace à l'entrée du quartier populeux du Transtevere.

Sur l'autre rive encombrée de moulins, le panorama

s'embrouillait un peu dans les fumées et les poussières qui n'arrivaient pas à en dissimuler le côté désolant. La via Papalis, l'une des plus importantes pourtant, mais que personne n'avait pavée, serpentait dans ce qui avait été jadis le Forum et les palais impériaux. Des boutiques de bouchers et des établis de charrons s'y adossaient tant bien que mal à des monceaux de ruines d'où surgissaient, ici ou là, une colonne brisée ou la voûte crevée d'une basilique. Les vaches que l'on rencontrait dans les terrains vagues y étaient plus nombreuses que partout ailleurs. Il y avait aussi des porcs, dont le marché se tenait aux environs et qui ajoutaient leurs saletés et leurs piétinements dévastateurs au délabrement général.

Apparaissant à peine entre deux maisons, l'arc de Constantin avait un air misérable sous l'épaisse couche de fiente de pigeon qui le couvrait. Quant au Palatin, l'ancien palais des Césars, ce n'était qu'une vaste ruine enfermée entre les murailles de silex noir couronnées de bretèches rouges qui signaient le domaine des Frangipani. Des échoppes, des masures informes se calaient sous les voûtes des anciens théâtres envahis d'herbes folles et une population misérable y vivait comme elle pouvait.

Dominant ce chaos, les quatre tours crénelées du Capitole surgissaient, mélancoliques dans leur décrépitude sommée d'un long et triste campanile, mais, plus à l'ouest, face à ce dérisoire symbole des libertés romaines perdues, deux tours farouches, celle des Milices et celle des Conti, rejoignaient le palais guerrier des chevaliers de Rhodes.

Autour du Colisée dont on avait fait une vaste et facile carrière, des fours à chaux brûlaient sans discontinuer, dégageant une fumée noire qui irritait la gorge et les yeux et était cause, d'après Juana, de maux inguérissables. De là, par les pentes herbues du Caelius, on gagnait le Latran. Une voie assez large pour qu'une procession pût y dérouler sa pompe, la via Lata, menait droit à la cathédrale de Rome. Toujours selon Juana, aucune procession ne s'y risquait plus depuis que, dans les temps lointains, une femme, qui avait réussi à se faire élire au trône pontifical en se faisant passer pour un homme et que l'on appela par la suite la papesse Jeanne, s'était révélée à ses ouailles en accouchant sur les dalles de ladite via Lata. Une statue représentant une femme couchée et allaitant un enfant marquait l'endroit et, le peuple de Rome ayant déclaré ce lieu maudit et possédé du démon, aucun prêtre, à plus forte raison aucun cortège, ne s'y risquait plus. Pour gagner Saint-Jean-de-Latran, tout le monde faisait depuis un détour par ce qui avait été les jardins de Mécène.

Naturellement, Fiora put apercevoir la grande ruine des thermes de Caracalla, proche des murailles de la ville, et les frondaisons du jardin de San Sisto. De là, elle refit le chemin par lequel Borgia l'avait menée chez lui et, en même temps, la ville entière entra dans ses yeux et dans sa mémoire. Mais elle avait besoin de certains renseignements et, pour les obtenir, elle prit un chemin détourné :

– Le jour où je suis allée au Vatican, fit-elle d'un ton léger, j'ai rencontré la nièce du pape, la comtesse Riario. Pouvez-vous me dire où elle habite ?

– Donna Catarina ? Bien sûr. Tenez, voyez là-bas l'église Sant'Apollinario et aussi le palais San Marco. Entre les deux, il y a une grande demeure crénelée avec une tour : c'est là qu'elle habite.

– Ah, je vois ! Mais j'ai rencontré aussi un autre personnage important : le cardinal camerlingue...

– Le Français ? Celui que l'on dit le plus riche de Rome ? Eh bien, voyez-vous...

Mais il était écrit que Fiora ne connaîtrait pas l'emplacement du palais d'Estouteville. Un groupe imposant de cavaliers encombrait la rue, entourant la mule superbement harnachée de pourpre et d'or qui portait le vice-chancelier de l'Église. Les passants s'agenouillaient dans la poussière pour recevoir sa bénédiction, ainsi que les serviteurs qui venaient d'ouvrir les portes du palais. Vu d'en haut, Fiora pensa que sous son grand chapeau il avait l'air d'un énorme champignon pourpre, mais il avait levé la tête et aperçu les deux femmes. D'un geste autoritaire, il leur ordonna de rentrer. Juana devint verte.

– Maria Santissima ! gémit-elle. Il a l'air furieux ! Je ne pensais pas mal faire en vous autorisant à regarder par la fenêtre. Il n'y voyait pas d'inconvénients avant, quand...

– Quand d'autres femmes habitaient cette chambre ? compléta Fiora qui ne put s'empêcher de rire devant la mine épouvantée de la cousine.

Celle-ci, après avoir fermé la fenêtre, allait et venait par la pièce en se tordant les mains.

– Ne riez pas, je vous en prie ! C'est... c'est épouvantable !

– Vous en avez peur à ce point ? Il ne va tout de même pas vous battre ?

– Il fera pire. Il va me regarder avec colère et m'accabler de son mépris.

– Est-ce que vous n'exagérez pas un peu ? Pour une simple fenêtre ?

Juana savait de quoi elle parlait et, apparemment, elle était encore en dessous de la vérité : lorsqu'un moment plus tard Borgia surgit, rouge et essoufflé d'avoir grimpé ses étages sous l'impulsion de la colère, il déversa sur sa tête la plus belle collection d'injures hispano-italiennes qu'il fût possible d'entendre. Prosternée à ses pieds sur le tapis, élevant au-dessus de sa tête des mains jointes et suppliantes, Juana sanglotait, se frappait le front sur le sol et implorait son pardon d'une voix déchirante. La scène lui paraissant à la fois ridicule et révoltante, Fiora décida de s'en mêler.

– En voilà assez ! cria-t-elle pour dominer le tumulte. Je ne vois pas en quoi cette malheureuse mérite d'être traitée comme vous le faites. Elle n'a d'autre tort que celui de m'avoir laissée respirer un peu.

Emporté par sa fureur, Borgia ne l'entendit même pas.

Alors, elle alla prendre un miroir sur la table à coiffer, saisit le cardinal par sa manche pour le tirer en arrière et mit la glace devant son visage qui, rouge et convulsé, avait quelque chose de démoniaque.

– Regardez-vous ! Vous êtes hideux ! Et vous osiez parler de me plaire ?

Cette brutale confrontation avec son image le suffoqua. Fiora en profita :

– Un noble espagnol ! Un prince de l'Église qui se comporte comme un toucheur de bœufs envers une vachère maladroite ! Vous devriez mourir de honte ! Vous me faites horreur !

Elle se dressait devant lui, droite et méprisante dans la robe de satin blanc chamarrée de noir et d'or dont Juana l'avait revêtue ce jour-là, brandissant le miroir comme elle eût brandi un crucifix en face du Diable, et cette image exorcisa la colère du cardinal. Il se tourna vers Juana toujours ensevelie dans son humilité et lui jeta :

– Va-t'en ! Tu reviendras quand je t'appellerai !

Elle se releva et fila avec la rapidité d'une souris poursuivie par le chat. Borgia alla jusqu'à la fenêtre donnant sur la cour et l'ouvrit, cherchant sa respiration. Peu à peu, elle devint plus calme cependant que son visage retrouvait sa couleur normale. Quand il se sentit mieux, il poussa un grand soupir puis se retourna et regarda la jeune femme. Assise dans un haut fauteuil tendu de velours vert, elle attendait sans dire un mot. Le miroir qu'elle avait gardé reposait sur ses genoux.

– Pardonnez-moi ! Je n'aurais pas dû donner libre cours à ma colère, mais lorsque je vous ai vue à la fenêtre, j'ai eu très peur.

– Sornettes ! J'avais un voile sur la tête et je portais un masque. Doña Juana a d'ailleurs eu assez de mal à me les faire accepter, mais c'était sa condition pour me laisser respirer un peu à cette malheureuse fenêtre.

– Vous ne savez pas ce que vous dites. En dépit de cela, vous pouviez être reconnue.

– Reconnue ? Dans une ville où personne ne me connaît ?

– Excepté tous ceux qui vous ont vue au Vatican lors de votre arrivée, excepté vos compagnons de voyage et les moniales de San Sisto.

– L'exemple est heureux. Elles sont cloîtrées !

Il soupira de nouveau et, tirant un autre fauteuil, vint s'asseoir en face d'elle.

– C'était tout de même une grave imprudence. Tous les sbires de la ville sont encore à votre recherche. En outre, vous ignorez ce qu'a trouvé le pape.

– Je note que, pour une fois, vous ne dites pas le Saint-Père, une appellation qui lui va aussi mal que possible. Eh bien, qu'a-t-il trouvé ?

– Domingo, l'eunuque nubien qui vous gardait, possède un assez joli talent pour le dessin. Il a fait de vous quelques esquisses, fort ressemblantes pour être faites de mémoire, que les crieurs publics ont montrées dans les carrefours. Et comme une somme de cent ducats est offerte à qui vous livrera...

Cette fois, Fiora pâlit. Elle mesurait à cet instant la puissance de la haine de Hieronyma, puisque cette misérable femme avait su la communiquer au pape. C'était à la fois absurde et terrifiant, insensé aussi. Quel génie malfaisant avait donc présidé à sa naissance pour qu'elle se trouvât aussi continuellement en butte à l'hostilité des puissants de la terre ? Elle avait dû faire face tour à tour à sa chère ville de Florence soulevée contre elle, puis au Téméraire, le plus redoutable prince qui eût régné sur l'Europe et, à présent, au pape ! Elle avait aimé un homme et cet homme lui avait été enlevé par la mort. Le sang incestueux de ses veines était-il vraiment maudit ? Les événements qui ne cessaient de se tourner contre elle en étaient peut-être la preuve.

Pour lutter contre l'angoisse qui montait dans sa gorge, elle serra, de ses deux mains, les accoudoirs du fauteuil. Le miroir glissa de ses genoux et se brisa. Il y eut un silence. Le cardinal et la jeune femme regardaient les éclats répandus sur le sol puis, brusquement, Fiora se leva :

– Monseigneur, dit-elle, vous perdez votre peine en me cachant chez vous et vous faites courir un danger à votre maison. Faites-moi accompagner jusqu'au Vatican. Je vais me livrer.

Instantanément, il fut debout et un éclair brilla dans ses yeux noirs. Ses deux mains se posèrent sur les épaules de la jeune femme.

– Vous êtes folle ! Je ne vous ai pas dit cela pour vous réduire au désespoir, mais pour que vous compreniez l'intérêt que vous avez à être prudente.

– Je sais... mais je n'ai plus envie d'être prudente. Je veux mourir, un point c'est tout ! La seule chose que je vous demanderai sera de remettre vous-même au cardinal d'Estouteville la lettre que je vais écrire. Il faut que le roi Louis prenne soin de mon fils et de ceux qui me sont chers.

– Mais vous ne mourrez pas ! Si vous vous livrez, vous serez aussitôt mariée à Carlo Pazzi...

– Cependant, l'autre soir, vous disiez qu'au cours de sa dispute avec le cardinal, le pape criait qu'il me ferait exécuter que cela plaise ou non à Hieronyma ?

– Elle l'a déjà ramené à son propre point de vue. Quand il est question d'argent, Sa Sainteté devient très malléable.

– Cela n'a pas de sens. Ma fortune n'est plus, et de loin, ce qu'elle était autrefois. En outre, je ne vois pas comment mon époux, en admettant que j'en prenne un, pourrait hériter des biens français ou bourguignons qui appartiennent naturellement à mon fils.

– Vous êtes certaine de ne plus rien posséder à Florence ?

– Plus rien du tout. Le palais Beltrami a brûlé, la villa de Fiesole a été confisquée et les affaires de mon père sont gérées par Angelo Donati.

– Angelo Donati est mort. Lorenzo de Médicis a donc repris lui-même la gérance de vos biens et l'on dit qu'au cas où vous songeriez à rentrer à Florence, vous retrouveriez votre villa... et quelques petites choses.

– On dit? Qui dit cela?

– Des bruits qui courent, à peine des courants d'air... Sa Sainteté entretient des espions très actifs dans la cité du Lys rouge. Vous n'ignorez pas qu'elle a, sur cette belle ville, des idées bien arrêtées?

– Mettons les choses au pire: Riario prend Florence. Il aura tous les biens qu'il veut.

– Oh, mais non! Le pape souhaite qu'il y règne, mais il ne saurait être question de violer les lois et de déposséder les habitants. On sait trop ce qu'ils sont capables de faire. Voilà pourquoi il s'intéresse tant à ce mariage. Les Pazzi d'ici rejoindraient ceux qui sont encore là-bas et rentreraient en triomphateurs... mais légaux.

– Et moi je rentrerais dans leurs bagages? Grand merci.

– Ça, c'est moins sûr, fit Borgia avec un demi-sourire. Une fois mariée, je ne crois pas que la dame Boscoli vous laisserait vivre longtemps. Croyez-moi! Soyez raisonnable et préparez-vous à souper avec moi. Je vais essayer de vous distraire.

– Tout dépend de la distraction!

Il éclata de rire et s'éloigna vers la porte:

– Ne me regardez pas de cet œil noir! Je vous promets qu'il ne se passera rien. Peut-être, ajouta-t-il avec un clin d'œil, que je ne vous trouve pas encore assez dodue pour être dévorée?

– Voilà qui me rassure! Vous n'êtes pas prêt d'être satisfait.

Le souper, en effet, fut charmant. Fiora était heureuse d'apprendre que Lorenzo de Médicis lui gardait une amitié fidèle et que peut-être, sous son égide, il lui serait possible, un jour, de rentrer la tête haute dans la ville bien aimée. Cette nouvelle changeait quelque peu ses plans de fuite. Sa première intention avait été de voler une barque pour descendre le Tibre et d'essayer, parvenue à la côte, de s'embarquer pour la Provence, mais ce n'était pas une bonne idée : les bateaux de haute mer ne voyageaient pas durant l'hiver. Il fallait attendre le printemps. En outre, elle ne possédait pas le moindre denier pour payer son voyage. La possibilité de passer par Florence offrait des perspectives d'espoir beaucoup plus larges. Soixante-dix lieues seulement entre Rome et la capitale des Médicis! Les pèlerins partant sur les chemins à la recherche des grands sanctuaires parcouraient des routes bien plus longues et ces soixante-dix lieues pouvaient se faire à pied.

Rodrigo Borgia se montra, ce soir-là, l'hôte le plus attrayant qui soit. D'un naturel gai, sa conversation agrémenta le repas composé d'huîtres, de petits calmars en sauce brune et de volaille présentée à la romaine avec des poivrons, des anchois, de la tomate et du jambon, le tout arrosé d'un joli vin de Frascati. Quant au dessert de confitures, il s'accompagna de ce succulent muscat de Montefiascone célèbre pour avoir causé, en 1111, la mort du cardinal Fugger.

Pour amuser son invitée, Borgia lui raconta certains faits divers qui lui ouvrirent, sur la vie romaine, des vues inattendues. Elle apprit ainsi que le rapt était la distraction favorite de la noblesse : on enlevait une femme ou une jeune fille, on l'emmenait dans un endroit écarté pour festoyer, après quoi l'on ramenait l'héroïne involontaire de la fête à proximité de sa demeure. Cela suscitait, bien sûr, des vengeances, mais la vengeance était élevée, à Rome, à la hauteur des beaux-arts. Plus elle était cruelle et plus on l'applaudissait. Borgia raconta ainsi l'histoire de la charmante Lisabetta, épouse de Francesco Orsini, qui, ayant été surprise avec un autre homme, dut assister à la mort de son amant, invité à un festin et tué à coups de bâtons au dessert. Ensuite, le coupable fut mis en croix dans une chambre où, chaque nuit, Lisabetta était liée au cadavre jusqu'au lever du jour, puis ramenée chez elle tant que le soleil poursuivait sa course. Elle ne recevait pour toute nourriture que deux tranches de pain et un verre d'eau.

Cette fois, Fiora ne sourit pas. Horrifiée, elle dut avaler pour se remettre un plein verre de vin.

– Et qu'est-elle devenue ?

– Elle est morte, bien sûr, et assez vite, mais on dit qu'elle était tout à fait repentante. Une histoire édifiante, n'est-ce pas ?

– Il faut être un homme pour raconter cette horreur sur un ton léger ! Moi, je trouve cela abominable. Votre Orsini mérite les tourments de l'enfer. Et quand je pense qu'à longueur d'année, de pauvres gens usent leurs forces et leur argent sur toutes les routes d'Europe pour venir prier dans cette ville qu'ils croient sainte, en laquelle ils voient la Jérusalem céleste et le centre de toutes les vertus, alors que ce n'est rien d'autre qu'un cloaque !

– Vous êtes sévère. Il y a pourtant ici des gens de grand mérite, mais pour ce qui est des pèlerins, j'en connais un qui, venu il y a trois ans pour le jubilé, a dit : « Quand on a mis le pied à Rome, la rage reste et la foi s'en va... »

– Et on dirait que cela vous amuse, vous, un prince de l'Église ? Votre Sixte IV a-t-il seulement la foi ?

– Mais bien sûr ! Il a même une dévotion toute particulière à la Vierge Marie mais, que voulez-vous, il est aussi très attaché à sa famille et ne recule devant rien pour qu'elle soit riche et puissante.

– Il paraît que vous avez des enfants, vous aussi ?

Le cardinal parut se fondre tout à coup dans un océan de tendresse :

– Ils sont superbes ! Les plus beaux petits garçons que l'on puisse voir, surtout mon Juan ! Mais, je vous l'avoue, j'aimerais que leur mère me donne à présent une fille, aussi blonde qu'elle-même. Je l'appellerais... Lucrezia !

Puis, remarquant le pli dédaigneux qui pinçait les lèvres de la jeune femme :

– Allons, ne faites pas cette figure! L'Italie est le pays des enfants. Tout le monde en a ici.

– Même les cardinaux, à ce que je vois?

– Je pourrais presque dire : surtout les cardinaux, car les femmes qu'ils honorent sont assurées que leurs fruits ne manqueront de rien. C'est ainsi que le cardinal Cibo a un fils et que le cardinal d'Estouteville en a un, lui aussi. Il se nomme Jérôme et il l'a eu d'une fort jolie femme, Girolama Tosti. C'est à présent le seigneur de Frascati, dont nous venons de boire le vin. Quant au cardinal...

– Pitié, Monseigneur! Ne m'en dites pas plus! J'aimerais pouvoir garder un peu de la foi de mon enfance!

– La foi n'a rien à voir là-dedans! Il faut vivre avec son temps et Rome dont vous n'avez vu, il est vrai, que le plus mauvais côté, n'en est pas moins une ville fort agréable à vivre. De nobles étrangères telles que la reine de Bosnie, la reine de Chypre et la princesse grecque Zoé Paléologue y vivent et ne s'en plaignent pas.

– Leur situation n'a certainement aucun point commun avec la mienne. Trêve de bavardage, Monseigneur! Je ne veux pas y rester. Vous avez dit tout à l'heure que Florence ne m'est plus interdite : alors, aidez-moi à y retourner!

– Il est trop tôt! Je ne cesse de vous le répéter.

– Et puis, vous ne me laisserez pas partir sans payer certain tribut, n'est-ce pas?

Il eut un rire doux et un peu roucoulant en mirant le vin doré qui emplissait sa coupe :

– Quel est l'homme capable de laisser passer le plus capiteux des vins sans essayer d'y poser ses lèvres?

Les yeux de Borgia brasillaient comme des charbons ardents et Fiora se sentit tout à coup très fatiguée. Elle embrassa du regard le somptueux décor vert et or dont elle était déjà lasse.

– Je suis donc condamnée à périr d'ennui ici? Quand pourrai-je, au moins, quitter cette chambre?

– Ce serait imprudent. Mon palais regorge de serviteurs, de gardes et de familiers; je ne peux être sûr de tous. En outre, si je fermais mes portes, ce serait laisser entendre qu'il y a ici un secret. On sait, bien sûr, qu'une beauté habite la tour, mais cela n'a rien d'extraordinaire!

– Je sais! s'écria Fiora incapable de se contenir plus longtemps, mais comprenez donc que je ne peux rester enfermée entre ces quatre murs sans rien faire d'autre que les regarder? Depuis que l'on m'a enlevée de France, je n'ai connu que des prisons! Deux mois dans la cabine du bateau, deux semaines à San Sisto où, au moins, il y avait le jardin, et à présent ici? Mais j'aime mieux périr!

– Calmez-vous et prenez un peu patience! Je vous ferai porter des livres si vous les aimez et je vous enverrai un chanteur aveugle dont la voix est sublime. Je viendrai vous voir souvent et puis parfois, la nuit, je vous conduirai respirer au jardin...

Il fallut bien que Fiora se contentât de ces promesses, pourtant l'impression d'étouffement augmenta à mesure que coulaient les jours. Les livres lui furent d'un grand secours. Borgia, qui ne lisait jamais rien, en avait réuni par vanité une grande quantité, surtout des auteurs grecs et latins, mais il choisissait pour elle les plus licencieux et Fiora l'ébahit quand elle lui réclama sèchement des auteurs « sérieux » comme Aristote ou Platon.

– Quelle jeune femme sévère! s'écria-t-il. Les dames romaines apprécient beaucoup les histoires un peu égrillardes. Elles prédisposent merveilleusement à l'amour...

– Mais je n'ai aucun désir d'être prédisposée à l'amour! Comprenez donc enfin, Monseigneur! Je pleure un époux que j'aimais passionnément et, si je vous suis reconnaissante de ce que vous avez fait pour moi, sachez que, de bon gré, je ne serai jamais à vous!

Elle crut qu'il allait se fâcher, mais il se contenta de sourire avec une fatuité qui l'horripila.

– Je saurai bien vous faire changer d'avis!

En dépit du sourire, il y avait une menace dans ses

yeux et Fiora en déduisit qu'il lui fallait se tenir plus que jamais sur ses gardes. Il y avait trop de violence contenue dans cet homme pour qu'il accepte encore longtemps d'attendre qu'elle vienne à lui. Il était persuadé d'être un amant exceptionnel et tenterait, un jour ou l'autre, de lui imposer ses caresses. Dans son idée, elle lui serait ensuite indéfectiblement attachée. Ce qui était le comble du ridicule, mais n'augurait rien de bon pour l'avenir : en admettant qu'elle se plie, une fois, à ses désirs, rien n'assurait que, le lendemain, Borgia ouvrirait la porte de la cage et aiderait sa prisonnière à gagner Florence. Et Fiora pensa qu'il était temps pour elle de prendre son destin en main. Elle en fut même tout à fait persuadée après la scène absurde qui eut pour cadre son cabinet de toilette.

Ce matin-là, Fiora venait d'entrer dans la grande vasque pleine d'eau tiède et parfumée. C'était le seul vrai plaisir de la journée et elle aimait à s'y attarder un peu mais, à sa grande surprise, Juana disparut sous un vague prétexte après l'avoir aidée à se plonger dans son bain et l'esclave noire qui venait habituellement la laver n'était pas encore arrivée. Elle s'en soucia peu, heureuse même d'être un peu seule et elle se détendait voluptueusement, les yeux fermés, quand elle entendit le léger grincement de la porte. Pensant que c'était l'une ou l'autre, elle ne bougea pas, mais la sensation de quelque chose d'anormal l'alerta et elle ouvrit les yeux. Planté devant elle, Borgia la dévorait des yeux et, soudain, laissant tomber la robe de drap doré qui l'enveloppait, il lui apparut entièrement nu et, de stupeur, elle en eut un instant le souffle coupé. Non que son corps, brun et vigoureux, fût déplaisant, mais une noire végétation en dévorait une bonne partie. Les poils noirs et frisés montaient du bas-ventre à l'assaut de la poitrine, des aisselles et des épaules. Fiora eut l'impression d'avoir devant elle un animal monstrueux, d'autant qu'il exhibait complaisamment une virilité expliquant le surnom dont les courtisanes romaines avaient décoré le bouillant cardinal.

Il la regardait avec la mine gourmande d'un loup qui s'apprête à dévorer une brebis, passant par instant le bout de sa langue sur ses épaisses lèvres rouge sombre. Épouvantée, Fiora se replia sur elle-même et, quand il mit un pied dans l'eau dans l'intention évidente de la rejoindre, elle poussa un hurlement qui fit s'envoler les pigeons sur le couronnement de la tour, elle jaillit du bain en repoussant l'assaillant qui tomba assis et s'enfuit, trempée, dans sa chambre. Là, arrachant l'un des draps du lit, elle s'y enroula en tremblant de tous ses membres, puis, courant se réfugier sur l'un des bancs de pierre encastrés dans chaque embrasure de fenêtre, elle ouvrit celle devant laquelle elle se tenait, bien décidée à se jeter en bas si Borgia faisait seulement mine de l'approcher.

Mais quand, l'instant d'après, il reparut, revêtu de sa robe doré et violet de fureur, il se contenta de jeter à la jeune femme un regard fulgurant puis, traversant la pièce à grandes enjambées, sortit en claquant la porte.

Le bruit parut réveiller Juana qui, occupée à préparer une robe lors de l'entrée de Fiora, s'était alors pétrifiée et avait suivi la scène avec stupéfaction.

– Mon Dieu ! articula-t-elle enfin. Ne me dites pas que vous l'avez repoussé ?

– Je me serais jetée par la fenêtre s'il avait essayé de m'approcher une seconde fois !

– Mais pourquoi ? Pourquoi ? N'est-il pas magnifiquement beau ?

– C'est possible, mais je ne suis pas sensible à ce genre de beauté ! Ce n'est pas un homme, c'est un singe !

– Comment pouvez-vous dire cela ? Les toisons de son corps sont douces comme la laine d'un agneau nouveau-né. Il est le dieu même de l'amour, ajouta Juana avec un trémolo dans la voix, et quand il vous possède, c'est le paradis qui s'ouvre.

Fiora considéra la duègne avec une sincère stupéfaction.

– Qu'est-ce que vous en savez ?

Doña Juana devint rouge brique et se mit à tortiller les clefs de sa ceinture, baissant pudiquement les yeux.

– Je le sais ! affirma-t-elle. Il y a vingt ans... nous nous sommes aimés... sous les orangers de mon jardin, à Jativa. Je n'ai jamais pu l'oublier et quand il est venu me demander, voici cinq ans, de venir à Rome pour veiller sur lui, je n'ai pas hésité un instant.

– Vous avez... recommencé alors ?

– Non. Il aime la jeunesse. D'ailleurs, un tel souvenir suffit à illuminer toute une vie, conclut-elle avec âme.

– Et, à présent, vous soignez les filles qu'il amène ici ? N'êtes-vous pas jalouse ?

Outragée par ce qu'elle considérait comme une offense, Juana se redressa et redevint un instant ce qu'elle avait dû être autrefois : une Espagnole hautaine et méprisante, confite dans la dévotion et uniquement consciente de l'antiquité de sa race.

– Jalouse, moi ? Et de quoi ? De ces filles de rien qu'il ramasse pour son plaisir et que j'habille, que je parfume pour qu'elles soient à peu près dignes de passer un moment dans son lit ? Mais je fais cela comme je sucrerais pour lui les pâtisseries qu'il aime. Ce qui compte, c'est que le même sang coule dans nos veines. Ces filles ne sont qu'un peu de poussière. Son plaisir à lui, son plaisir avant tout ! Il m'est même arrivé d'en maintenir certaines tandis qu'il assouvissait son désir. Et vous voudriez que je sois jalouse ?

– Il n'y a vraiment pas de quoi, en effet, soupira Fiora. Joli métier que vous faites ! En tout cas, mettez-vous bien ceci dans la tête : je ne suis pas, moi, une fille de rien, et votre Borgia non seulement ne m'intéresse pas, mais me répugnerait plutôt !

Le bruit d'une cavalcade dans la rue les fit taire. Juana ouvrit une fenêtre et regarda au-dehors, puis la referma, donnant tous les signes d'une profonde affliction :

– Il s'en va ! Vous l'avez chassé ! De quel bois êtes-vous donc faite ?

– De celui dont on fait les femmes honnêtes. Quelque chose qui n'a pas l'air de courir les rues de Rome. Vous dites qu'il s'en va ? Et où va-t-il, à votre avis ?

– Il a pris les épieux et il porte ses habits de campagne. Je pense qu'il va chasser le sanglier à la Magliana.

– Et... c'est loin, la Magliana ?

– Une villa, aux environs de Rome, mais quand il y va c'est pour se détendre les nerfs et il y reste au moins deux jours.

– Deux jours de tranquillité ! Quelle chance !

– Une chance ? Quand il revient, il est ivre de sang et de vin... et c'est avec joie que je t'attacherai à ce lit ! Tu t'es trop longtemps moquée de lui, ma belle ! Tu verras ce qu'il t'en coûtera !

Et, avec l'allure superbe d'une reine de théâtre, Juana quitta la chambre. Le bruit de la clef tournant plusieurs fois dans la lourde serrure convainquit Fiora qu'elle était une fois de plus enfermée. Mais elle préférait de beaucoup la solitude à la compagnie de l'adoratrice de Rodrigo.

Elle commença par se débarrasser de son drap mouillé, s'habilla, brossa ses épais cheveux noirs qu'elle tordit simplement en une seule grosse natte, puis revint s'asseoir dans le fauteuil qu'elle préférait pour y réfléchir. Il fallait, à tout prix, qu'elle ait quitté ce palais avant le retour du maître car ce retour, la chose était certaine, serait pour elle plus que désagréable. C'était déjà une chance que Borgia eût choisi d'aller passer sa fureur sur des sangliers au lieu de s'en prendre immédiatement à elle. Mais comment sortir ?

Les seules issues à sa disposition étaient les fenêtres, et elle savait depuis longtemps qu'elles étaient situées à une trop grande hauteur pour permettre une évasion par ce chemin, même en attachant des draps bout à bout et en y ajoutant quelques ceintures.

D'autre part, et en admettant même qu'elle y parvînt, elle ne serait pas au bout de ses peines. Où aller une fois sortie du palais Borgia ? Le seul asile où elle eût peut-être pu se réfugier, le palais du cardinal d'Estouteville – il lui avait été impossible d'apprendre où il se trouvait, s'il était proche ou lointain, d'accès facile ou non. D'ailleurs, quel accueil y recevrait-elle ? Borgia prétendait que Louis XI n'avait pas répondu au courrier envoyé par le camerlingue et que, très certainement, il l'abandonnait au sort qu'il conviendrait au pape de lui réserver. C'était peut-être faux, mais peut-être était-ce vrai. N'avait-elle pas, la veille de son enlèvement, chargé la princesse Jeanne de rompre en quelque sorte les ponts entre la veuve de Philippe de Selongey et le roi de France ? En ce cas, il était possible que Mgr d'Estouteville n'eût rien de plus pressé que de la ramener, dûment ligotée, au Vatican.

Non, le mieux était sans doute, si elle arrivait à sortir, de se diriger vers le nord, c'est-à-dire dans la direction de Florence, de se cacher jusqu'à l'ouverture des portes puis de se mettre en route. Malheureusement, entre Fiora et cette bienheureuse route de Toscane, il y avait les murs du palais Borgia, les portes du palais Borgia, les gardes du palais Borgia et, pour finir, la cousine de Borgia... qui semblait avoir décidé d'affamer sa prisonnière car, de tout le jour, elle ne reparut pas.

Fiora pensa d'abord que c'était sans importance. Elle avait de l'eau dans une carafe et même du vin d'Espagne. Elle avait aussi des fruits qui lui permettraient de ne pas souffrir de la faim. Et soudain, une idée lui vint, lumineuse, éblouissante. Seulement, il fallait, il fallait à tout prix que Juana revînt.

Les longues heures de l'après-midi, Fiora les passa à mûrir son plan et à rassembler les objets dont elle aurait besoin. Dans le cabinet de bains, elle trouva la brosse à long manche qui servait à nettoyer la vasque de marbre. Puis, à l'aide de ciseaux, elle découpa les grandes serviettes en longues bandes qu'elle tressa pour les rendre plus solides et noua bout à bout. Enfin, elle examina d'un œil critique les vêtements qu'on lui avait donnés. C'était là le point difficile. Comment courir les routes habillée de satin, de brocart ou de mousseline ? Comment surtout aller à pied avec les souliers qu'elle possédait ? Ce n'étaient que mules de velours brodé ou de satin clair. Il y avait même de hauts patins à la vénitienne que Fiora n'avait d'ailleurs jamais portés, se trouvant assez grande comme cela. Naturellement, les sandales de corde apportées du couvent San Sisto avaient été brûlées comme le reste de ses vêtements. C'était grand dommage, mais comme elle ne voyait au problème aucune solution, elle décida de s'en remettre à la Providence. En conséquence de quoi, elle cacha sa corde improvisée dans l'un des coffres à vêtements et revint s'asseoir pour faire semblant de lire *la Divine Comédie*. Elle aimait le long poème de Dante, mais son attention était ailleurs, toute dirigée vers les bruits extérieurs. Dans les plis de sa robe, elle dissimulait l'arme improvisée qu'elle s'était trouvée.

Le jour tomba sans qu'elle songeât à se lever pour allumer des chandelles. Son cœur battait un peu plus fort à chaque bruit qu'elle croyait entendre venant de l'intérieur de la tour. Un obscur pressentiment lui soufflait que sa fuite aurait lieu cette nuit ou jamais. Juana allait-elle enfin se montrer, ou attendrait-elle le retour de son cousin dans l'espoir que la solitude, l'inquiétude et le manque de nourriture rendraient la prisonnière plus malléable ?

Pour mieux respirer, car elle se sentait étouffer, Fiora alla ouvrir la fenêtre qui donnait sur la ville. Le temps était humide et frais. De lourds nuages couraient d'un bout à l'autre du vaste horizon. Le soleil qui ne s'était pas montré de la journée n'avait aucune raison de se coucher et Rome passait lentement d'une sorte de clair-obscur aux ténèbres nocturnes qu'aucune étoile, certainement, ne viendrait éclairer. L'air sentait la vase et les détritus de toutes sortes que charriait le fleuve voisin. Quelques points lumineux s'allumaient de loin en loin dans l'immensité grise sans rien enlever au côté sinistre que revêtait ce soir la Ville Éternelle sous le hérissement de ses campaniles et de ses tours de guet.

Soudain, Fiora pensa à un détail qu'elle avait oublié. Elle referma la fenêtre, alla s'accroupir devant la cheminée où le feu se mourait faute d'avoir été alimenté et alluma deux chandelles à des braises encore rouges. Puis elle entra dans le cabinet de bains qui possédait le luxe inouï d'une grande glace de Venise accrochée au mur. Elle avait emporté avec elle son luminaire, de quoi se coiffer et, bien entendu, sa brosse à long manche dont elle avait décidé que, de la nuit, elle ne se séparerait pas.

Une fois là, elle libéra ses cheveux, les partagea en deux nattes qu'elle roula autour de sa tête à la façon de Doña Juana. Elle terminait juste quand elle entendit, dans la chambre, un bruit de vaisselle qui lui fit battre le cœur. En même temps, un rai de lumière glissa sous la porte. Le moment était-il venu ?

Assurant fermement le manche d'ébène dans sa main, elle ouvrit la porte et sentit une onde de joie l'envahir. Juana était là. Penchée sur le plateau qu'un esclave avait dû monter jusque chez Fiora, elle disposait les mets puis, versant du vin dans la coupe, elle le sirota voluptueusement avant de remplir de nouveau le récipient. Toute à son plaisir, elle n'entendit pas venir Fiora.

Celle-ci n'hésita même pas. Brandissant son arme improvisée, elle l'abattit de toutes ses forces sur la tête de la duègne qui s'effondra sans un cri. Ce fut si soudain, qu'un peu inquiète elle s'accroupit près de la longue forme noire et inerte, craignant de l'avoir tuée. Cette crainte était l'unique raison pour laquelle Fiora avait choisi la brosse d'ébène plutôt que le tisonnier de bronze. Elle fut vite rassurée. Les cheveux avaient amorti le choc et Juana s'en tirerait avec une grosse bosse. A présent, il n'y avait plus de temps à perdre.

Aiguillonnée par la hâte, Fiora déshabilla la vieille fille qu'elle ligota ensuite avec les liens qu'elle avait confectionnés. Puis elle lui fourra dans la bouche un mouchoir qu'elle assujettit avec une écharpe de soie. Enfin, elle la tira par les pieds dans le cabinet de bains où elle l'abandonna sur le tapis avant de refermer la porte à clef. En admettant que Juana réussît à se libérer, il faudrait un moment avant que l'on vînt à son secours, la petite salle n'ayant pas de fenêtre, mais seulement des bouches d'aération.

La porte fermée, Fiora exhala un profond soupir de soulagement. Elle redoutait l'instant d'attaquer Juana autant qu'elle le souhaitait, et le plus difficile était donc accompli. Elle s'accorda un verre de vin pour se remettre, puis se hâta d'enfiler les habits de la duègne. Ils étaient un peu grands, mais elle remonta les jupes dans la ceinture de cuir qu'elle serra au maximum, sans oublier, bien sûr, les clefs qui y étaient pendues. Puis elle agrafa le voile de mousseline noire sur sa tête et n'hésita pas une seconde à passer autour de son cou la lourde chaîne d'or dont Juana était si fière. Comme elle ne possédait pas un denier, cette chaîne, vendue par morceaux, lui permettrait de manger au long du chemin et, peut-être, d'acheter une mule.

Une bonne surprise lui était réservée : les souliers de la duègne, de vigoureuses chaussures de cuir solide, étaient comme les vêtements, un peu trop grandes mais, en y glissant de petits tampons de linge pour les raccourcir, elle s'y sentit parfaitement bien. Évidemment, l'odeur des habits qu'elle avait endossés n'était pas très agréable. Juana aimait les parfums lourds. Cela sentait l'encens, l'œillet poivré et l'huile d'olive, mais Fiora pensa que la liberté n'avait pas de prix. Enfin, après un dernier regard à cette chambre dont elle avait cru ne jamais sortir, elle ouvrit la porte et se glissa au-dehors. Et ce fut avec un vif plaisir qu'elle tourna trois fois la grosse clef dans la serrure. A présent, il s'agissait de sortir du palais et elle en ignorait les aîtres en dehors de ce qu'elle avait pu apercevoir de ses fenêtres : des bâtiments ordonnés autour d'une grande cour à double rangée d'arcades que sa tour dominait de haut.

Elle vit qu'elle se trouvait sur un palier éclairé par une lampe à huile. Une volée d'escaliers étroits montait vers la terrasse où se tenaient les gardes, une autre descendait dans les profondeurs de l'édifice. Ce fut dans ceux-ci qu'elle s'engagea, tirant le plus possible sur son visage le voile noir et s'efforçant d'imiter le maintien de celle dont elle avait emprunté les habits.

L'escalier la mena jusqu'au rez-de-chaussée sans rencontrer âme qui vive sur les deux paliers qu'elle franchit. Là, elle se trouva en face d'une épaisse porte bardée de fer qui donnait peut-être sur ce jardin qu'elle n'avait jamais vu et semblait impossible à ouvrir. Se rappelant les clefs portées à sa ceinture, elle chercha si l'une d'elles pouvait convenir, mais elles étaient toutes trop petites.

Une autre porte peinte et ouvragée apparaissait sur le côté de l'escalier. S'en approchant, Fiora entendit des bruits de voix d'hommes et des rires. Puis il y eut un fracas de meubles remués, tandis que le ton des voix montait jusqu'à la querelle. On allait se battre dans cette salle, peut-être celle des gardes du palais. Donc, à éviter.

Fiora remonta un étage en espérant que la porte donnant sur ce palier-là serait possible à ouvrir. Elle se souvenait, en effet, d'avoir remarqué, en arrivant avec Borgia la nuit de sa fuite du couvent, une grande loggia qui devait faire suite aux appartements de parade.

Si elle pouvait atteindre cette loggia que l'on utilisait pour suivre les spectacles de la rue, elle réussirait peut-être à se laisser glisser jusqu'à terre. Mais il fallait y arriver.

Avec un luxe extrême de précautions, elle pesa sur le grand loquet orfévré. La porte s'ouvrit facilement et sans bruit. Au-delà, se trouvait une grande salle, mal éclairée par un chandelier posé sur une table miroitante, et qui semblait s'enfoncer à l'infini. Elle s'y avança avec précaution, mais sans être obligée d'étouffer le bruit de ses pas. D'épais tapis couvraient un dallage sombre sur lequel les flammes des chandelles se miraient comme dans un étang. Le haut plafond était peint à la ressemblance d'un ciel étoilé et il ne manquait qu'un peu d'air pour imaginer que l'on était dehors. Partout des divans dorés, des coussins étoilés d'or eux aussi, et Fiora se souvint d'avoir entendu Juana vanter certaine « salle des Étoiles » où son cher cardinal donnait de somptueuses fêtes.

La traversée de cette pièce magnifique lui parut durer un temps infini. Pourtant, elle y voyait assez clair pour ne heurter aucun des sièges ou autres meubles qui s'y trouvaient éparpillés. Enfin, elle sentit sous sa main les bronzes d'une porte et faillit crier de joie : celle-ci ouvrait directement sur la loggia.

Fiora avança lentement, rasant les murs peints à fresque dans la crainte d'être aperçue de la rue, mais un silence total régnait au-delà de la balustrade de pierre sculptée. Elle s'en approcha, un peu enhardie car on pouvait la prendre pour doña Juana, se pencha, et ne vit rien. La longue rue, qu'éclairaient vaguement les deux pots à feu allumés au grand portail du palais de chaque côté du blason au taureau de pierre, semblait déserte et aucune lumière ne brillait dans le jardin ni dans la maison d'en face. C'était assez rassurant, mais la hauteur où se trouvait la loggia l'était moins. L'obscurité donnait à Fiora l'impression d'être au bord d'un abîme sans fond où elle allait se briser. Mais elle n'avait pas le choix et il n'était plus possible de retourner en arrière. Il fallait faire quelque chose même si, à première vue, le geste semblait dérisoire.

Ôtant le long voile noir de sa tête, elle le déchira en deux sur toute la longueur, attacha les deux bouts aussi solidement que possible, puis noua le tout à la mince balustrade. Après quoi, ayant fait un rapide signe de croix, elle enjamba le balcon en tournant le dos à la rue, saisit le voile avec des mains qui tremblaient un peu – les jambes aussi d'ailleurs ! – et commença à descendre doucement. Son cœur battait à tout rompre dans sa poitrine. Le premier étage d'un palais romain, comme celui d'un palais florentin, était d'au moins trois toises et la corde improvisée ne devait pas mesurer plus d'une toise, compte tenu des nœuds qu'il avait fallu faire. Dans un instant, il faudrait sauter et le sol de la rue, pavé des cruels cailloux ronds du Tibre, n'était pas tendre.

Il fallut même sauter plus vite qu'elle ne pensait. Le voile était en soie et le nœud central se défit quand elle l'atteignit. Ce fut la chute. Épouvantée, Fiora eut tout de même la présence d'esprit de ne pas crier. Et pourtant quelqu'un cria car, à sa surprise, elle atterrit sur quelque chose de mou, ce qui adoucit beaucoup son arrivée.

Vivement relevée sous un déluge d'imprécations, elle considéra avec stupeur et désolation le mendiant qui s'était couché le long du mur du palais, à l'abri du vent, et sur qui elle venait de tomber. Debout lui aussi, il montrait sous un vieux chapeau cabossé un visage rubicond hérissé de poils gris et des yeux furibonds :

– Je... je vous ai fait mal ?

– Plutôt, oui ! Qu'est-ce qui te prend de m' tomber d'ssus comme ça ? Tu t' sauves ?... Ça peut être intéressant, quelqu'un qui s' sauve du palais Borgia !

Ses mains qui semblaient aussi fortes que des tenailles avaient saisi la jeune femme et ne semblaient pas disposées à la lâcher. Il cherchait à l'entraîner vers le portail et elle résistait de son mieux quand, soudain, du plus profond de sa mémoire, surgit un souvenir : celui d'un vieil homme qui, une nuit, lui avait offert l'hospitalité de son taudis dans un palais florentin en construction. Il avait dit qu'à un seul mot se reconnaissaient tous ceux de la confrérie des mendiants, et ce mot lui vint tout naturellement à la bouche :

– Mendici ! murmura-t-elle.

Ce fut magique. L'homme la lâcha aussitôt, tandis que son regard, de furieux, devenait curieux :

– Tu en es, toi aussi ? Difficile à croire. Je te connaîtrais, il me semble ?

– Non. Je suis de Florence et j'ai été amenée ici de force. Je veux rentrer chez moi...

– De force ? C'est vrai qu' t'as l'air d'une belle fille et

qu' les belles filles il en défile ici. Tu connais l' chemin d' Florence ?

– Non, mais j'espère trouver. Il faut aller vers le nord ?

– Faut sortir par la porte del Popolo ! T'as coupé mon sommeil alors j' vais t' montrer... mais si t'avais un p'tit quelque chose à m' donner pour ma peine, ça m' f'rait bien plaisir. Tu m'as fait mal, tu sais ?

Sans répondre, Fiora fouilla dans l'aumônière de Juana où elle avait, sans l'explorer, fourré la chaîne et la médaille, avec l'intention de donner celle-ci. A sa surprise, elle sentit sous ses doigts la rondeur de quelques pièces, en tira une avec l'impression que c'était un ducat et la mit sans la regarder dans la main du mendiant qui, lui, fit quelques pas vers les pots à feu. Elle comprit qu'elle ne s'était pas trompée en le voyant mordre dans la pièce.

– C'est bien d' l'or ! constata-t-il. Ça m'aurait étonné aussi qu' t'aies pas réussi à trouver une ou deux pièces comme celle-là dans c'te maison. Viens maintenant ! On y va ! J' te montre l' chemin et puis j' te laisse. J' tiens pas à c' qu'on m' voie dans la compagnie d'une femme qui s' sauve !

Il l'entraîna dans une rue étroite qui s'ouvrait au coin du palais et filait droit entre deux rangées de maisons d'inégale hauteur. Les yeux de Fiora s'accoutumaient à l'obscurité. Du reste, dans le ciel, les nuages poussés par un vent vif s'écartaient, s'effilochaient pour laisser voir, par instants, quelques étoiles. L'homme marchait vite, mais elle le suivait sans peine. Et puis, tout à coup, il n'y eut plus de maison, rien qu'un vaste espace vide, un énorme terrain vague où croupissaient les ruines d'une église et une sorte de tumulus ébréché. Le mendiant s'arrêta :

– J' te laisse à présent. T'as plus qu'à marcher tout droit en laissant à main gauche le mausolée d'Auguste.

– Cette espèce de taupinière est le mausolée d'Auguste ?

– Ou c' qu'il en reste. Fais comme j' te dis ! D'abord,

là-bas au bout, tu verras les braseros sur le rempart. La porte del Popolo est juste en face.

Elle n'eut même pas le temps d'un merci. Le mendiant se fondit, sans faire plus de bruit qu'un chat, dans l'ombre dense de l'église écroulée. Fiora resta là un instant, au bord de ce désert, goûtant une merveilleuse impression oubliée depuis bien des jours : elle était seule, elle était libre... Une fois hors de cette ville, une fois franchie la porte dont elle apercevait vaguement les feux de guet, il n'y aurait plus que la longue route qui menait à sa chère cité du Lys rouge. Elle en oubliait qu'il faisait nuit, qu'il faisait froid et que, tant qu'elle n'aurait pas laissé, loin derrière, les murs de Rome, elle serait en danger, tant il est vrai que le premier contact d'un prisonnier avec le grand air est toujours grisant. Elle avait envie de courir pour avoir davantage l'impression de s'envoler, mais c'eût été dangereux dans ce terrain inégal et sans la moindre lumière qui lui permît de suivre un quelconque tracé, en admettant qu'il y en eût un.

Fiora se mit donc en marche calmement vers le point qui lui avait été indiqué, essayant de ne pas buter sur les mottes de terre ou les dalles qui se soulevaient, regrettant de ne pas avoir une canne ou un bâton quelconque pour tâter son chemin. Elle arrivait à peu près à la hauteur du mausolée abandonné au pied duquel une vague lueur apparaissait dans les buissons quand, soudain, deux bras s'abattirent sur elle et la ceinturèrent, la réduisant à l'impuissance en dépit de sa défense, tandis qu'une voix triomphante criait :

– J'en tiens une!

– Tu rêves! fit une autre voix. Tu as dû prendre quelque berger!

– Je te dis que c'est une femme! Elle a même des tétons bien ronds et bien fermes!

D'autres mains s'étaient posées sur Fiora, tâtant ses seins ou s'appuyant sur sa bouche pour la faire taire. Il y avait à présent quatre ou cinq ombres qui la pressaient, sentant le cuir, le cheval ou même la crasse. Elle pensa qu'elle était tombée au pouvoir de bandits et s'efforça de mordre la main qui l'étouffait, sans y réussir. Une nouvelle voix, impérieuse celle-là, ordonna :

– Amenez-la ici qu'on voie à quoi elle ressemble!

Résister était impossible. Les ombres qui tenaient Fiora et qui portaient toutes des masques noirs l'entraînèrent vers le mausolée. Elle se retrouva dans une sorte de niche au milieu des buissons, éclairée par une lanterne. Un peu plus loin, il y avait des vaches à l'attache.

On jeta Fiora à terre et elle vit se dresser devant elle, masqué lui aussi, un homme grand et fort, vêtu d'un pourpoint brodé sous un grand manteau noir et qui, les poings aux hanches, la regardait en riant à gorge déployée, montrant des crocs de loup.

– Tenez-la, vous autres! ordonna-t-il comme la jeune femme se débattait furieusement pour se relever. C'est un vrai chat en colère... mais on dirait que nous avons eu de la chance. Une belle prise, ma foi! Celles qui viennent dans ces ruines pour y chercher des herbes la nuit ne sont pas souvent aussi affriolantes! Voyons ça de plus près! Ouvre son corsage, Orlando, et toi, Guido, retrousse ses jupes.

En un instant, Fiora horrifiée se retrouva les seins et les cuisses à l'air tandis que le chef commençait à dénouer ses aiguillettes. Elle se tordit comme un ver, ce qui fit hurler de rire ses compagnons.

– Pas tant d'histoires, la fille, tu n'en mourras pas! Nous ne sommes que six!

Un instant délivrée de la main appliquée sur sa bouche et qui glissa, Fiora hurla :

– Au secours! A moi! Au sec...

Elle entendit alors une voix qui répondait, en écho :

– Attaque Zeus! Attaque Héra!

Surgies de la nuit, les puissantes formes noires des grands chiens qu'elle connaissait déjà s'abattirent sur quatre hommes à la fois qui hurlèrent sous leurs morsures. En même temps, leur maître apparaissait dans le halo jaune de la lanterne. Sa canne s'était changée en une longue épée dont la pointe vint s'appuyer sur la gorge de l'homme qui s'apprêtait à violer Fiora :

– Eh bien, seigneur Santa Croce, fit la voix froide de l'Infessura, on se met à six à présent pour mettre à mal une bourgeoise romaine ?

– Une bourgeoise, ça ? Tu veux rire l'ami ? Que ferait-elle à cette heure de la nuit dans ces ruines ?

– Même la femme d'un notaire a le droit d'aller rejoindre son amant qui est aux Colonna, comme tout ce vieux mausolée et ce qui l'entoure. Tu devrais savoir ça, Giorgio Santa Croce ! Comme tu devrais savoir que tu es loin de chez toi et que vingt hommes seront là dans un instant si je siffle d'une certaine façon !

Santa Croce hésita, mais la pointe de l'épée fit perler une goutte de sang sur son cou :

– Tu me tuerais pour une bourgeoise ?

– Sans hésiter, parce que le pape me donnerait raison. Il tient à l'estime des magistrats de cette ville.

– Ça va ! Baisse ton épée et rappelle tes chiens ! Je n'ai pas envie qu'ils dévorent mes amis.

A vrai dire, de ceux-ci il ne restait plus que deux, ceux que Zeus et Héra maintenaient à terre sous la menace de leurs crocs rougis. Les trois autres avaient choisi une fuite sans gloire pour soigner leurs blessures et éviter des ennuis plus sérieux. Sur un ordre de leur maître, les deux bêtes revinrent s'asseoir à ses pieds. Mais l'un des deux hommes ainsi libérés eut un geste de fureur. Tirant un stylet de sa ceinture, il en frappa Fiora :

– Tiens, la belle ! Tu expliqueras à ton notaire de mari où tu as attrapé ça !

Il s'était relevé d'un bond et s'enfuyait déjà quand, lancée d'une main sûre par l'Infessura, une dague l'atteignit entre les épaules. Il s'abattit face contre terre sans un cri, déjà rejoint par Santa Croce et son dernier compagnon qui se penchèrent un instant sur lui avant de prendre le large sans plus insister. Mais cela, Fiora ne le vit pas : le coup reçu joint à la terreur qu'elle venait d'éprouver avait eu raison de sa résistance. Elle s'était évanouie...

Quand elle reprit connaissance, elle était toujours couchée dans l'herbe humide et son corsage était encore ouvert, mais son sauveur, à genoux près d'elle, s'occupait à appliquer un tampon de linge sur sa blessure. Il sourit en la voyant ouvrir les yeux :

– Tu as eu de la chance. La lame a glissé contre la clavicule et n'a pas atteint ta gorge. Néanmoins, cette blessure doit être soignée. Où allais-tu ainsi, seule et au milieu de la nuit ?

– A Florence...

– A pied ?

– Je me sauvais. Je me suis évadée tout à l'heure du palais Borgia.

En quelques mots, elle raconta ce qu'elle avait vécu à cet étrange promeneur de la nuit, sans rien chercher à dissimuler car il lui inspirait une totale confiance. Elle avait même l'impression qu'il était le seul homme droit et honnête de toute la ville.

– J'aurais juré que cela se passerait ainsi. Plus encore que ce taureau auquel il aime à se comparer, Borgia est un bouc puant. Il a couru trop de risques en te faisant évader de San Sisto pour ne pas réclamer le seul paiement qui l'intéresse. Il ne se serait pas soucié de toi, même pour plaire au roi de France, si tu avais été laide. Per Baccho ! je n'ai rien ici pour te faire un pansement et le sang coulera de nouveau si ce tampon n'est pas maintenu. Penses-tu pouvoir appuyer ta main dessus quand j'aurai refermé ta robe ?

– Il faudra bien... mais que vas-tu faire de moi ? Je... je ne me sens pas très bien...

Le corsage remis en place, elle essaya de se relever, sentit que la tête lui tournait. Infessura jura entre ses dents :

– Il faut pourtant bien que je t'emmène quelque part !

Tirant de son pourpoint une fiole enveloppée d'argent, le « scribe républicain » la déboucha, en appuya le goulot contre les lèvres de Fiora et fit couler dans sa bouche quelques gouttes d'une liqueur si forte qu'elle eut l'impression d'avaler de la flamme liquide. La chaleur envahit tout son corps et il lui sembla que ses forces revenaient.

– Merci, soupira-t-elle. Cela va mieux et si tu veux bien m'aider à me relever, je crois que je pourrai marcher. Pas jusqu'à Florence, bien sûr. Oh, mon Dieu ! J'étais si heureuse à l'idée d'y retourner, de retrouver bientôt...

– Plus tard, les attendrissements ! Il faut te tirer d'affaire. Le plus normal serait de t'emmener chez moi, mais c'est trop loin. J'habite près de Santa Maria Maggiore, sur l'Esquilin. Tu ne pourras jamais marcher jusque-là.

– Que faire alors ? N'y a-t-il pas ici près un hôpital, un couvent ?

– Ce serait te livrer. Non, je sais ce que nous allons faire. Je vais te conduire chez une amie. Elle saura te soigner et personne ne viendra te chercher dans le ghetto de Rome.

– Le ghetto ?

Fiora sentit se raidir le bras qui la soutenait tandis que la voix de son compagnon redevenait sèche et coupante :

– Tu es de ces gens qui méprisent les Juifs ?

– En voilà une idée ! J'ai trop souffert du mépris des autres pour avoir de ces dédains. Seulement, tu sais qui je suis, n'est-ce pas ?

– On a fait assez de bruit autour de toi.

– Alors tu sais aussi que je suis recherchée par la police du pape, et je ne voudrais pas mettre qui que ce soit en danger. Borgia avait les moyens de se défendre si l'on m'avait sue chez lui, mais une femme juive...

– Anna, elle aussi, a de grandes protections. En outre, durant les semaines que tu as passées chez le vice-chancelier, les recherches se sont un peu calmées. Le pape enrage. Après avoir fait visiter quatre fois le palais du cardinal d'Estouteville, il a fini par se faire à l'idée que tu as pu quitter Rome. Du moins il fait semblant. Viens, à présent, il est temps de nous mettre en marche.

– C'est loin, le ghetto ?

– Presque aussi loin que chez moi, mais nous avons le moyen de te simplifier le chemin.

Soutenue fermement par Stefano, Fiora marcha doucement jusqu'au Tibre qui coulait au-delà du mausolée. Zeus avait pris la lanterne dans sa gueule et éclairait le chemin, leur permettant d'éviter les buissons et les éboulis de pierres. Héra, le nez au vent, fermait la marche. Arrivés à la berge sur laquelle reposaient deux ou trois barques, Infessura en tira une à l'eau et y installa Fiora aux pieds de laquelle se couchèrent les chiens.

– Ce bateau, murmura Fiora inquiète, tu sais à qui il appartient ?

– Oui. Sois tranquille ! Jamais l'Infessura ne fera tort à l'un de ses frères humains. Je le ramènerai une fois que tu seras en sûreté. D'ailleurs, Pietro s'est blessé il y a deux jours et ne s'en sert pas.

Fouillant dans l'aumônière de Juana, Fiora tira l'une des trois pièces qui restaient et la tendit à son guide :

– Alors, tu lui donneras ça. S'il ne travaille pas en ce moment, il sera content d'avoir cet or.

Dans la nuit environnante – on avait masqué la lanterne – Fiora vit briller les dents de son guide et l'entendit rire doucement :

– Je savais bien, dit-il, que tu valais la peine que l'on t'aide. Désormais, je suis ton ami.

La barque glissait sur l'eau noire du fleuve. Stefano s'efforçait de la maintenir au plus obscur, sans beaucoup d'efforts car le courant l'aidait. Ils parcoururent ainsi la grande courbe au plus profond de laquelle étaient le Vatican, ses tours, ses gardes et ses espions, mais le petit esquif, mené de main de maître, ne faisait aucun bruit hormis, de temps en temps, un clapotis léger qui pouvait évoquer un oiseau en train de pêcher.

Le voyage parut interminable à Fiora. Le froid de la nuit la glaçait jusqu'aux os et sa blessure, sur laquelle elle ne cessait d'appliquer une main, lui donnait des élancements dans le cou. Pourtant, elle ne se sentait pas abattue et s'amusa même un instant à la pensée qu'arrivée enrhumée au palais Borgia, elle avait toutes les chances d'attraper un autre rhume à présent qu'elle en était sortie.

Infessura arrêta sa barque en face de l'île Tiberina et vint aider sa passagère à en descendre :

– Tu es lasse, n'est-ce pas ? demanda-t-il remarquant qu'elle pesait plus lourdement sur son bras, mais rassure-toi, nous sommes presque arrivés. Voilà le palais Cenci, ajouta-t-il en désignant la masse noire d'une construction farouche aux allures de forteresse, grâce aux moellons cyclopéens qui formaient, au rez-de-chaussée, une muraille aveugle à l'exception d'une porte étroite et haute puissamment bardée de fer. La maison du rabbin Nathan est en face, près de la synagogue. Anna est sa fille.

La ruelle dans laquelle ils cheminaient prudemment à cause des immondices sentait l'huile rance et la pourriture. Les maisons n'y étaient que d'informes constructions de petites briques et de torchis que dominait de haut le noble palais. Enfin, au bout d'une placette, Infessura s'arrêta devant une demeure plus grande et mieux construite que les autres. Elle était de bonnes pierres qui poussaient l'étage en encorbellement au-dessus d'une voûte ronde, menant sans doute à une cour arrière, et d'une porte au montant de laquelle se trouvait la mézouza. Cette petite niche, fermée par une grille de bronze, laissait voir, en s'ouvrant, une formule biblique écrite en caractères hébraïques sur un morceau de parchemin jauni. Elle indiquait à tous que cette demeure était celle d'un homme important pour la communauté juive.

Le poing de Stefano frappa cette porte selon un code convenu et elle s'ouvrit peu après sous la main d'une jeune femme vêtue d'une robe de soie jaune à manches flottantes et dont les cheveux, d'un noir d'encre, étaient tressés en plusieurs nattes sous une sorte de tiare orfévrée d'où tombait un voile safrané. Elle tenait une chandelle.

– C'est moi, Anna, dit l'Infessura. Je t'amène une amie. Elle a froid et elle a été blessée par la bande de Santa Croce en s'enfuyant du palais Borgia.

La main qui tenait la chandelle s'éleva de façon à mieux éclairer le visage de la nouvelle venue.

– Ah!... Entrez, bien sûr, mais je vais vous prier d'attendre un instant car j'ai une visite. Asseyez-vous là!

Elle recula pour laisser le passage. La porte donnait sur une petite salle, pavée comme une rue et pauvrement meublée : une table, trois escabeaux, un coffre et des bancs courant le long du mur. C'est l'un de ces bancs, le plus éloigné de l'entrée, que désignait la Juive. Au fond de la pièce, un rideau à grands ramages couvrait quelques marches descendant vers la salle suivante. Soudain, ce rideau se souleva sous la main d'une petite femme mince élégamment vêtue de velours brun et de soie blanche.

– Que fais-tu là? fit Anna d'un ton mécontent. Je t'avais dit d'attendre. Tu es trop curieuse!

Mais la nouvelle venue ne l'entendait pas. Les bras tendus, elle se précipitait vers les arrivants avec un cri de joie.

– Maîtresse! Ma chère maîtresse!

Fiora, qui tenait debout par miracle et par la seule force de son compagnon, leva les yeux et se crut victime d'un mirage. Il fallait que c'en fût un, sinon, comment imaginer que Khatoun était en train de la prendre dans ses bras [1]? Ses jambes fléchirent...

– Elle s'évanouit encore, constata Stefano. Il faut t'occuper d'elle tout de suite, Anna!

1. Voir *Fiora et le Magnifique.*

CHAPITRE IX

TROIS FEMMES

C'était bien Khatoun. Fiora s'en convainquit lorsque, au bout de quelques instants, elle émergea de son malaise, dû à la fatigue et au sang perdu. L'Infessura avait dû lui administrer une nouvelle dose de son cordial miraculeux, plus peut-être quelques gifles, car elle se sentait les joues chaudes et le goût poivré et parfumé de tout à l'heure était revenu dans sa bouche. Son esprit retrouva toute sa clarté sous l'influence de la joie en voyant, penché sur elle et noyé de larmes, le visage triangulaire aux yeux de chat de la jeune Tartare. Elle lui entoura aussitôt le cou de son bras pour plaquer sur ses joues deux baisers dont la sonorité traduisait sa joie.

– Mais que fais-tu là ? Je croyais bien ne plus te revoir...

– Moi non plus, maîtresse. C'est un grand bonheur pour Khatoun, même si elle te retrouve dans un triste état.

– Je ne suis plus ta maîtresse depuis longtemps.

– Tu le seras toujours pour moi, même si je dois obéir à quelqu'un d'autre. Comment oublier les jours heureux d'autrefois ?

– Vous vous embrasserez plus tard, fit une voix sévère. Je voudrais pouvoir poursuivre cet examen.

Fiora vit alors qu'on l'avait couchée sur une table, la tête soulevée par un coussin, et qu'Anna repoussait doucement Khatoun. Elle avait ôté le tampon de linge appliqué par Stefano et le tenait encore dans une main. Il était rouge de sang, preuve que la blessure avait beaucoup saigné. Anna le jeta, se détourna pour prendre quelque chose derrière elle, puis retroussa haut sur des bras minces et dorés les grandes manches de sa robe. Dans une main, elle tenait une sorte d'aiguille d'or au bout arrondi qu'elle éleva en l'air.

– Tenez-lui les bras, ordonna-t-elle. Je dois sonder la plaie et il ne faut pas qu'elle bouge.

– Je ne bougerai pas, affirma la blessée, ce qui amena un bref sourire sur les lèvres charnues de la Juive.

– C'est une promesse que l'on tient rarement. Je préfère que l'on t'immobilise. Cela te fera un peu mal, mais si tu remues, cela pourrait t'en faire beaucoup.

Les mains de Khatoun et de Stefano s'abattirent en même temps sur les bras de Fiora qui vit se pencher sur elle, attentif, l'étroit visage brun de son étrange médecin. En dépit d'une bouche un peu forte, Anna était belle grâce aux plus beaux yeux noirs que Fiora eût jamais vus. La courbure aquiline de son nez avait de la fierté, comme d'ailleurs tous les traits de son visage, et elle dégageait une odeur de marjolaine inattendue dans cette cave. Car la pièce dans laquelle on avait porté Fiora avait bien l'air d'en être une. Une voûte de pierres noircies qui devaient dater des Césars s'arrondissait au-dessus de la table mais, en tournant un peu la tête, Fiora put voir qu'elle disparaissait derrière une série de planches épaisses sur lesquelles s'entassaient des pots, des fioles, des boîtes, des paquets d'herbes et d'étranges vases de verre ou encore de gros livres aux reliures fatiguées : un ensemble qui lui rappela le cabinet de Démétrios à Fiesole et lui fit oublier qu'en effet l'exploration de sa blessure n'avait rien d'agréable.

– Je n'aime pas les lésions causées par un stylet, fit Anna en se redressant. Elles plongent souvent plus avant que celles faites avec une lame plus large. Celle-ci est moins profonde que je ne craignais, mais on dirait qu'elle a ouvert une cicatrice ? Tu as déjà été blessée à l'épaule ? demanda-t-elle à Fiora.

– Oui. J'ai reçu un coup d'épée il y a un peu plus de deux ans.

– Du travail bien fait. Qui t'a soignée alors ?

– Je ne pense pas que tu le connaisses, bien que ce soit un Italien. Il s'appelait Matteo de Clerici et il était le médecin du dernier duc de Bourgogne...

Le rire de l'Infessura lui coupa la parole. Un grand rire sonore et joyeux qui n'allait pas tellement à son personnage d'oiseau de nuit.

– On ne dirait jamais, à te voir, que tu es un vieux guerrier, donna Fiora ! Ainsi, tu as connu le Téméraire, ce prince fabuleux ?

– J'ai vécu auprès de lui jusqu'à sa mort, mais, dit Fiora avec un pâle sourire, n'es-tu plus républicain pour t'intéresser ainsi à un prince ?

– Le prince est mort et cela change tout. Son histoire me passionne comme tout ce qui est Histoire en général. Il faudra que tu m'en parles, donna Fiora ! Puis, se tournant vers Anna : Peux-tu la garder quelques jours le temps qu'elle aille mieux ? Ensuite je l'emmènerai chez moi. Je ne te cache pas que les sbires du pape la cherchent et sans doute à présent ceux de Borgia.

Anna, qui nettoyait la plaie avec du vin aux herbes avant de l'enduire d'un baume à l'odeur piquante, ne se détourna pas de son ouvrage :

– Je peux la garder quatre ou cinq jours et je pense que ce sera suffisant si la fièvre ne la prend pas. Mon père s'est rendu à Pérouse au chevet d'un vieil ami. C'est une chance !

– Le rabbin Nathan ne sait-il plus ouvrir sa porte à l'infortune ? demanda Stefano avec une sévérité où entrait de la déception.

– Pas à toutes. Les bonnes dispositions du pape envers la communauté juive de Rome lui sont précieuses.

– Au pape aussi. Il tire de vous pas mal d'or !

– Sans doute, mais il nous laisse vivre en paix et même il nous protège contre nos voisins. Qu'il nous retire son appui et les Cenci, ces fauves hargneux qui sont assis à notre porte et qui nous guettent, auraient tôt fait de nous mettre à mal et de brûler nos maisons. Cela compte.

– Que d'histoires! s'écria Khatoun qui jusque-là avait gardé le silence, se contentant de tenir dans les siennes la main de Fiora qu'elle portait à sa joue de temps en temps, comme elle le faisait autrefois quand elles vivaient ensemble au palais Beltrami. Pourquoi ne viendrait-elle pas chez nous? Je suis sûre que la contessa Catarina, ma nouvelle maîtresse, serait heureuse de l'accueillir. Elle est la seule, à Rome, qui se soit inquiétée d'elle et qui a toujours tout fait pour l'aider. Le palais est grand et...

– Mais c'est le palais Riario, coupa l'Infessura. Autant la jeter dans la gueule d'un tigre...

– Et puis, reprit Anna, donna Catarina va accoucher sous peu. Tu le sais bien, Khatoun, puisque tu es venue seule, ce soir. A ce propos, il est temps que je te donne ce que tu es venue chercher et que tu rentres chez elle.

– Oh non! protesta Khatoun. Pas tout de suite! Je viens juste de retrouver ma chère maîtresse qui a été pour moi comme une sœur et tu veux me chasser? J'ai tant de choses à lui dire, tant de questions à lui poser...

– Plus tard, les questions! Elle n'a que trop parlé! Nous allons la monter dans un lit et toi tu repartiras. Ton escorte doit trouver le temps long. Tu pourras revenir demain et chaque fois que tu le voudras, ajouta-t-elle en voyant s'emplir de larmes les yeux de la petite esclave tartare. Aide-nous à la porter là-haut!

Allumant une chandelle à la grosse lampe à huile qui éclairait la pièce, elle se dirigea vers les marches pour en soulever le rideau tandis que Stefano et Khatoun aidaient Fiora, dûment pansée, à descendre de la table où elle était couchée. Par un étroit escalier de pierres branlantes où une corde tenait lieu de rampe, on gagna l'étage. Sur un palier tapissé de bois se trouvait une porte qu'Anna dédaigna. Elle lui tourna même le dos et appuya sur une grossière moulure. Un panneau s'ouvrit qu'elle franchit pour aller allumer trois grandes bougies de cire fine placées dans un candélabre d'argent. Le décor s'éclaira, pour l'étonnement de ceux qui suivaient la jeune femme. Séparées par d'épaisses tentures de velours noir présentement relevées dans de lourds crochets d'argent, il y avait là trois pièces à la suite l'une de l'autre, trois pièces décorées avec un luxe tout oriental qui révélait la richesse réelle du rabbin et de sa fille. Peu de meubles. Seulement des lits bas et larges, quelques coffres peints, des tables basses incrustées d'ivoire, une profusion de coussins chatoyants et des tapis, surtout des tapis. Ceux d'Arménie ou du Caucase, aux longs poils aussi épais que l'herbe des champs, couvraient les dalles de pierre; ceux, à trame lâche, qui étaient souples et soyeux, décoraient les murs. Posé à même le sol, un grand vase à parfum en bronze laissait monter une vapeur odorante qui luttait victorieusement contre les effluves malodorantes de la rue et, devant les fenêtres closes qui extérieurement portaient des cordes à linge, des rideaux de cendal jaune soleil doublé, côté rue, d'une toile d'un gris pisseux étaient tirés.

Fiora déposée sur un divan dans la chambre la plus reculée, la Juive alla prendre dans un coffre une tunique de soie jaune puis, se tournant vers l'Infessura :

– Laisse-nous, à présent, homme libre! Tu reviendras, toi aussi, quand tu voudras. Khatoun partira après toi!

– C'est la seconde fois que tu me sauves, dit Fiora en tendant sa main valide à Stefano. Comment pourrais-je te remercier?

– Je ne suis pas Borgia pour demander un paiement. Il me suffit de savoir que nous sommes amis.

– C'est peu de chose!

– Crois-tu? Pour moi, entrer en amitié c'est comme entrer en religion. Cela crée des obligations et un lien véritable. L'amitié, vois-tu, c'est l'amour sans ailes. C'est moins exaltant peut-être, mais tellement plus solide.

Un moment plus tard, couchée dans ce lit étranger moelleux comme un cocon, Fiora attendait le sommeil que lui avait promis Anna en lui faisant avaler un gobelet de lait additionné de quelques gouttes d'une liqueur inconnue. Et pourtant, il tardait à venir. Peut-être parce que la jeune femme ne parvenait pas à surmonter sa déception. Bien sûr, elle venait d'échapper à de graves dangers, bien sûr elle était à l'abri, toutefois elle n'avait fait que passer d'une chambre fastueuse à une autre, luxueuse sans doute, mais qui ne semblait pas devoir donner davantage sur le grand air et sur la liberté. Elle aurait cent fois préféré achever cette nuit au creux de quelque mur croulant, dans quelque maison en ruine, car le jour levant aurait vu s'ouvrir pour elle les portes de cette Rome qu'elle haïssait de tout son cœur. La route de Florence, un instant entrevue, s'était évanouie comme un mirage.

La drogue commençait à agir. Le corps douloureux de l'éternelle fugitive se détendit en même temps que s'apaisait son cœur. En dépit de son sort précaire, ne faisait-elle pas preuve d'ingratitude envers la chance qui avait mis sur sa route Stefano Infessura et ses chiens et, surtout, qui lui avait permis, ce soir, de retrouver Khatoun ? C'était l'enfance, l'adolescence heureuse qui venaient de reparaître devant Fiora sous l'apparence de la petite Tartare, que Léonarde comparait si volontiers à un chaton à cause de son minois triangulaire, de son goût du lait et des pâtisseries, et de cette façon qu'elle avait de se rouler en boule au creux des coussins de soie qui composaient son lit. C'était aussi le dévouement et l'horrible souvenir de la maison de la Virago, le bordeau des rives de l'Arno d'où Khatoun, livrée comme Fiora elle-même à la prostitution, avait disparu, une nuit, pour suivre un homme tombé amoureux d'elle. Fiora croyait bien se souvenir que c'était un médecin de Rome mais, en ce cas, comment Khatoun était-elle venue au service de la comtesse Riario ? C'est sur cette dernière question que la blessée enfin, sombra dans un sommeil qui allait durer plus de douze heures.

L'histoire de Khatoun était simple et triste. Elle le raconta à Fiora le lendemain. L'homme qu'elle avait rencontré chez la Virago, Sebastiano Dolci, était un riche médecin de Rome qui, sous prétexte de voyager pour s'instruire, aimait à venir oublier dans la maison de Pippa l'austérité voulue par les convenances d'une existence bourgeoise et conformiste sur laquelle veillait, depuis le veuvage de Sebastiano, une tante déjà âgée. Cette dignité quelque peu sévère lui avait valu la considération de ses voisins et un cabinet des mieux achalandés. Mais, de temps en temps, Sebastiano qui n'avait que quarante ans éprouvait le besoin de s'évader et c'est ainsi que, venu un jour à Florence pour y rencontrer un maître de l'Université, il avait découvert un lieu de plaisir auquel il avait fini par vouer une certaine fidélité. Pippa savait le genre de fille qu'il préférait et il était rarement déçu mais, le soir où elle lui amena Khatoun, il éprouva un si violent émoi qu'il refusa, le matin venu, de s'en séparer et la racheta à la maquerelle.

De son côté, Khatoun s'était sentie séduite par ce bel homme doux et tendre qui, apprenant qu'elle était vierge, l'avait traitée comme il aurait traité sa fiancée au soir des noces. Ils avaient fait l'amour joyeusement et c'est non moins joyeusement que la petite Tartare suivit ce nouveau maître qui ne demandait qu'à être son esclave. Elle l'avait accompagné à Rome d'un cœur d'autant plus léger que les glapissements de la Virago, au petit matin, lui avaient annoncé que Fiora, délivrée par Démétrios, avait pu échapper à ses ennemis.

Sebastiano était si follement épris qu'il voulut épouser Khatoun sur la route du retour, dans une petite chapelle près du lac Trasimène, et c'est presque en triomphe qu'il l'a ramena chez lui dans sa maison de la via Latina. Un triomphe qui n'avait pas été du goût de tout le monde. L'amoureux médecin eut beau dire que sa jeune épouse était une princesse exilée qu'un navire vénitien avait embarquée à La Tana et ramenée sur les rives de l'Adriatique, la tante ne vit qu'une chose : son neveu s'était entiché d'une fille de couleur qui ne pouvait inspirer aucune confiance à la pointilleuse chrétienne qu'elle était. Que Khatoun eût juré qu'elle était baptisée et croyante n'avait rien changé à la chose : la tante s'était refusée à lui laisser dans la maison la place qui eût dû être la sienne, ne l'autorisant à régner, bien à contrecœur mais par la force des choses, que sur la seule chambre conjugale.

Ne pas avoir à régenter une maison n'avait guère peiné la jeune signora Dolci. Elle ignorait à peu près tout du métier de femme d'intérieur car, au palais Beltrami, où elle était née en réalité, elle avait un rôle purement décoratif en général, et en particulier celui de tenir compagnie à Fiora. Elle était heureuse de se consacrer uniquement à son cher Sebastiano et si, parfois, les journées de solitude lui semblaient longues et un peu amères, les nuits les compensaient largement par l'ardeur que les jeunes époux mettaient à s'aimer.

Et puis, au cours d'une de ces nuits, Sebastiano dut sortir. Un domestique du cardinal Cipriani, qui avait toujours protégé sa famille, était venu le chercher d'urgence et Khatoun avait attendu vainement son retour dans le lit aux draps froissés dont l'oreiller gardait encore la forme de sa tête. On retrouva son cadavre dans le Tibre, au jour levant et, le soir même, la pauvre Khatoun dont la tante n'avait jamais admis la réalité du mariage était conduite de force chez un trafiquant d'esclaves du Transtevere. L'homme l'avait gardée enfermée le temps qu'il fallait pour laisser se calmer, s'il y en avait, les remous causés par la mort du médecin et les éventuelles curiosités de la police ; très éventuelles, d'ailleurs, car ce genre de découverte était trop fréquent pour que les hommes du Soldan cherchent à savoir la vérité. Puis le marchand proposa cette pièce rare – la légende de la princesse exilée tenait bon – au comte Girolamo Riario qui l'offrit à sa jeune femme, non sans l'avoir fait passer par son lit.

Cette ultime nuit avait clos la liste des malheurs de Khatoun. La toute jeune comtesse Catarina était fière et un peu hautaine, mais bonne et généreuse. Sa nouvelle esclave lui plut au point d'en faire sa suivante favorite, et même sa confidente. Auprès d'elle, Khatoun retrouva presque le rôle qui avait été le sien chez Fiora durant tant d'années.

– Mais ce n'est tout de même pas toi, soupira-t-elle en conclusion de son récit. Il y a en elle une violence qu'elle n'ose pas montrer car elle est loin d'être heureuse avec le comte qui est une brute, un homme du commun dont l'oncle est devenu pape et qui, de ce fait, écrase tout le monde autour de lui. Il n'aime vraiment que l'or.

– Sa femme est belle pourtant ! Ne l'aime-t-il pas ?

– Il est fier parce qu'elle est princesse, mais il ne peut être question d'amour. Songe que, lorsqu'il l'a épousée, elle n'avait que onze ans et pourtant il a exigé que la nuit de noces ait lieu sur-le-champ. Je crois qu'elle ne le lui pardonnera jamais.

– Elle est enceinte néanmoins, si je me souviens bien ?

– Oui. Elle va accoucher d'un jour à l'autre. Même si elle déteste son époux, elle est obligée de le subir. Oh, elle a de grandes compensations : elle est la reine de Rome. Tout ce qui compte dans la ville est à ses pieds. Et puis, elle a les livres, le savoir. Au palais, il y a une pièce où elle aime se retirer pour composer des philtres, des potions, des onguents pour la beauté.

– Elle fait de l'alchimie ?

– Je ne sais pas si cette pratique s'appelle ainsi, mais la comtesse vient ici très souvent. C'est elle qui protège Anna la Juive – c'est comme ça qu'on l'appelle –, parce qu'elle apprend beaucoup de choses chez elle. Et puis, Anna lui compose des laits, des crèmes, des emplâtres qui embellissent ou qui aident à conserver la beauté. Donna Catarina écrit tout cela dans un livre qu'elle garde jalousement [1].

– Décidément, c'est une femme surprenante, fit Fiora,

1. Les recettes de beauté recueillies par Catherine Sforza, comtesse Riario, sont un fait historique, de même que ses relations avec Anna la Juive.

mais ne s'étonne-t-elle pas de tes absences ? Voilà deux jours que tu viens ici. Elle te l'a permis ?

– Je t'ai dit qu'elle est bonne. Je lui ai presque avoué la vérité : que j'avais retrouvé ma seule amie d'autrefois, qu'elle était malade, et qu'elle avait besoin de moi.

– C'est vrai, Khatoun. J'ai besoin de toi. Malheureusement, nous allons nous quitter bientôt. Dès que j'aurai recouvré mes forces, je demanderai à Stefano Infessura de m'aider à sortir de Rome. Je veux aller à Florence d'abord, pour être à l'abri des griffes du pape et de Hieronyma, et ensuite rentrer en France !

– Je partirai avec toi. Je ne veux plus te quitter... et puis j'ai envie de revoir donna Léonarda et de connaître le bébé Philippe.

– Tu crois que donna Catarina te le permettra ?

– Qu'elle le permette ou non est sans importance. De par la loi des esclaves, je t'appartiens toujours car tu ne m'as jamais vendue, ni chassée... ni affranchie.

– Si. Tu es affranchie depuis longtemps, Khatoun. Depuis le jour où, pour tenter de me délivrer, tu t'es jetée dans les pattes de la Virago. Tu le sais bien.

– Oui, mais je n'ai pas envie que cela se sache.

L'entrée d'Anna interrompit la conversation. La belle Juive venait renouveler, comme elle le faisait deux fois le jour, le pansement de sa malade qui lui donnait d'ailleurs toute satisfaction. Fiora avait échappé, grâce à ses soins, à la fièvre qui eût retardé une guérison avançant à grands pas. Anna avait donc toutes les raisons de se réjouir, pourtant, ce soir-là, elle était soucieuse.

– L'Infessura ne s'est montré ni hier ni aujourd'hui, dit-elle, alors qu'il avait promis de venir tous les jours...

– N'est-ce pas plutôt la nuit qu'il faut l'attendre ? dit Fiora. Nous ne l'avons pas vu la nuit dernière, sans doute. Il a pu être empêché. Il viendra ce soir...

Pourtant la nuit passa sans que le scribe républicain vînt frapper à la porte. On ne le vit pas davantage le jour suivant, et le quatrième matin se leva sans qu'il reparût.

– Il faut savoir ce qui se passe, déclara Anna. Je vais fermer cette maison soigneusement et me rendre chez lui. Tu n'ouvriras à personne, même à Khatoun ! ajouta-t-elle pour Fiora.

Dépouillant rapidement sa tiare dorée et ses robes traditionnelles, Anna prit des habits de servante, chaussa des socques, accrocha un panier à son bras comme si elle allait au marché et quitta sa maison par la cour de derrière que la voûte ronde faisait communiquer avec la rue.

Restée seule, Fiora qui, depuis la veille, se sentait assez bien pour se lever, erra dans la maison. Elle avait soif et descendit à la cuisine qui ouvrait de plain-pied sur la pièce d'entrée pour y chercher de l'eau, puis elle s'aventura dans le caveau qui servait de laboratoire à son hôtesse, feuilleta quelques livres, mais la plupart étaient écrits en caractères hébraïques et elle n'y comprit rien. Seul un traité d'Hippocrate, en grec, aurait pu retenir son attention, mais elle ne se sentait aucune affinité avec la médecine et regagna sa chambre, ne sachant trop à quoi s'occuper.

Machinalement, elle s'approcha de la fenêtre devant laquelle, le matin même, Anna avait étendu quelques pièces de linge. Il était tout de même possible d'observer ce qui se passait dans la rue. Par prudence, Fiora demeura à l'abri des rideaux à moitié tirés. Le spectacle n'avait rien de bien intéressant : quelques passants pauvrement vêtus portant presque tous la rouelle jaune, des enfants qui jouaient à la toupie sur une ancienne dalle romaine et, comme toile de fond, la façade rébarbative du palais Cenci qui semblait refermé sur lui-même et dont la masse dominait dédaigneusement le quartier.

Soudain, l'attention de Fiora se fixa : un homme venait de sortir de ce palais muet, tenant un cheval par la bride. Il s'arrêta au seuil, tournant la tête de tous côtés comme s'il cherchait d'où venait le vent puis, sans même prendre la peine de se hisser en selle, il se mit en marche lentement, lentement, observant les façades des premières maisons du ghetto. Cet homme, c'était Giovanni-Battista de Montesecco. C'était l'homme qui l'avait enlevée de France et amenée captive à Rome.

Le cœur de la jeune femme manqua un battement. Que cherchait-il dans ce quartier misérable ? Il avait fait visite, sans doute, à quelque habitant du palais Cenci, mais l'endroit n'était pas un lieu de promenade agréable et il aurait dû enfourcher son cheval et s'éloigner rapidement. Pourtant, il traînait, il s'arrêtait pour regarder quelque chose, revenait en arrière, repartait. Derrière ses rideaux, Fiora murmura une prière pour qu'Anna ne revînt pas à cet instant. Même sous son déguisement, elle attirerait sûrement, ne fût-ce que par sa beauté, l'attention de cet homme qui, sous le vocable de condottiere, cachait en réalité un chef de spadassins.

Heureusement, quand Anna reparut, son panier plein, Montesecco avait disparu depuis quelques minutes dans la direction opposée à celle par laquelle revenait la Juive. Fiora descendit à sa rencontre, ce qui la surprit :

– Tu t'es levée ? N'est-ce pas un peu tôt ?

– Pourquoi pas ? Je n'ai pas de fièvre et mes jambes me semblent tout à fait solides. Enfin, je n'aime pas rester couchée quand je peux l'éviter. As-tu des nouvelles ?

– Oui, et elles ne sont pas bonnes. L'Infessura a été arrêté avant-hier.

Fiora se sentit pâlir :

– Mon Dieu ! Et... sait-on pourquoi ?

– Pas vraiment, mais l'avis général est que le pape l'a fait saisir par le Soldan à cause de ses écrits qui courent les rues de la ville. C'est ce qu'il appelle donner les nouvelles de la nuit. On les trouve souvent au marché du Campo dei Fiori ou encore près d'une vieille statue, reste d'un groupe antique, que les gens du quartier appellent Pasquino. Stefano aime à y déposer ses pamphlets. Il paraît que le dernier parlait du seigneur Santa Croce qui aurait tenté de violer une femme dans les ruines du mausolée d'Auguste...

– Doux Jésus! Mais c'est moi cette femme-là! Quelle folie d'aller crier cette histoire aux quatre vents! Stefano m'a délivrée et c'est là que j'ai reçu ce coup de stylet.

– Une folie sans doute... à moins qu'il n'ait pensé qu'on n'oserait pas s'attaquer à lui ? Le peuple l'aime et ce qu'il cherche, au fond, c'est à soulever ce même peuple pour que Rome puisse redevenir une république à la manière des temps anciens. Il ne se gêne pas pour clamer qu'on ne fait rien de bon dans la ville, que le nombre des vols, des homicides et des sacrilèges ne cesse de grandir. Il espère dans la puissance d'une foule indignée et rendue furieuse.

– Je ne sais pas s'il a raison. En tout cas, il n'est plus un « homme libre » et j'y suis pour quelque chose. En outre, il faut que je te dise ce que j'ai vu, il y a un moment.

Anna écouta sans mot dire le court récit de Fiora et ne s'en montra pas autrement émue :

– Il peut s'agir seulement d'une coïncidence, dit-elle enfin. Les frères Montesecco, Gian-Battista, que tu connais, et Léone, le capitaine de la garde pontificale, entretiennent d'excellentes relations avec les familles les plus turbulentes de la ville dès l'instant où elles ne sont pas alliées aux Colonna. Les Cenci sont de ceux-là, mais, quoi qu'il en soit, la présence de cet homme aux abords de notre maison et, surtout, cet intérêt qu'il semblait porter au voisinage ne sont pas très rassurants.

– Il faut que je m'en aille, dit Fiora. Quand rentre ton père ?

– Dans deux jours selon toute vraisemblance, puisque je n'ai pas reçu de nouvelles. Mais comment te faire partir ? Et ne me réponds pas : à pied. Tu n'es pas encore assez solide.

– J'ai un ducat et aussi une chaîne d'or avec une médaille que j'ai volés à celle qui me gardait chez Borgia. J'ai seulement besoin d'une monture, d'un costume de garçon et d'un peu d'argent monnayé pour me rendre à Florence. Là, je serai sauvée... du moins je l'espère.

– Cela doit être faisable. Mais, d'abord, viens avec moi. Nous allons peut-être savoir.

Prenant Fiora par la main, elle la conduisit jusqu'au caveau que la jeune femme avait visité un moment plus tôt. Là, elle la fit asseoir sur un banc puis alluma dans la cheminée une brassée de pommes de pin qui s'enflammèrent en crépitant. En attendant qu'elles se réduisent en braise, Anna coupa une mèche des cheveux de sa pensionnaire, les disposa sur une petite pelle de fer qu'elle posa sur le feu. Les cheveux se racornirent pour ne plus laisser qu'un peu de cendres légères. Ensuite la Juive alla chercher un bassin rempli d'une eau qui semblait très pure et qu'elle posa sur le banc entre Fiora et elle avant d'y jeter les cendres. Puis elle se pencha sur le bassin dans lequel se reflétaient les trois flammes du chandelier allumé sur la table. Comprenant qu'Anna cherchait une réponse aux questions qu'elles se posaient toutes deux, Fiora retint son souffle, regardant avec curiosité les prunelles de la jeune femme se dilater, devenir si larges qu'elle n'en pouvait plus détacher son propre regard. Elle épiait les expressions de ces yeux noirs et crut y lire de l'effroi...

Soudain, Anna se détourna du bassin, secouant la tête avec agacement :

– Je ne vois rien ! dit-elle.

– As-tu donc le pouvoir de lire l'avenir ?

– Oui, mais en ce qui te concerne, je ne peux rien voir.

Elle semblait gênée, se détournait, se levait et marchait par la pièce avec une agitation qui effraya Fiora :

– Tu es bien certaine de n'avoir rien vu ? demanda-t-elle doucement. Ou bien préfères-tu ne rien me dire ? J'ai cru lire de la peur dans ton regard. Je t'en prie, quel que soit mon destin, je préfère en être avertie ! Je suis passée par tant d'épreuves que je ne suis plus effrayée par grand-chose.

Après quelques instants de silence, Anna mit fin à ses allées et venues et revint s'asseoir auprès de Fiora :

– C'est peut-être parce que tu es trop proche de moi en

ce moment que je ne vois rien de net, sinon un lieu obscur comme une prison, une foule en colère... du sang!

– Le mien? dit Fiora en pâlissant malgré elle.

– Je ne crois pas. Ne me demande pas pourquoi, mais c'est comme une voix secrète... je n'ai entrevu... que de nouvelles épreuves à travers lesquelles tu dois passer.

Elle prit la main de Fiora et la serra entre les siennes en fermant les yeux à demi :

– Non... Ce sang n'est pas le tien, mais tu en souffriras tout de même... Il y a une route au-delà... Je ne sais où elle mène.

Lâchant la main de la jeune femme, Anna lui offrit un sourire las et alla reprendre le flambeau pour indiquer qu'elle désirait remonter dans son appartement :

– Tu vas me prendre pour une folle, soupira-t-elle, et je suis, en tout cas, bien loin de ma réputation. De toute façon, même s'il m'arrive d'avoir de claires visions, je sais que je n'atteindrai jamais à la clairvoyance qui fut celle de ma mère... et qui l'a conduite à sa perte.

– Te prendre pour une folle, sûrement pas! J'avais un ami, à Florence, un médecin venu de Byzance et devant qui, parfois, se levait le voile de l'avenir. Il ne savait pas, lui, d'où cela lui venait. Ta mère était ainsi?

– Elle était plus que cela : l'une de ces grandes prophétesses comme le peuple d'Israël en a connues et en connaîtra peut-être encore. Les tribus juives de Naples savaient toutes que Rebecca, l'épouse de Nathan, le riche rabbin, était inspirée de l'Esprit et, dès mon plus jeune âge, j'ai éprouvé pour elle cette admiration et cette crainte respectueuse que l'on voue aux êtres qui ne sont pas tout à fait de cette terre. J'osais à peine l'appeler « ma mère », cette grande femme brune, très belle, dont les yeux avaient toujours l'air de voir au travers de moi, au visage si grave qu'il ignorait le sourire. Elle a marqué mon enfance d'une empreinte redoutable où entrait quelque chose qui ressemblait à une terreur sacrée.

– Elle est morte? murmura Fiora impressionnée.

– Oui... et les flammes du bûcher où le Saint Office et la cruauté du roi Ferrante de Naples l'on fait monter n'ont abouti qu'à lui ajouter une auréole flamboyante et terrible qui me hante encore.

Vaincue peut-être par un silence trop longtemps retenu, Anna la Juive retraça, pour cette inconnue accueillie par charité mais en qui elle devinait une sœur de souffrance, ce qu'avait été sa vie depuis ce moment terrible où, fillette de douze ans chargée des mêmes chaînes qui liaient son père, elle avait dû rester jusqu'à la fin en face de l'énorme fournaise où se consumait le corps de sa mère. Elle en avait gardé un souvenir d'horreur qui la faisait encore trembler durant ses heures de méditation, mais son âme en avait été trempée à jamais car elle en avait retiré une immense exaltation d'orgueil. La morsure du feu, en effet, n'avait pas arraché une plainte à Rebecca, murée dans son dédain et ses visions de l'au-delà. Et l'enfant, sous ses paupières closes que la chaleur faisait douloureuses, avait prié pour qu'il lui soit donné de savoir mourir avec le même courage si, un jour, elle venait à subir le même sort.

Le supplice terminé, Nathan et sa fille, épargnés par on ne sait quel miracle, avaient été traînés par les soldats de Ferrante jusqu'à une petite baie du sud de Naples où abordaient secrètement les navires marchands de Tunis. Comment l'enfant fragile, comment l'homme harassé n'avaient-ils pas succombé, c'était l'un de ces mystères de la volonté humaine et de la haine qui, lovée au cœur des plus faibles, peut les porter plus loin que les forts. Vendus comme esclaves, Nathan et sa fille auraient dû entamer un nouveau calvaire mais, curieusement, en les vendant aux Tunisiens, les soldats de Ferrante leur avaient sauvé la vie.

Près de l'antique Carthage vivait un riche Juif nommé Amos, parent de Rebecca et qui jouissait d'un certain crédit auprès du gouverneur mérinide de la région. A peine arrivé au port, Nathan s'était réclamé de lui. Amos était accouru. Il avait sans peine racheté le père et la fille et les avait emmenés dans la belle maison qu'il possédait près de la mer. Là, tous deux avaient retrouvé force et santé.

Néanmoins, Nathan refusa l'offre que formulait Amos de les garder auprès de lui. Il voulait retourner en Italie pour y préparer sa vengeance. Sa réputation y était grande et, à Rome, il comptait beaucoup d'amis dans la colonie juive. En outre, il savait n'avoir rien à craindre du pape tant qu'il ne se dresserait pas contre. Un matin, Anna et lui s'étaient embarqués à La Marsa, sûrs de trouver au bout du chemin asile, protection et même possibilité de refaire fortune.

Sept années s'étaient écoulées depuis ce retour. Anna les avait employées à l'étude et au développement de ses dons naturels. Auprès des vieilles du ghetto et de ceux qui savaient lire dans les astres, elle avait perfectionné les leçons de Rebecca et appris l'art redoutable des philtres et des poisons. Et puis, elle avait attendu les clients qui, de plus en plus nombreux, lui avaient fait une réputation, un nom que l'on se passait sous le manteau et qui, un soir, avait amené chez elle la nièce du pape

– Tu as déjà vendu des poisons ? demanda Fiora après une légère hésitation.

– Oui. Et sans remords. Chaque fois que j'ai remis à quelqu'un une liqueur ou une poudre mortelles, je me suis réjouie dans mon cœur parce que les prêtres sont nombreux dans cette ville des papes et que mon poison était peut-être destiné à l'un d'eux. Je les hais, je les hais tous, car ils font partie de ceux qui ont aidé Ferrante à enchaîner ma mère au bûcher.

– Et tu n'as pas peur qu'un jour...

– On en allume un pour moi au Campo dei Fiori ? Non. Si je peux parvenir à faire tuer Ferrante de Naples, j'y monterai avec joie.

– Je comprends ce que tu éprouves car j'ai, moi aussi, cherché la vengeance, mais Dieu a frappé avant moi...

– Et tu es satisfaite ?

– Oui et non. Oui, parce que la main du Seigneur a frappé plus fort que je n'aurais pu le faire. Non, parce que le désir de vengeance est encore en moi. Tant que vivra la meurtrière de mon père, je ne connaîtrai pas la paix. D'ailleurs, elle me menace encore.

– Elle est ici, à Rome, et tu veux aller à Florence ?

– Je ne peux l'atteindre sans me livrer. Il faut que je parte et tu le sais bien, mais je ne renoncerai pas.

– Je t'aiderai si tu le veux !

La nuit tombait. Anna alla tirer les rideaux, puis alluma des chandelles.

– J'attends quelqu'un cette nuit. Ne t'inquiète pas si tu entends du bruit et, surtout, ne bouge pas.

– Et Khatoun ?

– Si elle vient, je te l'enverrai.

Cependant la nuit passa sans ramener la jeune Tartare et l'anxiété tint compagnie à Fiora jusqu'au lever du jour. Dans les heures prochaines, Anna lui procurerait sans doute les moyens de fuir, mais la pensée de s'éloigner à nouveau sans avoir au moins revu Khatoun lui était insupportable. Quand elle était partie pour la France, avec Démétrios, Esteban et Léonarde, elle s'était résignée à la séparation d'avec sa petite compagne d'enfance parce qu'elle la croyait heureuse et engagée dans le destin qu'elle avait choisi. Mais la laisser dans cette situation de semi-esclavage, de servante privilégiée peut-être, mais servante tout de même, lui était intolérable. Bien sûr, Khatoun pourrait la rejoindre à Florence et le ferait sans doute si elle était libre, mais donna Catarina ne la laisserait certainement pas partir. D'abord parce que son époux avait dû la payer cher et ensuite parce que, semblable en cela à toutes les grandes dames italiennes, elle devait tenir beaucoup à ce petit personnage exotique. Les Tartares étaient rares et d'autant plus précieuses.

Pourtant, il allait falloir se résigner : Anna, en lui apportant son déjeuner, lui avait fait mille recommandations sur les soins que sa blessure réclamait encore. Dans un sac, elle avait placé de la charpie, des bandes, une fiole d'eau-de-vie pour nettoyer et deux pots d'onguent. Puis elle avait soigneuement examiné sa patiente et surtout la plaie, en bonne voie de cicatrisation, sur laquelle un épais pansement avait été posé.

– C'est donc cette nuit que je pars ? demanda Fiora.

– Oui. Une heure avant le lever du jour, je te conduirai jusqu'à la porte del Popolo où tu attendras le moment de la franchir. Je t'ai trouvé un mulet et un costume de paysan. Avec un peu de chance tu atteindras Florence sans trop de peine. Mon père rentre demain et je serai là pour le recevoir.

Mais un sort capricieux avait décidé que Fiora ne retrouverait pas, cette nuit-là, le chemin déjà interrompu et ne verrait pas l'aube se lever sur la porte del Popolo. Les cloches des innombrables églises et couvents venaient de sonner pour le dernier office et les valets avaient allumé depuis un moment les pots à feu dans leurs cages de fer à l'entrée des palais quand une litière fermée, escortée de quatre cavaliers, pénétra dans la rue et franchit la voûte ouvrant sur la cour.

Étonnée car elle n'attendait personne, Anna ouvrit une étroite fenêtre donnant sur l'arrière de la maison et se pencha. Puis, saisissant un flambeau, elle se précipita dans l'escalier :

– C'est Khatoun ! s'écria-t-elle. Et la comtesse Riario est avec elle. Ne bouge pas ! Il faut que je sache ce qu'elle veut !

Fiora n'eut pas le temps de se poser des questions. Dans un flot de taffetas mordoré, de fourrures fauves et de dentelles neigeuses, donna Catarina, débitant un torrent de paroles, envahissait déjà l'escalier et faisait irruption dans la pièce où se tenait Fiora. Sa grossesse presque à terme la faisait aussi large que haute, mais son visage demeurait frais comme une rose et elle n'avait rien perdu de sa combativité :

– Je viens vous chercher! clama-t-elle un peu essoufflée tout de même avant de s'affaler au milieu des coussins de l'un des divans bas, ce qui lui mit le ventre à la hauteur du menton. Et grâce à Dieu, j'arrive à temps!

– A temps pour quoi, Madonna?

– Mais pour vous empêcher de faire cette folie de partir à l'aurore, seule et certainement encore mal remise, d'après ce que me dit Anna.

– Je n'ai pas le choix. Le rabbin Nathan revient demain et ma présence lui serait désagréable. Je ne peux pas le lui reprocher. Il tient à garder la protection du ... Saint-Père!

La jeune comtesse sourit, ce qui fit rayonner son visage et plisser ses taches de rousseur :

– On dirait que le mot a du mal à passer? Ne lui en veuillez pas trop! Il serait assez bon homme, au fond, si son entourage familial ne le poussait pas à des excès regrettables. Mais nous allons avoir tout le temps de parler. Préparez-vous, je vous emmène!

– Pardonnez-moi, donna Catarina, mais... où donc?

– Chez moi, voyons! Ne prenez pas cet air effarouché! Mon époux est parti vers le milieu du jour pour un domaine que son oncle vient de lui offrir à Segni. Cela nous donne quelques jours pour d'abord vous reposer un peu plus. Ensuite, c'est moi qui vous donnerai les moyens de gagner Florence. Ne cherchez pas, Khatoun m'a renseignée. Comme je sais qu'elle a été élevée au palais Beltrami, car elle ne m'a rien caché de sa vie passée, je n'ai pas eu de peine à deviner qui pouvait être cette amie malade qu'elle tenait à visiter chaque jour.

– Et vous voulez m'aider à rejoindre Florence, vous, la comtesse Riario?

– Non. Moi, Catarina Sforza! Mes parents et les Médicis entretenaient d'excellentes relations et vous vous souvenez peut-être de cette visite que nous avions faite à Florence, en grand apparat, voici quelques années?

– Je ne l'ai jamais oubliée! Votre Grâce était encore

une enfant... Le cortège du duc de Milan était magnifique.

– Et... Giuliano de Médicis l'était plus encore! J'avoue qu'à ce moment, je suis tombée amoureuse de lui... un peu aussi de Lorenzo, si laid mais si fascinant! Or, le hasard m'a fait découvrir que le comte Riario... mon époux, fomente contre eux un complot avec ce vilain singe de Francesco Pazzi et votre ami Montesecco!

– Montesecco? Je l'ai vu hier, dans cette rue. Il sortait du palais Cenci et il s'intéressait beaucoup aux maisons de ce côté.

– Cela n'a rien d'étonnant. Il est possible que les Cenci trempent aussi dans la conspiration. En quels termes êtes-vous avec les Médicis?

– Lorenzo m'a sauvé la vie, aidée à fuir, protégée par-delà l'exil, et je sais qu'il n'a jamais cessé de veiller sur mes intérêts. C'est pourquoi le chemin de sa ville m'est apparu comme le seul par lequel je puisse rentrer en France et rejoindre mon fils.

– C'est pourquoi j'ai décidé de vous aider à fuir Rome. Il faut que je puisse envoyer quelqu'un de sûr à Florence, quelqu'un d'assez éloigné de moi pour que mon rôle dans cette affaire ne soit jamais connu, car alors ma vie ne vaudrait pas cher. Par chance vous êtes là et, à nous deux, nous parviendrons peut-être à éviter un grand malheur.

– Si grand que cela?

– Jugez plutôt! Mon époux et ses amis veulent faire assassiner les Médicis. Et cela prochainement... Mais nous perdons du temps! Pressez-vous, je vous en prie!

Fiora n'était pas encore décidée. Elle n'aimait pas l'idée de séjourner, même deux ou trois jours, au palais Riario où elle craignait de se jeter dans la gueule du loup. D'autre part, ce qui s'y tramait était franchement abominable et contraire à ses propres intérêts. Que les Médicis soient abattus et que Riario devienne le maître de Florence, et tout s'évanouissait des espoirs qu'elle y plaçait.

– Si l'on apprend que je suis venue chez vous, dit-elle,

ne croyez-vous pas que votre époux fera le rapprochement au cas où nous ferions échouer ses projets ?

– Il est absent, vous dis-je! Et ceux de mes serviteurs qui vous verront sont venus avec moi de Milan : ils me sont tout dévoués. Hâtez-vous, je vous en prie! Si vous voulez vous sauver vous-même tout en préservant la vie de vos amis, vous n'avez pas le choix. Je vous en dirai plus dans ma litière.

Cette fois, Fiora se rendit. Le costume de paysan qu'avait préparé Anna ne pouvait lui être d'aucun secours et elle choisit de reprendre les habits de doña Juana qui avaient l'avantage d'être d'une grande discrétion. La Juive les compléta d'un voile noir, celui que Fiora portait lors de sa fuite étant demeuré atttaché aux balustres du palais Borgia. Puis, au moment de lui rendre l'aumônière, elle profita de ce que Catarina s'intéressait à une statuette antique placée dans une niche pour montrer à Fiora, au creux de sa main, un tout petit flacon enveloppé d'une gaine de plomb et soigneusement bouché qu'elle glissa dans la poche de velours en murmurant :

– Si ton ennemie boit cela, dans du vin ou dans n'importe quoi, elle mourra dans la semaine sans que personne puisse savoir de quelle maladie. Que Jehovah te garde!

Fiora hésita un instant à prendre ce qu'on lui offrait. Le poison était, à ses yeux, une arme indigne, mais elle ne voulait pas désobliger son hôtesse. Elle chercha la médaille d'or qui avait appartenu à Juana et voulut la lui donner, mais Anna refusa :

– Non. Tu ne me dois rien puisque l'hospitalité t'a été mesurée. Donne ceci à quelqu'un qui en aura un plus grand besoin.

Les deux femmes s'embrassèrent sous l'œil impatient de Catarina. Khatoun, à qui elle avait ordonné de rester en bas, venait de monter à son tour, inquiète de voir le temps passer et craignant peut-être que Fiora ne se fût pas laissé convaincre.

– Il faut venir vite ! Tu peux avoir confiance, tu sais ?

– J'ai confiance. Pour que donna Catarina soit venue en personne jusqu'ici, et en pleine nuit, alors qu'elle devrait être dans son lit où elle va enfanter, il faut que son intérêt pour moi soit grand.

Confortablement garnie de matelas de plumes et de coussins épais, fermée par des rideaux de velours brun doublés de satin blanc et protégée des intempéries par des volets de cuir armorié, la litière qui attendait donna Catarina possédait toutes les qualités nécessaires pour couvrir agréablement les plus longs trajets. Les trois femmes y prirent place. La jeune comtesse avec une satisfaction qui disait assez sa fatigue. Elle s'étendit de tout son long dans le fouillis soyeux tandis que Khatoun prenait dans un petit coffre doré un flacon de liqueur dont elle versa quelques gouttes dans deux gobelets. Elle tendit l'un à Fiora et fit boire l'autre à sa maîtresse dont les traits venaient de se tirer et qui fermait les yeux.

– Vous auriez dû me laisser venir seule, Madonna ! reprocha-t-elle doucement. C'eût été plus prudent. De toute façon, votre litière est respectée jusque dans les endroits les plus dangereux.

Catarina rouvrit les yeux, prit le gobelet et avala le reste d'un trait, puis se redressa un peu :

– Il fallait que je vienne. Donna Fiora ne t'aurait peut-être pas suivie sans mon insistance. Et nous avons à parler.

– Vos gardes ne risquent pas d'entendre ? murmura Fiora qui avait bu avec plaisir l'excellent vin de Chypre qu'on lui avait offert.

– La litière est bien close. En outre, le bruit des roues et le pas des chevaux sont suffisants. D'autant que nous n'allons pas crier. Nous sommes assez près l'une de l'autre pour que même le cocher n'entende rien. La raison pour laquelle mon époux a monté ce complot...

– Je la connais depuis longtemps, coupa Fiora. Nous

savons tous, à Florence, que le pape souhaite que votre époux devienne seigneur de la ville.

– Oui, mais le problème est devenu plus aigu depuis que nous possédons Imola, c'est-à-dire que nous sommes voisins. Les Médicis morts, Girolamo, mon époux, n'aurait plus à se soucier d'eux et son pouvoir s'étendrait largement vers la mer. Quant à Francesco Pazzi...

– Là aussi nous sommes au courant. Exilé, il a perdu une partie de sa fortune et, bien qu'il soit devenu le banquier du pape, il a toujours rêvé de revenir en force à Florence.

– Où demeurent encore la tête de la famille et quelques-uns de ses membres.

– Le vieux Jacopo est toujours vivant ?

– Plus que jamais et tout disposé, bien sûr, à aider Francesco à revenir et à se venger. Quant à Montesecco, le troisième homme, il tuerait sa mère pour un sac d'or et on lui a promis beaucoup plus.

– Je vois. Mais le pape, dans tout cela ?

– C'est là le point obscur. On m'a assuré qu'il aurait expressément recommandé qu'il n'y eût pas « effusion de sang ».

– Pas d'effusion de sang ? Il me paraît difficile de tuer quelqu'un sans faire couler son sang ! Comment l'entend-il ?

– Ma chère, Sa Sainteté ne saurait ordonner un meurtre. Elle ne doit même pas en avoir connaissance...

– Quitte à crier bien haut, une fois le coup fait, et même à le déplorer ? On excommuniera quelques comparses car votre époux ne compte pas, j'imagine, faire la besogne lui-même ?

– Bien sûr que non. Il ne quittera pas Rome. Seuls Pazzi et Montesecco feront le voyage.

– A quelle occasion ? Ils n'espèrent tout de même pas être reçus par Lorenzo ?

Catarina expliqua alors ce qu'elle savait du plan. Le pape, qui venait de conférer le chapeau de cardinal à son plus jeune neveu, Rafaele Riario, et le faisait revenir à cette occasion de l'université de Pise où il achevait ses études, avait décidé de le nommer en même temps légat à Pérouse. Catarina trouvait cette nomination absurde car le nouveau cardinal n'avait que dix-huit ans et aucune capacité à tenir une difficile légation, mais le pape, qui éprouvait pour lui une tendresse toute paternelle, n'en était pas à une folie près. Une fois intronisé, le jeune Rafaele s'en irait en grand arroi visiter sa chère université pour lui offrir ses premières bénédictions. Ensuite, et en revenant sur Pérouse, il passerait tout naturellement par Florence où les Médicis ne pourraient se permettre de lui refuser l'accueil, puisque les relations apparentes entre Lorenzo et le Saint-Siège étaient convenables. Le jeune cardinal logerait vraisemblablement chez le vieux Pazzi, mais les Médicis ne pourraient faire moins que le recevoir à plusieurs reprises. Leur hospitalité était trop large et trop fastueuse pour qu'ils n'accueillent pas de leur mieux un cardinal légat. L'occasion se trouverait alors d'abattre les deux frères.

– Chez eux ? Dans leur propre palais ? s'indigna Fiora. C'est non seulement monstrueux, mais insensé. Les assassins seront massacrés sur place.

– On choisira de préférence une fête ou une cérémonie extérieure. Tous les Pazzi se regrouperont pour cette occasion et Montesecco amènera ses hommes de main. Même l'archevêque de Pise, Salviati, aurait décidé d'apporter son aide. Il n'a pas apprécié du tout que Lorenzo s'oppose à sa nomination comme archevêque de Florence.

Cette fois, Fiora ne répondit pas. Ce récit était effarant, insensé. Tous ces gens, des ennemis sans doute mais aussi des prêtres, allaient se jeter comme un vol de corbeaux sur sa ville bien-aimée pour y assassiner Giuliano qu'elle aimait autrefois et Lorenzo qui lui avait montré tant d'amitié. Et qui plus est, ils utiliseraient pour accomplir leur forfait ce principe sacré de l'hospitalité si cher au cœur de tout Italien.

– Vous ne dites rien ? fit Catarina.

– Pardonnez-moi, Madonna, mais ces projets m'écœurent et je comprends que la petite-fille du grand Francesco Sforza refuse de devoir un État à de tels procédés.

– C'est moins le souvenir de mon grand-père que celui de la femme qui m'a élevée : la duchesse Bona, épouse de mon père et sœur de la reine de France, qui me range dans le camp des Médicis. Celui aussi de mon père, assassiné il y a un peu plus d'un an. Et puis, je le répète, j'ai toujours aimé Giuliano. Vous m'aiderez ?

– Je suis prête à partir pour Florence immédiatement. Moi aussi j'ai aimé Giuliano avant de rencontrer l'époux que j'ai eu la douleur de perdre. Si je peux l'empêcher, je ne les laisserai pas mourir.

– Il vaut mieux attendre deux ou trois jours afin de mieux nous préparer. La visite de Rafaele à Florence devrait se situer vers la fête de Pâques et la Semaine sainte approche.

Le palais Riario se situait non loin du Tibre et près des deux églises de Sant'Apollinario et de Sant'Augustino. Imposante demeure quadrangulaire, de construction récente, elle semblait capable de soutenir un siège tant elle était solide et bien défendue. La nuit empêcha Fiora d'en apprécier l'architecture, car elle n'était éclairée sur la rue que par les habituelles cages à feu. Mais la voûte profonde, où veillait un corps de garde et qui ouvrait sur l'habituelle cour carrée, mit la jeune femme mal à l'aise quand la litière la franchit et plus encore lorsque les lourdes portes firent entendre leur grondement en se refermant. Décidément, Girolamo ne laissait rien au hasard et sa maison ressemblait à un coffre-fort. Il ne devait pas être facile d'en sortir sans l'approbation du maître.

La cour était silencieuse, mal éclairée par quatre torches : deux fixées à la sortie de la voûte et deux au bas du raide escalier de pierre qui montait vers les étages. Quand la litière et son escorte s'arrêtèrent au plus près de cet escalier, ce fut le silence, comme si le palais était inhabité :

– Tirez votre voile sur votre visage, donna Fiora! conseilla Catarina. Et toi, Khatoun, aide-moi à descendre! Je ne me sens pas très bien...

– Quand je disais que c'était une folie? bougonna la petite Tartare qui, aidée de Fiora, extirpait sa maîtresse du creux des coussins.

– C'est plus qu'une folie, c'est une grave imprudence. D'autant que je pourrais prendre ça pour une trahison! gronda une voix d'homme qui arracha un cri à Catarina.

– Vous? Mais que faites-vous là? Je vous croyais à Segni?

Sans lui répondre, Girolamo Riario se tourna vers Fiora et arracha le voile qui couvrait sa tête. Son visage épais, aux traits lourds, que la somptuosité d'un pourpoint brodé d'or n'arrivait pas à rendre distingué s'éclaira d'un sourire satisfait :

– Enfin on vous retrouve, ma belle! Une chance qu'un des hommes de Santa Croce vous ait reconnue, l'autre nuit, et vous ait suivie de la rive tandis que vous descendiez le Tibre en barque. Le matin même j'ai su où vous étiez...

– Pourquoi n'ai-je pas été arrêtée, alors, comme l'a été Stefano Infessura?

– Ce n'est pas pour ça qu'on s'est emparé de lui, mais pour lui apprendre la modération dans ses écrits. Il sera...

Il n'en dit pas plus. Comme une furie, Catarina venait de se jeter entre lui et Fiora, les bras étendus dans un geste de protection, un geste qui ne manquait pas de grandeur.

– Vous avez osé me tendre un piège, vous? A moi?

– Ne prenez donc pas vos airs de princesse! Pas avec moi qui suis votre époux, même si je ne réponds pas à votre idéal masculin. Où prenez-vous que je vous aie tendu un piège, ou que j'aie seulement cherché à vous être désagréable ? Si cela était, j'aurais fait prendre cette femme chez la Juive et j'aurais envoyé celle-ci réfléchir en prison.

– Sous quelle accusation ? Anna a soigné une blessée qui lui a été amenée, rien de plus. En outre, vous n'ignorez pas que le Saint-Père ne veut pas que l'on moleste les Juifs, et moins que toute autre la maison du rabbin Nathan.

– Aussi ai-je attendu que notre fugitive en sorte. Je pensais bien que vous vous chargeriez d'elle dès l'instant où vous me croiriez absent. Les visites de votre suivante au ghetto m'en ont donné la certitude. Vous voyez que j'ai eu raison puisque, sans peine aucune, sans bruit et sans violence, le beau fruit m'est tombé dans la main.

– Ne soyez pas stupide, Girolamo ! En quoi cette jeune femme vous intéresse-t-elle ? Qu'avez-vous à faire de la politique de votre oncle avec le roi de France, de la mise en cage d'un moine pouilleux et même d'un cardinal français ?

– Rien du tout, vous avez raison. En revanche, elle peut servir sans même le vouloir ma politique à moi, celle que j'entends mener avec les Médicis. Enfin... elle vaut cent ducats et c'est une somme bonne à prendre !

– Vous avez à votre disposition le trésor de l'Église et vous me déshonorez pour cent ducats ? Vous êtes un monstre, un être infâme, méprisable et je vous...

Catarina resta la bouche grande ouverte, puis, avec un cri déchirant, elle se courba en portant ses mains à son ventre et se mit à haleter comme si elle venait de fournir une longue course. Khatoun se précipita pour la soutenir, les yeux agrandis par l'inquiétude, mais Fiora avait encore trop présent à la mémoire le souvenir de son accouchement pour ne pas en reconnaître les symptômes. Elle dévisagea froidement Riario :

– Vous devriez faire porter la comtesse chez elle ! L'enfant qu'elle attend ne va plus tarder...

– Vous... vous croyez ?

Fiora s'offrit le luxe d'un sourire. Ce seigneur chamarré venait de laisser percer sous sa carapace le simple mortel, à la fois effrayé et inquiet au moment de voir venir au jour son premier enfant. Pour la seule fois de sa vie, peut-être, il fut à cet instant naturel... et même humain.

– J'en suis sûre ! dit-elle doucement. Il n'y a guère que sept mois que je suis passée par là.

Mais il ne l'écoutait plus. A ses appels furieux, une troupe de femmes surgit qui s'empara de la comtesse et, avec toutes sortes de précautions, la porta vers l'escalier. Khatoun ne les suivit pas. Catarina n'avait plus besoin d'elle et elle entendait rester auprès de Fiora. Celle-ci lui sourit et l'embrassa :

– Tu dois y aller aussi, Khatoun. Tu es à son service...

– Non... Je t'appartiens toujours. Je veux rester.

– Pour quoi faire ? Je ne sais ce que je vais devenir...

– Je vais vous le dire, dit Riario qui revenait, laissant les suivantes se charger de Catarina que l'on entendait crier de plus en plus faiblement à mesure qu'on la montait. Vous allez faire connaissance avec le château Saint-Ange. Si l'on vous y avait mise à votre arrivée, comme je le voulais, on aurait évité bien des tracas...

– Et j'aurais évité au pape une dépense de cent ducats. Vous devriez me remercier.

Surpris, Girolamo Riario la considéra d'un œil stupide puis, soudain, éclata d'un gros rire et se campa devant la jeune femme les poings sur les hanches.

– Mais c'est qu'elle a raison, la mâtine ? Tu sais, ma belle, ajouta-t-il en tendant vers la joue de Fiora un gros doigt qu'elle évita comme s'il eût été une guêpe, tu m'intéresses de plus en plus et quand mon oncle en aura fini avec toi, on pourrait peut-être...

– Rien du tout ! coupa Fiora. Vous, vous ne m'intéressez pas. Alors, finissons-en et puisque vous avez décidé de me mettre en prison, allons-y et n'en parlons plus !

– Non, maîtresse, je t'en supplie ! s'écria Khatoun qui

éclata en sanglots tout en s'agrippant au bras de Fiora. Ne le mets pas en colère. On ne peut pas te mettre en prison.

– En voilà assez, hurla Riario. Va rejoindre la comtesse si tu ne veux pas qu'on t'y conduise à coups de fouet! Et n'oublie pas que c'est à moi que tu appartiens. Je t'ai payée assez cher. Qu'on l'emmène!

Deux valets se saisirent de la petite esclave qui pleurait et se débattait, suppliant qu'on la laissât suivre le sort de son ancienne maîtresse.

– Ne lui faites pas de mal, fit Fiora émue. Elle est si jeune encore et si fragile. Elle finira bien par m'oublier.

– Faut pas te tourmenter pour elle; ma femme y tient plus qu'à ses chiens ou à sa naine noire. Mais, au fond, la fille a raison. Pourquoi te mettre en prison? Ce ne sont pas les chambres qui manquent ici. Tu y serais mieux pour attendre que je te conduise devant le Saint-Père.

A mesure qu'il se familiarisait, son naturel reprenait le dessus et l'on retrouvait le douanier des quais de Savone trousseur de filles. Le vernis craquait d'autant plus vite que Riario s'était éloigné des oreilles de sa femme. Raide de mépris, Fiora darda sur lui un regard glacé :

– N'importe quelle prison sera préférable à l'hospitalité d'un homme tel que vous. D'autre part, je vous serais reconnaissante de garder vos distances avec moi. Je ne suis pas une de vos courtisanes mais la comtesse de Selongey, veuve d'un chevalier de la Toison d'or!

Il eut un méchant sourire qui montra de vilaines dents :

– Beau nom! Dépêche-toi d'en profiter! Quelque chose me dit que tu ne vas plus le garder longtemps... Mais puisque Madame la comtesse choisit la prison, ajouta-t-il avec un salut grotesque, je vais avoir le bonheur de l'y conduire moi-même!

CHAPITRE X

CARLO

Il fallut vraiment beaucoup de courage à Fiora pour ne pas se laisser aller à la fureur et au découragement qui s'emparèrent d'elle, tandis qu'encadrée de gardes elle suivait Riario au long de l'interminable rampe en spirale qui tournait à l'intérieur du château Saint-Ange et menait aux terrasses, aux appartements du gouverneur et aussi aux prisons. Depuis son arrivée à Rome, elle ne faisait guère que se déplacer autour de la forteresse papale et, si elle y aboutissait finalement, c'est qu'elle avait été destinée de tout temps à y prendre place. Tant d'efforts pour en arriver là ! C'eût été presque à pleurer de rire si l'épisode qui s'était joué chez Anna la Juive n'avait inspiré à la jeune femme d'étranges réflexions. Pourquoi donc la comtesse Catarina avait-elle insisté pour l'emmener chez elle, alors qu'elle se disposait à quitter Rome ? Pourquoi surtout l'avait-elle écoutée et suivie ? La femme de Riario pouvait aussi bien la mettre au courant du danger menaçant les Médicis et lui apporter les moyens de les prévenir sans pour autant l'emmener chez elle ? Avait-elle agi par réel souci de sa santé, ou pour la conduire d'une main plus sûre dans un piège savamment tendu ? Un piège dans lequel il était impossible de faire entrer Khatoun. La petite Tartare n'avait certainement rien à se reprocher, sinon peut-être d'avoir confié à sa nouvelle maîtresse le nom de cette amie qu'elle allait visiter ?

Le cortège déboucha enfin sur une terrasse surmontée d'un chemin de ronde crénelé où veillaient des canons. Un corps de garde, éclairé de l'intérieur, diffusait une lumière jaune qui n'enlevait rien au côté sinistre de l'endroit. Une faible lumière, une veilleuse sans doute, paraissait aux fenêtres du gouverneur devant le logis duquel deux soldats, appuyés sur leurs lances, étaient à demi assoupis, menaçant à chaque instant de s'affaler sur le tas de boulets de pierre qui attendaient une hypothétique attaque. Sur tous ces bâtiments régnait, haut dressé dans le ciel et presque sous les pieds de l'Archange, le logis réservé au pape au cas où des événements désagréables le contraindraient à chercher un refuge. Une loggia allégeait la muraille et lui donnait une tournure plus aimable.

L'apparition du comte Riario réveilla corps de garde et sentinelles. Sachant que le gouverneur, assez gravement malade, gardait le lit, il demanda le sous-gouverneur, un Albanais nommé Jorge que l'on courut chercher.

Il apparut en quelques instants, et Fiora pensa qu'elle avait rarement vu figure plus patibulaire. Cela tenait moins au visage grêlé, aux cheveux gras, au nez aplati sur une moustache de Mongol et à la bouche trop humide, qu'aux minces fentes derrière lesquelles filtrait l'inquiétante luisance d'un regard. Cet homme était cruel et faux. Quant au salut qu'il offrit au neveu du pape, c'était un chef-d'œuvre d'obséquiosité.

– Tu étais aux prisons, remarqua celui-ci. A cette heure de la nuit ?

– Oui. On a pris tout à l'heure un nouveau Français, un pèlerin soi-disant. Il était dans une taverne du Campo dei Fiori. Le patron a prévenu le Soldan qui l'a arrêté, non sans mal d'ailleurs : il a fallu douze hommes pour en venir à bout car il en avait assommé trois.

– Curieux pèlerin ! Pourquoi a-t-on appelé le Soldan ?

– L'homme posait des questions. Il cherchait une femme de son pays, venue prier au tombeau de l'Apôtre, paraît-il, et qui a disparu depuis plusieurs mois. Une femme... très belle.

Riario saisit Fiora par le bras pour la tirer dans la lumière de la torche :

– Comme celle-ci, peut-être ?

L'autre étira ses lèvres pour donner quelque chose qui ressemblait à un sourire.

– J'en jurerais ! Tu l'as retrouvée enfin, seigneur ?

– Pas sans mal. Aussi je te l'amène pour que tu me la gardes en attendant que le Saint-Père demande à la voir. Quant à ton Français, si j'ai bien compris, tu étais en train de lui poser, à ton tour, des questions ?

– C'est ça tout juste, seigneur ! Tu veux venir voir ?

– Nous allons y aller tous les deux ! N'est-ce pas, Madame la comtesse ? Cela peut être intéressant.

Le mouvement de recul de Fiora fut facilement maîtrisé. Riario la tenait et la tenait bien. Bon gré mal gré, il lui fallut suivre l'Albanais dans un étroit escalier qui plongeait vers les profondeurs de l'énorme tour. Son cœur était étreint d'une angoisse qu'elle avait peine à maîtriser à l'idée que, dans un instant, on allait la faire entrer, selon toute vraisemblance, dans une chambre de torture pour y assister au supplice d'un Français, et d'un Français qui sans doute la cherchait. Même si elle ne le connaissait pas, elle allait au-devant d'une terrible épreuve.

Jorge s'arrêta devant une porte de chêne noirci qu'aucun verrou ne défendait et qui, même, était entrouverte, laissant passer une lumière rougeâtre. Au-delà, on entendait haleter quelqu'un qui devait lutter contre la souffrance.

Le spectacle qu'elle découvrit était pire encore que ce à quoi elle s'attendait : un homme était étendu sur le chevalet, ses poignets et ses chevilles pris dans des bracelets de fer reliés à un treuil destiné à les étirer jusqu'à dislocation. L'affreuse machine était arrêtée à cause de l'absence du sous-gouverneur et le bourreau, un Noir gigantesque et nu jusqu'à la ceinture, attendait placidement, bras croisés à côté de la victime, de nouveaux ordres. Fiora n'eut aucune peine à reconnaître ce visage aux yeux clos, pâli par la douleur : c'était celui de Douglas Mortimer, le sergent de la Garde écossaise du roi de France et l'un de ses meilleurs amis.

Elle n'avait pu retenir un tressaillement qui n'échappa pas à Riario, pas plus que la soudaine blancheur de ses joues.

– Quelque chose me dit que vous vous connaissez, tous les deux ? fit-il avec un sourire plein de fiel.

Déjà Fiora se ressaisissait. Priant mentalement Dieu pour que Mortimer ne fût pas inconscient et pût l'entendre, elle déclara, plus haut peut-être qu'il n'était nécessaire et avec une indignation qu'elle n'eut pas besoin de forcer :

– Bien sûr, je le connais ! C'est l'intendant de mon domaine de La Rabaudière. Il m'est très attaché et je ne suis pas étonnée qu'il se soit mis en quête de moi. Voilà des mois que j'ai été enlevée.

– Votre intendant ? Un simple paysan à vous entendre ? Comment se fait-il alors qu'il soit venu à Rome ? Qui donc a pu lui dire que vous étiez ici ?

– Qui donc ? Je croyais qu'à mon arrivée ici, le cardinal d'Estouteville avait envoyé un messager au Plessis-lès-Tours pour faire connaître au roi Louis les exigences du pape ? Mon manoir est voisin du château royal et mes gens ont dû apprendre très vite le sort que l'on m'a fait. A ce propos, d'ailleurs, le roi n'a-t-il pas envoyé un messager, une délégation, une lettre ou quoi que ce soit d'autre en réponse au message du cardinal ?

– Il n'a rien envoyé du tout ! fit Riario en haussant les épaules. Vous ne devez pas avoir autant d'importance que mon oncle se l'imaginait.

– C'est un sacré foutu mensonge ! fit une voix qui semblait venir des profondeurs de la terre et qui était celle de Mortimer en personne. En dépit de sa situation tragique, ses yeux bleus, grands ouverts à présent, brillaient d'un feu allègre qui réchauffa le cœur de Fiora. Grâce à Dieu, il l'avait entendue, reconnue et, à eux deux, ils arriveraient peut-être à duper le douanier déguisé en prince qui les observait.

– Ah, tu parles à présent ? gronda-t-il. Tu consentiras peut-être à nous dire au moins ton nom ?

– Il s'appelle Gaucher, dit Fiora, Gaucher Le Puellier. Son oncle et sa tante, Etienne et Péronnelle, sont les gardiens de mon domaine. Une belle prise en vérité que vous avez faite là ? Un bon garçon de paysan qui ne connaît ici-bas que Dieu et son maître !

– Mais qui ose tout de même m'accuser de mensonge ? Que peut-il savoir des relations entre le roi et le souverain pontife ?

– Ce que tout le monde sait au Plessis où l'on est fort en peine de donna Fiora, reprit le faux Gaucher. Que le roi Louis a déjà envoyé ici, et par deux fois, des gens à lui... que personne n'a jamais vu revenir !

– Les chemins ne sont pas sûrs par les temps où nous vivons, soupira Riario en pleine hypocrisie. Ce qui l'est, c'est que nous n'avons reçu personne... et que tu as bien de la chance, l'ami, d'être arrivé entier.

Il s'approcha du corps étendu sur lequel il se pencha :

– Tu es bien certain de n'être pas envoyé par le roi ? J'ai bonne envie de te faire tourmenter encore un peu, rien que pour savoir si tu n'as pas encore quelques petites choses à nous dire ?

– Je suis assez grand pour m'envoyer moi-même ! grogna Mortimer en forçant sur le ton paysan. Not' maîtresse, on l'aime par chez nous et, moi, j'ai voulu voir c'que vous en avez fait ! Mais... j'aurais jamais cru la retrouver dans une cave comme voilà !... prisonnière autant dire !

– Pas : autant dire. Je suis prisonnière, mon bon Gaucher. Le pape a mis ma tête à prix et je ne sortirai sans doute pas d'ici vivante ! J'ai été prise ce soir, mais voilà des mois que l'on me cherche.

– Ça suffit ! grinça Riario. Je ne vous ai pas permis de

parler ensemble... surtout pour raconter des sornettes! Le Saint-Père est beaucoup trop bon, mon garçon, pour faire exécuter cette belle dame. Ce qu'il veut, c'est lui donner un époux puisqu'elle est veuve, un époux florentin, jeune, noble...

– Et hideux! coupa Fiora indignée. Jamais je ne l'épouserai, vous m'entendez? Vous pouvez me traîner devant un prêtre, mais personne ne m'obligera à dire « oui ». A présent, délivrez ce garçon dont vous n'avez plus que faire!

– Plus que faire? Voire!... Je pense au contraire qu'il peut nous être encore très utile! Zamba, ajouta-t-il à l'adresse du géant noir, mets donc quelques griffes de fer à chauffer!

– Vous n'allez pas le tourmenter encore? s'écria Fiora. Que pourrait-il vous dire de plus?

– Rien sans doute, mais vous, vous pouvez dire encore bien des choses? Rien qu'un petit mot : ce « oui » que vous refusez si farouchement par exemple?

Puis, changeant de ton :

– Ou bien vous allez jurer de vous laisser marier ou bien, foi de Riario, je fais écorcher cet homme tout vif sous vos yeux!

– Vous êtes fou? s'écria Fiora épouvantée.

– Je ne crois pas, mais je sais ce que je veux, ce que veut le Saint-Père et nous saurons bien vous y contraindre car, une fois mariée à Carlo Pazzi, nous n'aurons plus le moindre souci à nous faire en ce qui vous concerne.

– Vous n'allez pas accepter ça? gémit Mortimer. On n'a aucun droit de vous forcer...

– Si. Celui du plus fort! Décidez, donna Fiora, mais décidez vite! Regardez comme ces fers sont d'un beau rouge! Zamba est impatient de commencer. Il n'aime rien tant qu'arracher la peau d'un homme! Allons, Zamba, aide un peu madame la comtesse!

Avec un gant de cuir, le bourreau saisit l'une des tiges qui s'enfonçaient dans les flammes d'un brasero. Fiora hurla comme si le fer incandescent avait attaqué sa propre peau.

– Non !...

Puis, plus bas :

– Vous le libérerez si je jure ?

– Immédiatement.

– Qu'est-ce qui me le prouve ? Qui me dit qu'une fois en possession de ma parole vous n'allez pas faire égorger mon pauvre Gaucher ?

– Mais... ma parole, à moi !

– Pardonnez-moi, mais elle ne m'inspire guère confiance. Alors, voilà ce que je vous propose : il assistera au mariage et le cardinal d'Estouteville avec lui. Après quoi, il sera remis au cardinal qui le renverra lui-même... et en sûreté pour la France. Sinon, par le Dieu qui m'entend, je répondrai « non » tant qu'il me restera un souffle de vie et vous pourrez nous tuer tous les deux ! Et prenez garde à ne pas offenser le roi Louis plus longtemps !

– Il nous déclarerait la guerre peut-être ?

– Non, mais il faudra, dès lors, vous défier de tous ceux qui vous approcheront. Il sait mieux que vous se servir de l'or et il est aussi riche que puissant. Il peut acheter n'importe quelle conscience, n'importe quel ami, et payer dix, cent, mille assassins à gages. Il a abattu le duc de Bourgogne qui était autre prince que vous. Alors, veillez à tenir vos engagements ou prenez garde à vous !

Les yeux arrondis par la stupeur, Riario considérait cette femme qui se dressait devant lui, menaçante, terrible, déjà vengeresse. Il devina obscurément qu'elle était de la race des fauves royaux et qu'entre eux et lui, prince de carton pâte, il y aurait toujours un abîme infranchissable. Superstitieux, il crut voir briller dans ses yeux la sombre flamme des prophétesses antiques et sentit un frisson courir le long de son échine.

– Détache-le ! ordonna-t-il à l'Albanais qui, muet et apparemment aussi insensible qu'une statue, avait assisté à la scène.

Puis se tournant vers la jeune femme :

– Vous vous laisserez marier ?

– Aux conditions que j'ai posées, oui !

– C'est bien. On va ramener cet homme en prison où il restera jusqu'au mariage. Ce qui ne fera pas beaucoup de temps ! Venez, à présent.

– Vous n'allez pas faire ça ? s'écria Mortimer dont le bourreau frictionnait à présent les poignets et les chevilles avec la sollicitude d'un bon valet de chambre.

– Je n'ai pas le choix, dit Fiora doucement. Vous laisser tuer serait stupide car mon fils aura besoin de... tous ceux qui sont les miens. Et puis, nous nous reverrons peut-être... plus tard !

Sa capitulation valut à Fiora d'achever la nuit dans l'une des chambres destinées à l'entourage du pape et non dans l'un des cachots qui peuplaient les entrailles de la forteresse. L'installation était plutôt spartiate, mais du moins eut-elle à sa disposition un vrai lit et des ustensiles de toilette avec de l'eau et du savon. Rompue de fatigue, elle se contenta de s'étendre sur la courtepointe sans même prendre la peine de se dévêtir.

Elle n'en dormit pas pour autant, les derniers événements de la nuit ayant chassé le sommeil dont son corps las avait cependant le plus grand besoin. Son épaule blessée lui faisait mal, mais elle n'avait rien pour changer son pansement, le léger bagage dont l'avait munie Anna était demeuré dans la litière de Catarina. Il ne lui restait que l'aumônière de doña Juana, toujours pendue à sa ceinture. En la fouillant pour prendre son mouchoir, ses doigts rencontrèrent le mince flacon habillé de plomb que la Juive y avait glissé. Elle le sortit et le considéra un moment. Anna le lui avait donné pour qu'il soit l'instrument de sa vengeance contre Hieronyma et qu'elle s'en serve pour l'éliminer à jamais. A présent, Fiora en venait à penser qu'il pourrait être sa propre délivrance, le dernier secours au bord du gouffre où elle allait tomber et se perdre à jamais. Pour sauver Mortimer, elle s'était livrée à ses pires ennemis, mais, d'autre part, l'Écossais avait couru de grands risques pour la sauver. Pouvait-elle l'en remercier en le laissant mourir sous ses yeux, et de quelle abominable façon ? En outre, elle savait à présent qu'en France on ne l'oubliait pas. Le roi avait pris la peine d'envoyer déjà deux délégations, plus Mortimer. C'était encourageant, mais toute cette puissance dont il disposait était trop loin et ses messagers avaient dû connaître un sort tragique. Louis XI recevrait, quelque jour, une hypocrite missive lui annonçant un ou plusieurs accidents stupides. Quelque jour qui se situerait une fois qu'elle serait dûment mariée à Carlo Pazzi.

Une seule chose la retint de déboucher la fiole et d'en avaler le contenu sur-le-champ : ce n'était pas un poison rapide. Anna avait spécifié que son « ennemie mourrait dans la semaine sans que l'on pût savoir de quelle maladie ». Avec un soupir, Fiora remit l'objet à sa place. Il se trouverait bien, un jour ou l'autre, un couteau à portée de sa main ou, mieux encore, une haute muraille d'où se précipiter, une rivière où se noyer... Car, décidément, elle n'était pas faite pour le bonheur et, puisque la malédiction qui avait présidé à sa naissance continuait ses méfaits, il serait bien meilleur pour tout le monde et surtout pour son enfant que cette fatalité disparût avec elle.

Chose extraordinaire, une fois qu'elle eut arrêté cette funèbre décision, elle se sentit mieux, presque délivrée. Les battements désordonnés de son cœur s'apaisèrent, le manège infernal qui tournait dans sa tête s'arrêta et elle s'endormit enfin.

Le tintamarre des cloches sonnant à toute volée la réveilla. Elle vit que le soleil était déjà haut dans le ciel, et comprit que quelqu'un était assis près d'elle, lorsque son regard tomba sur des doigts noirs qui tenaient des boules d'ambre. Il remonta vers le visage qu'éclaira soudain un large sourire :

– Tu as bien dormi ? Domingo est heureux de te revoir. Il était en peine de toi.

– Pourquoi ? Parce que j'avais réussi à échapper à ton maître ?

– Non, mais même un fidèle serviteur peut éprouver de l'amitié pour l'être qui est confié à sa garde.

– Comment es-tu ici ?

– Sur ordre, bien sûr. Domingo doit te préparer à l'audience que le Saint-Père t'accordera vers la fin du jour.

– Je ne me souviens pas d'avoir demandé une audience. Mais dis-moi : que veut dire ce carillon ? J'en ai les oreilles cassées...

– Tu n'es pas la seule, mais, ce matin, la noble comtesse Riario a donné le jour à une fille que l'on appellera Bianca. Le Saint-Père est heureux et, par conséquent, Rome est en fête. Il n'y a pourtant pas de quoi, ajouta le Nubien en agitant gravement sa tête enturbannée. Une fille ! Tant de bruit pour une fille ! Mais revenons à toi ! Tu n'as pas bonne mine, tu sais ?

– Rien d'étonnant à cela ! Je suis blessée et encore faible. En outre, je n'ai rien pour me soigner.

– Laisse faire Domingo ! Et d'abord, ôtons cette loque noire qui te donne l'air d'un vilain insecte !

Elle se laissa déshabiller sans protester. Ils avaient connu tous deux, sur la caraque, une longue intimité, et Fiora s'était habituée à ne plus voir un homme dans ce bon serviteur qui d'ailleurs n'en était plus un. La mince blessure s'était un peu enflammée. Domingo la nettoya avec de l'eau-de-vie dont la brûlure amena des larmes aux yeux de la jeune femme, puis plaça un pansement propre. Cela fait, il la laissa à sa toilette annonçant qu'il allait lui chercher de quoi manger. Avant de sortir, il avait étendu sur un coffre du linge de fine toile brodée, des bas de soie, une robe de velours vert à broderies de soie, blanches comme la jupe de dessous et les mules assorties. Une grande cape du même velours et une longue résille dorée destinée à emprisonner la chevelure complétaient cette toilette que n'importe quelle femme eût revêtue avec plaisir, mais Fiora ne lui accorda qu'un regard distrait. Elle eût tellement préféré le costume de paysan qui devait l'abriter tout au long du chemin de Florence!

Cependant, elle se sentit moins abattue quand, lavée, habillée et coiffée, elle s'installa devant le repas copieux que Domingo lui apportait. Il en allait toujours ainsi dans les périodes difficiles de sa vie : elle avait plus d'appétit qu'en temps normal. Aussi, connaissant les dimensions de l'adversaire qu'elle allait devoir affronter ce soir-là, fit-elle honneur à ce qui lui était servi.

Contrairement à ce qu'elle supposait, ce ne fut pas vers la salle où elle avait été reçue la première fois que le cérémoniaire Patrizi dirigea Fiora, mais vers la bibliothèque. Sixte IV s'y tenait assis dans une sorte de chaise curule et, des besicles sur le nez, il lisait un gros livre écrit en grec, posé auprès de lui sur un grand lutrin, et suivait les lignes à l'aide d'un petit style d'or. Il ne s'interrompit pas lorsque Patrizi introduisit Fiora et la mena au long de la longue salle jusqu'à un coussin disposé aux pieds du pape et sur lequel il la fit agenouiller comme le voulait le cérémonial. Mais, tout à coup, Sixte IV se mit à lire tout haut :

– « Essayer de lutter contre les maux envoyés par les dieux, c'est faire preuve de courage mais aussi de folie; jamais personne ne pourra empêcher ce qui doit fatalement arriver... »

Puis, tournant la tête vers la jeune femme, il demanda, aussi naturellement que s'ils avaient causé ensemble la veille ou quelques heures plus tôt :

– Que pensez-vous de ce texte, donna Fiora? Il est d'une grande beauté, n'est-ce pas?

– Si Votre Sainteté le dit, ce doit être vrai. Pour ma part, j'apprécie peu Euripide et moins encore son *Hercule furieux.* Je lui préfère de beaucoup Eschyle : « Ah! triste sort des hommes : leur bonheur est pareil à un croquis léger; vient le malheur, trois coups d'éponge humide, c'en est fait du dessin... » Voilà des années que le dessin de ma vie s'est brouillé et que je n'ai pu en tracer un autre.

La surprise du pape ne fut pas feinte. Otant ses lunettes, il considéra la jeune femme avec une sorte d'admiration :

– Avez-vous donc lu les grands auteurs hellènes ?

– Et latins aussi, Votre Sainteté. Ils font partie de l'éducation normale des Florentines de haut rang. En outre, mon père était un lettré en même temps qu'un bibliophile averti. Sa collection de livres était... presque aussi importante que celle du palais Médicis.

– Vraiment ? Et... qu'est-elle devenue ?

– Qu'advient-il des richesses d'un palais quand il est livré au pillage puis à l'incendie ?

– C'est grand dommage en vérité ! Oui... grand dommage ! Et vous n'avez jamais pu savoir...

C'était plus que Fiora n'en pouvait supporter calmement. Non seulement elle n'était pas venue pour causer littérature mais, en outre, le ton de naïve désolation qu'affectait le pape lui semblait un comble d'hypocrisie. Elle se releva comme si un ressort l'avait mise debout :

– Où ils sont allés ? C'est à Hieronyma Pazzi... pardon à la dame Boscoli qu'il faut le demander, à celle qui, pour mettre la main sur notre fortune, n'a pas craint de faire assassiner mon père, et qui ne cesse de me poursuivre de sa haine.

– Gardez-vous, ma fille, d'un jugement téméraire ! énonça le pape avec sévérité. Il est trop facile d'accuser !

– Jugement téméraire ? Interrogez n'importe qui, à Florence, et il vous en dira autant ! Et pourtant, c'est à cette misérable que vous voulez me livrer pieds et poings liés ! Après avoir voulu me forcer à épouser le monstre qu'elle avait pour fils, elle prétend à présent me contraindre à donner ma main à son neveu... un autre monstre, si j'ai bien compris ! Moi qui ne relève que du roi de France !

– Avez-vous accepté ce mariage, ou m'a-t-on menti ?

– J'ai accepté, oui, cette nuit et sous la contrainte pour ne pas voir mourir un brave homme de mes amis qui, en peine de moi, m'est venue chercher jusqu'ici ! Et vous donnez la main à de telles infamies ! Vous, le successeur de l'Apôtre, le représentant du Christ !

Elle attendait colère pour colère, pourtant Sixte ne s'emporta point. Il la considéra un instant par-dessus les besicles qu'il avait remises :

– Approchez donc ce tabouret et asseyez-vous ! Si je vous ai fait venir ici, c'est pour que nous puissions parler sans témoins. Allons, faites ce que je vous dis ! Asseyez-vous !

Elle obéit et se trouva tout près du pape, abritée comme lui par les ailes du grand lutrin.

– Mon attitude vous surprend peut-être, poursuivit-il, mais je suis aujourd'hui exceptionnellement heureux parce que le Seigneur a béni l'union de mon cher neveu. C'est peut-être ce qui m'incline à... une certaine indulgence car voici longtemps que vous excitez ma colère. Vous nous avez donné beaucoup de mal pour vous reprendre... mais ce temps écoulé m'a permis de réfléchir.

– Auriez-vous renoncé à faire tomber ma tête ?

– Quelle sottise ! Seriez-vous à cette place s'il en était autrement ? Mais j'ai à vous dire ceci : votre mariage avec Carlo est important pour ma politique. Il est bon que Fiora Beltrami devienne Fiora dei Pazzi. C'est pourquoi je veux qu'il se fasse, et non pour faire plaisir à donna Hieronyma... qui pourrait d'ailleurs en éprouver quelque déception car les choses n'iront pas à son gré.

– A son gré ? Je peux prédire à Votre Sainteté ce qu'il adviendra de moi dès l'instant où j'entrerai dans sa maison : il m'arrivera malheur dans les plus brefs délais.

– Je le sais bien, et c'est pourquoi j'ai parlé de déception car elle apprendra que je n'accepterai ni maladie, ni accident ni quoi que ce soit d'autre, sinon elle sera aussitôt livrée au bourreau.

– Peut-être, mais moi je refuse de partager le même

toit qu'elle! Jamais je n'aurais cru pouvoir haïr un être humain comme je la hais. J'ai juré sa mort!

– Vous ne partagerez qu'une seule nuit le toit de cette dame : celle de vos noces. Dès le lendemain, elle partira pour un... voyage en compagnie de son beau-frère et, quand elle en reviendra, vous habiterez un petit palais près de Santa Maria in Portico que je vais donner à Carlo en cadeau de noces. Et je puis vous promettre, ajouta-t-il avec un mince sourire, que votre tête restera bien en place si d'aventure il arrive quelque chose de... fâcheux à la dame Boscoli! Nous... nous n'avons guère de sympathie pour elle. C'est une femme bruyante et commune.

– Je suis sensible, Saint-Père, à cette assurance que vous voulez bien me donner, mais il n'en reste pas moins que je dois épouser un monstre. S'il ressemble au défunt fils de Hieronyma, les jours me seront encore plus chichement comptés que par elle.

– Un monstre? N'exagérons rien. Carlo est laid et c'est un simple d'esprit, mais il n'a aucune méchanceté. Vous en ferez ce que vous voudrez. Je suis certain que vous finirez par apprécier la vie que vous aurez à Rome. Vous y deviendrez une des premières dames...

– Je ne vois pas bien à quel titre?

– Le plus simple et le moins contestable : parce que je le veux ainsi. Quand vous serez devenue ma voisine, on saura vite que je vous protège... et j'avoue que je serais heureux, alors, que nous puissions nous entretenir des grands auteurs et des beaux textes anciens que nous aimons tous les deux.

Cette aimable déclaration laissa Fiora sans voix. C'était une chose étrange, en vérité. Les grands personnages de ce monde que le Destin mettait sur son chemin, amis ou ennemis, semblaient n'avoir d'autre but dans la vie que de l'installer dans leur voisinage. Louis XI lui avait donné la maison aux pervenches, le Téméraire lui proposait, un soir d'euphorie, de lui offrir un état dans ses domaines et de la faire venir à sa cour, la guerre finie, et voilà qu'à présent, le pape voulait la loger sur la colline vaticane au palais de Santa Maria in Portico [1].

– Eh bien ? reprit Sixte, vous ne dites rien ? Que pensez-vous de mes projets ?

– Qu'ils sont très généreux, Saint-Père... et qu'il faudra bien qu'ils me conviennent. Je vous rappelle néanmoins que j'ai un fils, en France, et que j'entends l'élever moi-même et vivre avec lui.

– Quelle difficulté ? Vous le ferez venir avec ses gens et il jouira lui aussi de Notre toute particulière protection. D'ailleurs, dès le mariage conclu, j'enverrai ambassade auprès du roi de France pour le rassurer enfin sur votre devenir et lui faire part de l'heureuse conclusion de nos affaires.

– Heureuse ? Le roi aurait-il libéré fray Ignacio et ce cardinal dont j'ai oublié le nom ?

Le pontife se mit à rire avec la gaieté d'un gamin qui vient de réussir une bonne farce :

– J'arriverai bien à récupérer, un jour ou l'autre, le cardinal Balue [2]. Méditer un peu plus longtemps sur les vicissitudes de ce monde ne peut lui être que salutaire. Quant au moine castillan, on m'a fait savoir qu'il est mort et nous ne pouvons plus que prier pour le repos de son âme. Tous deux n'ont été, en fait, qu'un... prétexte pour vous faire venir ici. Mais, je vous en prie, laissons de côté cette fastidieuse politique et...

– Je souhaiterais néanmoins poser encore une question à Votre Sainteté, si toutefois Elle le permet ?

– Faites !

– Cet étonnant changement d'attitude, cette amabilité gracieuse qui m'est offerte aujourd'hui, alors que je m'attendais à subir les foudres d'une colère... papale, à quoi est-ce que je les dois ? Uniquement à la naissance de la petite Bianca ?

– Non. Bien sûr que non. Vous les devez à deux cir-

1. Qui sera, plus tard, le palais de Lucrèce Borgia.
2. Il sera libéré en 1481 et viendra mourir à Rome.

constances : la première est naturellement votre venue à résipiscence, et c'était le principal, mais d'autre part, donna Catarina, notre nièce bien-aimée, n'a cessé de défendre votre cause et Nous n'aimons pas lui faire de peine. Vous aurez en elle la meilleure des amies et elle contribuera beaucoup à vous faire aimer Rome.

Sur ces consolantes paroles, le pape offrit aux lèvres de Fiora l'anneau de sa main et rappela Patrizi pour qu'il la reconduisît au château Saint-Ange, où elle ne devait plus rester très longtemps. Le lendemain qui était le dimanche de Pâques-Fleuries [1] était impropre, comme tous les dimanches, à une cérémonie nuptiale. Le mariage aurait donc lieu le lundi soir, à la nuit close, dans la chapelle privée du pape qui le célébrerait lui-même.

Ces quelque cinquante heures, Fiora les passa en compagnie de Domingo, commis une fois de plus à sa garde. Devant les bonnes dispositions du pontife, elle avait espéré qu'on lui enverrait Khatoun, mais la naissance de l'enfant devait réclamer les soins de tous au palais de Sant'Apollinario et la jeune comtesse n'avait certainement pas envie de se séparer d'elle. Néanmoins, ces derniers moments de captivité s'écoulèrent avec une grande rapidité, et pas uniquement parce que Domingo s'ingénia à la distraire en jouant aux échecs avec elle et la promenant sur les terrasses du château d'où elle put contempler à son aise le panorama de Rome en sa totalité. Mais aussi parce que ces heures qui coulaient, inexorables, étaient les dernières avant un changement d'existence qui l'effrayait en dépit des assurances données par le pape. Qu'elle le voulût ou non, elle allait devenir une Pazzi et la seule idée de porter ce nom exécré la révulsait. Elle pensait aussi à Mortimer, captif de ce même château Saint-Ange et qu'en dépit de ses prières on ne lui avait pas permis de voir. Pourrait-il repartir libre vers la France ? Riario l'avait promis, mais quelle confiance pouvait-on accorder à la

1. Les Rameaux.

parole de cet homme ? Enfin, une autre angoisse chassa le sommeil de ses deux dernières nuits : la menace qui pesait sur les Médicis. Fiora devinait trop ce que serait ce « voyage » entrepris, au lendemain de son mariage, par Francesco et Hieronyma. Ils allaient préparer leur triomphe, assister au dernier acte du drame qui ferait de leur famille la plus riche et la plus puissante de Florence, sous l'autorité de Riario sans doute, mais rassemblerait dans leurs griffes rapaces une partie des biens des victimes et la totalité de ceux des Beltrami sans que l'intransigeante loi florentine pût s'y opposer. L'idée que Lorenzo et Giuliano allaient mourir sans qu'elle pût rien faire pour s'y opposer lui était insupportable.

Aussi était-elle la plus pâle et la plus sombre des fiancées quand, le lundi soir, après le coucher du soleil, Domingo lui prépara un bain dans le grand baquet qu'il avait apporté sans paraître fournir le moindre effort et lui dit que le moment était venu de se mettre à sa toilette.

– Tu es blanche comme une morte, remarqua-t-il. Domingo va devoir te mettre du rouge.

– Personne ne s'attend à ce que j'aille à l'autel avec un cœur joyeux. Ma mine n'a aucune importance et je ne veux pas porter de fards. Je les déteste.

– Le Saint-Père ne sera pas content.

– Tu te trompes. La seule chose qui importe pour lui, c'est que je me laisse marier. Marier ! Moi ! Alors que Philippe...

Elle éclata en sanglots si violents que le Nubien épouvanté alla chercher du vinaigre pour lui bassiner le front et les tempes.

– Par pitié, calme-toi ! Domingo sera puni si tu montres tout à l'heure ce visage désespéré. Il faut que tu soies courageuse.

– Il a raison, fit une petite voix douce qui calma net les pleurs de Fiora. Et je crois que tu te sentiras plus forte quand tu auras lu la lettre que je t'apporte !

Khatoun prit à deux mains la tête de la jeune femme pour l'obliger à la regarder.

– Tu es venue ? murmura Fiora. On te l'a permis ?

– Oui, mais lis cette lettre, je t'en prie ! Toi, pendant ce temps, ajouta-t-elle à l'adresse du Noir, va prendre dehors le coffre qui attend sur une mule gardée par les valets de la comtesse Riario.

La lettre, bien sûr, était de Catarina : « A cet instant qui doit vous être cruel, écrivait la jeune femme, je veux vous apporter tout le réconfort dont je suis capable. Je ne peux vous accompagner, mais je tiens à vous dire ceci : une femme intelligente peut s'accommoder du pire des mariages dès l'instant où elle a des amis pour l'aider, et vous avez en moi une amie. Khatoun que je vous offre – elle sera mon cadeau de mariage – vous en dira plus que je n'ai le courage d'écrire. De même, acceptez cette nouvelle robe qui l'accompagne. Plus vous serez superbe et fière et plus vous gagnerez dans l'esprit de mon oncle. Nous nous reverrons bientôt car, dès demain, je réclamerai votre visite, ce qui est normal puisque je dois garder le lit. Soyez brave et confiante ! Je vous embrasse. Catarina. »

Ce fut comme une grande bouffée d'air pur et vivifiant. Fiora versa ses dernières larmes contre la joue de Khatoun qu'elle étreignit avec une profonde émotion.

– Toi, au moins, je te retrouve ! Je n'imaginais pas recevoir, ce soir, une aussi grande joie.

Avec l'impression que le temps revenait, elle se laissa revêtir par la jeune Tartare de la superbe robe de drap d'or que Domingo venait d'apporter, mais le contact froid du tissu métallique la fit frissonner et Khatoun crut que c'était d'angoisse :

– Ne pense pas ! supplia-t-elle. Il ne faut pas penser à autrefois ! Ce soir, tu fais un mauvais rêve, mais tu te réveilleras.

– Tu crois ?

– J'en suis sûre. Demain, tu verras la contessa Catarina, ajouta-t-elle dans un souffle. Elle a des choses à te dire.

Quand, une heure plus tard, Fiora, suivie de Khatoun aussi compassée qu'une vraie dame d'honneur, fit son entrée dans la chapelle papale, il lui sembla pénétrer à l'intérieur d'un missel. Une brassée de cierges jaunes faisaient chanter les ors et vivre les personnages peints à fresque par Melozzo da Forli. Dans leur splendeur chamarrée et leurs vives couleurs, ils lui parurent plus vrais que les personnages vivants placés aux alentours de l'autel, peut-être parce que son esprit et son cœur refusaient la réalité de toutes leurs forces.

Pour retarder l'instant redouté, Fiora choisit de regarder d'abord le pape, tache blanche sertie entre les bras d'un haut fauteuil de velours rouge. Il ressemblait plus que jamais à un gros batracien hargneux. En face de lui, il y avait une double tache noire et argentée que Fiora reconnut à sa haine avant de distinguer les visages : Hieronyma et Francesco Pazzi qu'elle effleura seulement d'un regard lourd de mépris. Et puis, devant l'autel, une forme étrange, une sorte d'insecte doré aux longues pattes grêles, un corps ovoïde surmonté d'une grosse tête sans cou qui penchait d'un côté, trop lourde peut-être pour qu'on pût la tenir droite. Des cheveux longs et soyeux d'une chaude couleur de châtaigne – la seule beauté de ce garçon sans âge – encadraient un visage aux lèvres molles, au nez tombant et aux lourdes paupières se relevant à peine sur des prunelles dont il était impossible de saisir la couleur.

Dès le seuil franchi, Fiora s'arrêta un instant, prête à s'enfuir si ceux dont elle avait demandé la présence ne se trouvaient pas là. Mais, dans l'ombre du trône papal, elle découvrit la simarre pourpre du cardinal camerlingue et la haute silhouette de Mortimer sobrement vêtu de drap brun et qui, les bras croisés sur sa poitrine, se rongeait un poing. Riario avait accompli sa promesse et Fiora pouvait, à présent, se rassurer sur le sort de son ami... Mais quand son regard rencontra celui de l'Ecossais, assombri par une impuissante colère, elle sentit son courage diminuer. Il était tellement l'image d'un passé proche, d'un passé perdu et devenu, de ce fait, singulièrement cher, qu'elle eut envie de courir à lui et de se réfugier dans cette force qu'elle connaissait si bien. Bien sûr, Mortimer viendrait sans peine à bout des quelques hommes présents, âgés pour la plupart, mais au-dehors il y avait des gardes, il y avait aussi des geôliers et des bourreaux, et Fiora ne pouvait plus revenir en arrière.

Elle allait se mettre en marche vers l'autel quand la porte se rouvrit devant Girolamo Riario. Il rejoignit Fiora et, avec un sourire plein d'arrogance, lui offrit son poing pour qu'elle y posât la main, affirmant ainsi sa volonté d'apparaître comme l'unique artisan de ce mariage, œuvre diabolique où se rejoignaient son insatiable cupidité et la haine de Hieronyma.

La main de Fiora hésita à toucher celle de cet homme, mais refuser eût causé un esclandre qui lui eût peut-être aliéné la fragile bonne volonté de Sixte. Elle se laissa donc conduire auprès de celui qui allait devenir son époux, mais, après lui avoir accordé un regard, elle ferma les yeux pour mieux retenir ses larmes car elle ne pouvait s'empêcher d'évoquer, à la place de cet être si profondément disgracié et qu'elle entendait chantonner à mi-voix comme s'il eût été tout seul, la haute silhouette de son bien-aimé Philippe, ses larges épaules, son sourire un peu narquois et la passion qu'elle avait vu briller alors dans ses yeux noisette.

– Jamais personne ne prendra ta place, jura-t-elle silencieusement à l'ombre de son amour. Quant à celui-là, dussé-je me tuer cette nuit, il ne me touchera ni aujourd'hui ni plus tard !

La voix du cardinal d'Estouteville lui fit rouvrir les yeux et elle vit que le pape, avec l'aide de deux diacres, était en train de revêtir les vêtements sacerdotaux afin de célébrer le mariage.

– Très Saint-Père, dit fermement le Français, je vous

demande solennellement et une dernière fois de vouloir bien reconsidérer ce mariage. Aucune femme ne saurait se résoudre à une telle union et j'ai peine à croire que donna Fiora soit consentante.

– Vous n'avez pas la parole! coupa brutalement Riario. Elle a donné son accord et il n'y a pas à revenir là-dessus!

– J'y reviens cependant, parce que c'est mon devoir. Elle est sujette du roi de France et je me soucie peu d'essuyer ses reproches quand il apprendra ce... cet acte insensé.

– Où prenez-vous qu'elle soit sujette du roi de France? fit aigrement Hieronyma. Elle a toujours été connue pour Florentine et elle est veuve d'un Bourguignon. Ce mariage est, après tout, dans la nature des choses puisque, autrefois, elle fut fiancée à mon pauvre Pietro, mon cher fils.

– Je n'ai jamais été fiancée à ton fils! s'écria Fiora. Je sais que tu n'en es pas à un mensonge près, mais il y a tout de même des limites...

Ainsi engagée, la cérémonie nuptiale promettait de tourner au règlement de comptes, et le pape décida qu'il était temps d'intervenir. Sa voix de bronze tonna, répercutée aux voûtes de la chapelle.

– Paix, vous tous! Ceci est un lieu saint, non un marché. Notre frère d'Estouteville, tenez-vous en repos! Dès demain Nous en écrirons au Roi Très Chrétien pour lui faire part de cette union qui réjouit Notre cœur paternel. Quant à toi, Fiora Beltrami, as-tu oui ou non consenti à épouser Carlo ici présent?

– Oui, mais à une condition.

– Laquelle?

– Je pense que Votre Sainteté ne l'ignore pas. Je veux que soit renvoyé au Plessis-lès-Tours sur l'heure, et en sûreté, le jeune homme qui accompagne ce soir Mgr d'Estouteville.

Riario éclata d'un gros rire qui fit trembler son double menton et tressauter son ventre:

– Que de bruit pour un paysan ! Ma parole, la belle, vous couchiez avec ?

C'était plus que n'en pouvait endurer l'intéressé.

– Paysan toi-même ! gronda-t-il. Je suis officier de la Garde écossaise du très haut et très puissant prince, Louis, onzième du nom, par la grâce de Dieu roi de France et de Navarre. Et j'ai été envoyé ici par mon maître, las d'avoir vu partir deux ambassades sans jamais les voir revenir. Tuez-moi si vous voulez, comme vous avez tué les autres sans doute, mais je refuse que ma liberté soit payée d'un tel prix ! J'ajoute néanmoins que, si je ne reviens pas, le roi considérera qu'il s'agit d'un acte d'hostilité et ce n'est pas une ambassade qu'il enverra, mais bien une armée.

– Une armée ? s'indigna Sixte IV. Il oserait Nous déclarer la guerre ?

– Peut-être pas vraiment, mais je sais qu'il songe à faire valoir ses droits héréditaires sur le royaume de Naples détenu indûment par les Aragonais. Or, il se trouve que Rome est sur le chemin de Naples...

Ce fut au tour de Francesco Pazzi de se lancer dans la bataille. Il n'avait pas changé depuis que Fiora l'avait vu pour la dernière fois quand, au jour de la « giostra », il avait combattu Giuliano de Médicis pour les beaux yeux de Simonetta. Il était toujours laid, courtaud, noir de poil et brun de peau. Sa voix était toujours aussi rude et l'expression de son visage toujours aussi hargneuse :

– Une parole est une parole et Fiora a donné la sienne. J'exige qu'ici elle soit tenue.

– Et moi, Douglas Mortimer, des Mortimer de Glen Livet, je soutiens qu'elle lui a été arrachée par violence et que tu n'es qu'un menteur. A présent, si tu veux que nous en discutions les armes à la main, je suis prêt à soutenir la cause de donna Fiora jusqu'à ce que mort s'ensuive pour l'un de nous.

– Un duel à présent ! s'écria Estouteville. Rappelez-vous, Mortimer, que nous sommes dans une chapelle !

– Votre Grandeur, je ne suis pas certain que cela compte beaucoup ici. N'ai-je pas entendu dire que le duc de Milan a été, l'an passé, assassiné en sortant d'une église ? Ce sont les mœurs du pays apparemment !

– En voilà assez ! hurla le pape dont le visage vira au rouge brique. Nous entendons en finir tout de suite. Donna Fiora, d'ici une heure cet... officier quittera Rome avec la lettre que Nous allons écrire pour le roi de France et avec un sauf-conduit signé de Notre main. Êtes-vous prête à remplir, dans ces conditions, votre part du contrat ?

Sans répondre, Fiora alla jusqu'à l'Écossais, se haussa sur la pointe des pieds et posa un baiser sur sa joue.

– Merci, ami Mortimer, merci de ce que vous avez voulu faire. Ne vous souciez plus de moi, je vous en prie.

– Vous me demandez l'impossible.

– Mais non. C'est sur mon fils que je vous prie de veiller jusqu'à ce que je puisse le retrouver, ce qui va être désormais mon seul but.

– Et vous allez épouser ce...

– Chut ! J'ai donné ma parole et je la tiendrai. Que Dieu vous garde !

– Ne dirai-je rien au roi Louis ?

– Vous lui direz que je le remercie, du fond du cœur, des peines qu'il a prises pour moi, alors même que je venais de rejeter sa protection à cause de l'exécution de mon époux. Je... je ne peux m'empêcher de lui garder de l'amitié...

Sans rien ajouter, elle se dirigea vers l'autel et prit place au côté de Carlo Pazzi qui avait cessé de chantonner. Il avait tourné la tête vers elle et, entre les paupières qu'il tenait à demi closes, elle crut voir filtrer un éclair bleu.

Soufflant et bougonnant, Sixte IV vint se placer en face d'eux, prit leurs mains et commença à marmotter les paroles sacramentelles dont il était à peu près impossible de comprendre un traître mot. Visiblement, il avait hâte d'en finir et expédiait la cérémonie. Fiora n'écoutait pas. Elle répondit un « je le veux » à peine audible lorsqu'il lui demanda son assentiment mais, quand il mit sa main dans celle de Carlo, elle sentit nettement que les doigts du garçon serraient doucement les siens. Elle le regarda, mais il avait déjà repris son air absent et semblait contempler assidûment l'un des anges replets et bouclés qui jouaient du luth derrière l'autel.

Pour donner un semblant de solennité à l'événement, Fiora et son nouvel époux furent conduits en cortège et à la lumière de nombreuses torches à travers le Borgo, jusqu'à la demeure de Francesco Pazzi où ils allaient habiter en attendant que le pape tienne la promesse faite à la jeune femme. Ce n'était pas vraiment un palais : tout au plus une grosse maison forte qui ressemblait davantage au coffre d'un banquier qu'à une habitation de plaisance, mais l'intérieur en était suffisamment luxueux pour contenter l'insatiable appétit de gloriole et de faste de Hieronyma qui y jouait le rôle de maîtresse de maison.

Néanmoins, ce fut Francesco Pazzi qui en fit les honneurs à sa nouvelle nièce. Il semblait extraordinairement joyeux, tout à coup, ce qui était inhabituel chez une nature aussi sombre et vindicative que la sienne. Écartant Carlo qui ne parut pas même s'en apercevoir, il offrit la main à Fiora pour lui faire franchir le seuil de sa maison et la mena lui-même jusqu'à une grande salle où était préparée une riche collation. Auprès des vins les plus doux se trouvaient toutes les pâtisseries, toutes les confiseries susceptibles de tenter l'appétit d'une jeune femme.

Hieronyma qui, semble-t-il, n'était pas au courant, regarda la longue table avec une stupéfaction vite mêlée de colère :

– Qu'est-ce que cela ? Je n'ai rien ordonné de tel !

– Non. C'est moi et tu m'accorderas, j'espère, le droit de donner des ordres dans ma maison !

– Mais pourquoi ? Pourquoi ?

– J'accueille, ce soir, celle qui est certainement la plus jolie femme de Florence, celle qui en sera demain la reine... et elle est à présent ma nièce. Il convient de fêter un si joyeux événement.

Il emplit lui-même une coupe de malvoisie et, plongeant son regard dans celui de Fiora, il y trempa ses lèvres avant de la lui offrir, pour bien montrer qu'elle n'avait pas à craindre le poison, puis en prit une pour lui-même et l'éleva :

– Je bois à ta beauté, Fiora, et à ta bienvenue dans ma maison qui sera désormais la tienne comme je serai, moi-même, ton ami et... ton protecteur, ajouta-t-il avec un coup d'œil à Hieronyma qui fronçait les sourcils devant cette situation qu'elle n'avait pas prévue :

– Qu'est-ce qui te prend ? Je croyais que tu la haïssais ?

– Je haïssais son père, mais peut-on haïr une fleur ? Celle-ci n'était encore qu'une promesse, lorsque j'ai quitté Florence où la beauté de Simonetta rayonnait sur toutes choses. Or, je n'ai pu avoir Simonetta.

– Et tu penses avoir celle-ci ? Ce n'est pas toi qu'elle vient d'épouser ?

Francesco se tourna vers son neveu qui, comme s'il n'était concerné en rien, picorait dans les plats tout en dégustant avec une visible satisfaction du vin d'Espagne.

– Crois-tu vraiment qu'elle vient d'épouser quelqu'un ?

Se souvenant de l'étrange éclair bleu et de la pression légère d'une main, Fiora pensa qu'il était temps de se mêler à la conversation. Jusque-là, elle s'était contentée d'apprécier à sa juste valeur la semi-dispute qui opposait ses ennemis. Exploiter la convoitise que Pazzi ne se donnait même pas la peine de déguiser pouvait être de bonne guerre et, après avoir bu à la coupe qu'il lui avait offerte, elle lui sourit avec une grâce qui fit briller les yeux de l'homme.

– Merci à toi de m'accueillir ainsi, mon oncle. Je suis

heureuse de constater que je compte au moins un ami dans cette maison et je suis certaine à présent que l'avenir nous réserve d'heureux moments, mais il ne convient pas que je néglige celui qui est devenu, ce soir, mon époux. C'est avec lui, si vous le permettez, que je veux partager ce vin de Chypre et ce gâteau d'amandes.

– Bien sûr! Nous oublions les traditions! Tu entends Carlo? Viens près de nous!

Le marié obéit docilement, accepta la part de pâtisserie que lui offrait Fiora et vida la grande coupe de mariage en argent ciselé où elle venait de boire.

– Merci, fit-il d'une voix de petit garçon bien élevé. C'était très bon. Est-ce que je peux aller me coucher?

– Bien sûr, mon petit! fit Hieronyma d'une voix onctueuse. Nous allons t'y conduire tout de suite avec ton épouse. Regarde-la! J'espère qu'elle te plaît? Elle n'est pas vierge, bien sûr, mais il ne faut pas te montrer difficile...

– Je vais coucher avec elle?

– Oui et en prendre ton plaisir autant de fois que tu en auras envie... Elle est à toi, tu sais, à toi tout seul...

– Ça suffit! gronda Francesco. Il n'a certainement jamais approché une fille et je ne vois pas l'utilité de cette comédie. Seule la bénédiction nuptiale était importante.

– Sans doute, mais Carlo a mérité une récompense, et il n'y a aucune raison de le punir. Tu la veux, n'est-ce pas, Carlitto, cette belle fille? Va te préparer! Je vais la conduire moi-même à votre chambre et la déshabiller.

– Oui... oui, Carlo veut bien! fit le garçon en battant des mains avec un rire idiot qui fit pâlir Fiora. Allait-elle vraiment devoir subir cet avorton qui passait à présent sa langue sur sa bouche épaisse comme un chat en face d'un bol de crème?

– J'ai reçu ce soir, en présent de la comtesse Riario, cette jeune femme qui était jadis à mon service, fit-elle en désignant Khatoun restée à l'entrée de la salle où elle se tenait aussi immobile qu'une statue. Elle saura parfaitement me déshabiller.

– Un soir de noces, cela revient aux dames de la famille, protesta Hieronyma.

– Eh bien, vous ferez cela à deux, voilà tout! soupira Pazzi qui baisa la main de Fiora avec un regard qui en disait long. Sans aucun doute eût-il aimé se charger lui-même de l'agréable besogne.

Refusant le bras que Hieronyma lui offrait avec un méchant sourire, Fiora allait quitter la salle suivie de Khatoun quand Pazzi, saisissant un flambeau, la rejoignit :

– Je vais t'escorter moi-même pour rester avec toi un peu plus longtemps. Demain, nous partons pour une affaire importante, Hieronyma et moi, mais nous nous retrouverons bientôt, soit que je revienne, soit plus vraisemblablement que je te fasse chercher avec Carlo. Jusque-là, tu seras ici chez toi.

Arrivé à la porte de la chambre nuptiale, il lui souhaita le bonsoir à nouveau avec force soupirs qui l'eussent amusée, sa situation n'eût-elle été si pénible. Quand Hieronyma voulut entrer avec elle, Fiora la repoussa.

– Non, tu n'iras pas plus loin! Tu m'as amenée là où tu le voulais, cela doit te suffire. Va-t'en!

– Mais...

– J'ai dit : va-t'en! Ne me pousse pas à bout, Hieronyma, et surtout n'imagine pas que ma haine pour toi a disparu.

Comme la femme, furieuse, voulait entrer de force, Francesco se jeta devant elle :

– Fais ce qu'elle dit! Nous allons redescendre ensemble, Hieronyma, nous avons à parler!

Il fallut bien que celle-ci s'exécutât. Lorsque Khatoun referma sur elles deux la porte de la grande chambre éclairée par des flambeaux, Fiora ne put retenir un soupir de soulagement, mais ne dit rien. En effet deux servantes achevaient, l'une de faire la couverture du grand lit à colonnes garni de lourds rideaux de tapisserie, l'autre de disposer dans un vase un énorme bouquet de pivoines odorantes et de lilas qui embaumaient. Fiora leur fit signe de sortir et elles s'exécutèrent après une révérence.

A peine la porte fut-elle refermée que Fiora courut à la fenêtre qu'elle ouvrit pour se pencher au-dehors. L'ouverture donnait sur une cour étroite, un puits dont une lueur reflétée sur les dalles donnait la profondeur.

– Que regardes-tu ? s'inquiéta Khatoun.

– Je voulais voir s'il y avait là une issue.

– Tu veux t'enfuir ? Cela paraît difficile.

– Tout dépend quel genre d'issue on recherche. Crois-tu que je vais partager le lit de ce... de cette chose ? Lui permettre de me toucher ? J'ai dû accepter ce mariage grotesque : il ne faut pas m'en demander davantage.

– Et que vas-tu faire ? Te jeter par la fenêtre ?

– Sans hésiter s'il essaie de m'approcher.

Sans répondre, Khatoun retroussa un pan de sa robe et tira un poignard long et mince qu'elle portait fixé à sa jambe par la jarretière, puis l'offrit à la jeune femme.

– Pourquoi te sacrifier, toi ? La « contessa » pense que plus tôt tu deviendras veuve et mieux ce sera. Le départ des deux autres demain matin facilite les choses. Carlo mort, nous le couchons dans ce lit et, demain, nous recommanderons de le laisser dormir. Pendant ce temps, nous irons au palais Riario d'où, déguisée en garçon, tu pourras fuir vers Florence.

– Pourquoi moi et pas nous ? Je croyais que tu ne voulais plus me quitter ?

– C'est vrai, mais je ne sais pas monter à cheval et je te retarderais. Toi seule peux prévenir Mgr Lorenzo de ce qui se trame contre lui. D'ailleurs, si tu réussis, Francesco Pazzi et la dame Hieronyma auront toutes les chances de ne jamais revenir à Rome. Je te rejoindrai ensuite, et nous irons ensemble retrouver le bébé Philippe ! conclut-elle joyeusement, comme si elle venait de tracer le plan d'une aimable partie de campagne et non d'un meurtre doublé d'une fuite.

Fiora hocha la tête, peu convaincue :

– Crois-tu vraiment qu'il serait prudent de retourner au palais Riario ? Que ferons-nous du comte Girolamo ?

– Il ne sera pas là.

– J'ai déjà entendu cette phrase, et tu as vu comment l'affaire s'est terminée ?

– Cette fois, il n'y aura pas de piège. Demain, il doit conduire sa fille nouvellement née en grande cérémonie au Latran pour y recevoir le baptême des mains du pape. Je sais l'heure... A présent, laisse-moi te mettre au lit ! Ton époux va venir et moi je dormirai devant la porte. Tu n'auras qu'à venir me chercher quand ce sera fait.

Vivement, elle alla glisser le poignard sous les oreillers de soie blanche frangés d'or, puis entreprit de dévêtir Fiora avant de l'aider à enfiler une chemise de fine soie. Il était temps, des bruits de pas se faisaient entendre dans la galerie. Fiora bondit sous les couvertures qu'elle rabattait tout juste sur elle quand la porte s'ouvrit, livrant passage à Francesco Pazzi qui tenait toujours un flambeau et remorquait Carlo par la main, comme un enfant.

Le marié était emballé dans une robe de brocart à grandes fleurs de pourpre et d'or qui accentuaient encore son teint jaune. Le bouillonnement de soie blanche paraissant dans l'ouverture montrait qu'il portait encore sa chemise. Il tenait le tout bien serré contre sa poitrine. Pazzi le conduisit jusqu'au lit et resta là un instant, sans dire un mot, contemplant Fiora avec des yeux qui brillaient comme des chandelles. Il avait dû boire aussi, car il était très rouge et la puissance de son haleine arrivait jusqu'au fond du lit. La jeune femme vit ces mêmes yeux se tourner vers Carlo tandis que, de sa main libre, Francesco cherchait la poignée de la dague pendue à sa ceinture. Elle sentit l'envie de meurtre qui brûlait dans cet homme au pouvoir du vin et pensa qu'il allait peut-être lui éviter un geste qui lui faisait horreur, mais qui la livrerait à lui sans grandes possibilités de se défendre. Tuer Pazzi dans sa propre maison équivaudrait à déchaîner sur elle-même non seulement Hieronyma, mais aussi tous les serviteurs de la maison.

Ce ne fut qu'un instant. L'arme ne sortit pas de son fourreau brodé. D'un geste furieux, Pazzi asséna un coup de poing dans le dos de son neveu puis, virant sur ses talons, alla prendre Khatoun par le bras et l'entraîna hors de la chambre dont la porte claqua derrière eux avec un bruit de tonnerre. Fiora et son nouvel époux étaient seuls, face à face...

Sous la bourrade, le garçon n'avait pas plus réagi que si Pazzi avait frappé un sac de son. Il s'était seulement plié en deux, puis redressé, et il resta là un moment, sans bouger, au point que Fiora se demanda s'il ne s'était pas endormi. Mais elle comprit qu'il écoutait décroître les pas légèrement hésitants de son oncle : quand tout ne fut plus que silence, Carlo abandonna son immobilité. D'un pas vif, il alla jusqu'à la porte, l'ouvrit, passa la tête au-dehors, murmura quelque chose que Fiora n'entendit pas, prit la clef restée à l'extérieur, la plaça à l'intérieur et enfin referma la porte à double tour, ce qui n'alla pas sans inquiéter Fiora. Lentement, elle glissa la main sous l'oreiller en direction du poignard.

– Voilà! dit Carlo tranquillement. Plus personne ne viendra nous déranger.

Appuyé d'une main à une colonne du lit, les yeux bien ouverts montrant des prunelles bleues où passait une flamme de gaieté, il avait complètement perdu son air endormi et regardait la jeune femme en jouissant de sa surprise. Il s'était un peu redressé et, s'il était toujours laid, il inspirait beaucoup moins cette pitié mélangée de dégoût discret que l'on réserve en général aux arriérés.

Fiora ne trouvant toujours rien à dire, il émit une sorte de gloussement et se mit à rire :

– Ne faites pas cette tête, ma chère épouse! Le fait que je vous livre mon secret devrait vous rassurer sur mes intentions. Je peux, si cela ne vous suffit pas, vous affirmer que les enfants nés de notre mariage ne nous coûteront guère à nourrir et que vous allez pouvoir dormir tranquille dans ce grand lit qui vous fait si peur.

– Vous jouez la comédie ? articula enfin la jeune femme. Mais pourquoi ?

– Pour survivre. J'y suis habitué depuis des années, et ma disgrâce physique a été pour moi une aide : je suis si laid que l'on a trouvé naturel que je sois aussi idiot.

– Pour survivre, dites-vous ? Mais qui donc vous menace ?

– Les Pazzi en général, à l'exception de mon grand-père Jacopo qui m'a toujours défendu. Il faut vous dire qu'après lui, je suis, par la mort de mes parents, le plus riche de la famille, et c'est pourquoi l'oncle Francesco m'a emmené à Rome avec lui quand il a dû quitter Florence. J'étais son coffre-fort ambulant, en quelque sorte. Il a obtenu ma tutelle, ce qui lui a permis d'établir à Rome une nouvelle maison de banque, car c'est un homme habile, mais il a tout intérêt à ce que je reste en vie car, mort, tous mes biens lui seraient repris par mon grand-père. Et personne ne s'aviserait de mécontenter le patriarche.

– Comment se fait-il que je n'aie jamais entendu parler de vous lorsque je vivais à Florence ?

– Parce qu'on me cachait, plus soigneusement encore que mon affreux cousin Pietro. Deux monstres dans la famille, c'était trop ! J'habitais à Trespiano une villa héritée de ma mère où l'on me laissait bien tranquille avec ma nourrice et le vieux prêtre qui m'a appris ce qu'il pouvait. J'ai là-bas des livres, des oiseaux, des arbres.

– Étiez-vous obligé de jouer ce rôle horrible... et sans doute épuisant ?

– Oui, car si l'on m'avait soupçonné d'être à peu près intelligent et donc capable de gérer moi-même mes biens, je serais mort depuis longtemps en dépit du patriarche. Il y a eu jadis à Rome un homme qui s'appelait Claudius Ahenobarbus. Il a réussi à échapper aux meurtres incessants perpétrés dans sa famille en se faisant passer pour un crétin, et il a même atteint le trône impérial...

– Nourrissez-vous d'aussi hautes ambitions ? demanda Fiora qui ne put s'empêcher de sourire.

– Oh non ! Surtout pas ! Tout ce que je désire, c'est retourner à Trespiano. Il se peut d'ailleurs que ce désir se réalise prochainement, mais dans des conditions qui m'effraient. Si l'oncle Francesco et l'abominable Hieronyma parviennent à réaliser le plan qu'ils ont échafaudé, Girolamo Riario n'aura rien à leur refuser et je serai très probablement assassiné. Vous aussi, d'ailleurs, puisque l'on ne nous a mariés que pour récupérer votre fortune.

– Mais... votre grand-père ?

– Il mourra dans le tumulte que suscitera la prise du pouvoir par Riario.

– Vous êtes au courant ? Mais comment pouvez-vous savoir tout cela ?

– On ne se méfie pas d'un simple d'esprit. On parle même ouvertement devant lui. Je sais tout de la conspiration contre les Médicis organisée par les Pazzi avec Riario et Montesecco, ce tranche-montagne long comme une nuit d'angoisse et presque aussi laid que moi. Lorenzo et Giuliano doivent mourir à la fin de la semaine, au cours de la visite que leur fait le nouveau cardinal, Rafaele Riario, qui a quitté Rome hier.

– Savez-vous s'ils ont décidé d'une date ?

– Non, mais cela pourrait être le jour de Pâques, pendant les fêtes. Le pire est qu'ils ont réussi à réunir toute la famille, même mon grand-père qui, cependant, était d'abord hostile à ce qu'il tenait pour folie pure. Et moi je ne peux rien faire. J'aimerais pourtant les sauver.

– Sauver qui ? Les Médicis ? Vous, un Pazzi. Vous ne les haïssez donc pas ?

– Giuliano m'importe peu, c'est une belle tête vide, mais j'aime bien Lorenzo. Il est très laid...

– C'est pour cela que vous l'aimez ?

– Par grâce, ne me croyez pas mesquin à ce point ! fit Carlo tristement. Il est laid, je le répète, mais quelle intelligence ! Et quel charme ! Et puis, il a essayé de m'aider. Il avait en effet auprès de lui un médecin grec dont on disait des choses étonnantes.

– Démétrios Lascaris! murmura Fiora en qui ce nom remua quelque chose.

– Vous le connaissez donc? Lorenzo voulait qu'il s'occupe de moi, mais ma chère famille s'y est opposée. Oh oui! je voudrais pouvoir empêcher ce crime, mais je suis prisonnier de mon personnage : je n'ai pas d'argent ni aucun moyen à ma disposition, pas même un valet fidèle, et je ne peux même pas monter à cheval! Rien que sur une mule... et pas trop vite!

– Mais moi, je peux!

Sautant à bas de son lit, Fiora enfila une robe de chambre posée sur une chaise, vint prendre Carlo par la main et le fit asseoir auprès d'elle sur le coffre qui tenait tout le devant du lit. Un espoir fou faisait battre son cœur à coups redoublés.

– Aidez-moi, demain, à quitter cette maison. J'irai à Florence et ferai échouer leurs projets!

– Comment puis-je vous aider? Je vous l'ai dit : je ne peux rien vous donner. Quand ils vont partir, demain, ils vont emmener tous les chevaux et les plus vigoureux de nos serviteurs.

– Quelqu'un me donnera ce qu'il faut. Après leur départ, je sais que la comtesse Riario va demander ma visite. Conduisez-moi chez elle en visite de cérémonie... le reste la regarde.

– Vous voulez dire que... la femme de Girolamo désire que l'on sauve les Médicis?

– Elle aime Giuliano mais, bien sûr, elle doit prendre de grandes précautions...

Brusquement, Carlo posa une main sur celles de Fiora et mit un doigt sur sa bouche. Puis, se penchant vers son oreille, il chuchota :

– Pleurez! Gémissez aussi fort que vous le pourrez!

Il désigna la porte que quelqu'un essayait d'ouvrir tout doucement. Hieronyma sans doute, car Pazzi devait être trop ivre pour prendre tant de précautions. Aussitôt, Fiora se mit à gémir, à pousser de gros sanglots. Elle s'arrêtait, puis recommençait, suppliait qu'on la laisse en paix, le tout avec un naturel qui arracha à Carlo un rire silencieux. Par instants, c'était un faible cri, comme si on la faisait souffrir, puis repartaient les sanglots, les plaintes et les supplications. Carlo, de son côté, émettait des grognements d'une férocité tout à fait convaincante. Cela dura un bon moment, pour la plus grande joie des protagonistes qui s'amusèrent franchement à ce jeu. Puis, sur un dernier cri, Fiora se tut comme si Carlo l'avait assommée. Celui-ci marmonna encore deux ou trois mots indistincts puis ce fut le silence... un silence qui permit d'entendre nettement le bruit de pas prudents qui s'éloignaient et le froissement d'une robe de soie.

– Ouf! souffla Carlo. Nous l'avons échappé belle!

– Nous chuchotions, mais heureusement que vous avez de bonnes oreilles.

– Elles m'ont déjà rendu grand service! A présent, je crois que vous devriez dormir. Vous en avez certainement besoin.

– Et vous?

– Moi, je vais m'installer dans ce fauteuil avec des coussins.

Ledit fauteuil était raide comme la justice et il n'y avait que deux coussins, et encore très petits. Fiora hésita un instant, puis proposa :

– Pourquoi ne pas vous étendre sur le lit, auprès de moi? Nous sommes amis à présent, et vous m'avez promis...

– Cette promesse, croyez-le bien, ne me coûte guère. Vous êtes extrêmement belle, ma chère Fiora, mais je n'aime que les garçons!

La surprise mit dans les yeux de Fiora des points d'interrogation qui firent sourire Carlo, d'un sourire un peu amer cependant :

– Cela n'a jamais choqué personne, pas même mes

partenaires que mon oncle paie généreusement à la condition formelle qu'ils se montrent discrets.

Cette étrange déclaration causa tant de joie à Fiora que, spontanément, elle se pencha vers Carlo et l'embrassa fraternellement.

– Vous êtes décidément un époux selon mon cœur, Carlo, et je ne remercierai jamais assez le ciel de nous avoir unis. Je serai désormais votre sœur et une sœur qui fera tout au monde pour vous aider.

Une larme brilla dans les yeux bleus du garçon qui, à son tour, posa un baiser prudent sur la joue de la jeune femme. Puis sur un « bonsoir », chacun gagna le lit par un côté.

Un moment plus tard, les époux, se tournant le dos, dormaient d'un sommeil bien mérité où entrait une bonne part de soulagement, chez l'un comme chez l'autre.

Troisième partie

LES PÂQUES SANGLANTES

CHAPITRE XI

LA ROUTE DE FLORENCE

La fin du jour approchait quand Fiora, méconnaissable sous un costume masculin, franchit enfin cette porte del Popolo sur laquelle, depuis tant de jours, se cristallisaient ses désirs et ses espérances. Tout s'était passé comme dans un rêve, mais avec la précision d'un ballet bien réglé : le départ matinal de Pazzi et de Hieronyma venus frapper pour un « au revoir » à la porte du jeune couple, mais auxquels le marié avait répondu par des injures et la colère d'un homme arraché trop tôt à son sommeil. Puis la galopade à deux vers la fenêtre pour être bien certains que les Pazzi avaient quitté le palais du Borgo, après quoi Fiora regagna son lit, tandis que Carlo allait enfin ouvrir la porte de la chambre en réclamant à grands cris son déjeuner et son valet. Ensuite, il y eut l'arrivée de l'émissaire de la comtesse Riario demandant la première visite de la nouvelle donna Fiora dei Pazzi, visite que Carlo accepta en grognant et en clamant qu'il irait aussi. Après quoi, étant partis sur des mules en petit appareil – quatre valets et Khatoun – pour le palais de Sant'Apollinario, Fiora, abritée sous un voile épais supposé cacher la trace des sévices endurés durant sa nuit de noces, et Carlo, la mine grognonne, marchant en tête sans cesser de faire cent folies qui faisaient sourire certains passants et hausser les épaules à d'autres.

Arrivé chez Catarina, qui, en effet, était seule, Carlo

réclama à boire et on le conduisit, avec révérence, dans l'appartement de Girolamo, tandis que Fiora et Khatoun étaient menées dans la chambre de la jeune comtesse.

Une chambre somptueuse, en vérité, toute tendue de brocart azuré et de toile d'argent, encombrée d'une infinité de coffres peints, de sièges et de tables au milieu desquels trônait un énorme lit tendu de la même toile d'argent et couronné de bouquets de plumes bleues et blanches. Catarina, noyée dans de précieuses dentelles, reçut les visiteuses avec le cérémonial qui convenait, puis congédia les femmes de son service, ne gardant auprès d'elle que Rosario, sa camériste préférée en qui elle avait toute confiance.

Une heure plus tard, Khatoun, grandie par de hauts patins vénitiens, portant la robe de Fiora et enveloppée du fameux voile, quittait le palais en compagnie de Carlo qui avait vidé – le plus souvent dans des pots d'orangers – un certain nombre de flacons. Pendant ce temps, cachée dans l'alcôve ménagée derrière le lit de Catarina, Fiora endossait le costume de daim brun et le tabard armorié frappé de la vipère des Sforza et de la rose des Riario qui avaient été préparés pour elle avec de hautes bottes de cuir souple, un ample manteau de cheval et un haut bonnet emplumé sous lequel ses cheveux, serrés dans une résille, disparurent complètement.

Quand elle fut prête, Catarina lui remit une bourse pleine d'or, dont Fiora distribua une partie dans ses vêtements, et une lettre signée d'un simple C.

– Elle est pour Lorenzo, précisa-t-elle. Je ne veux pas que les Médicis me croient complice des Pazzi... et de mon époux. Quand vous serez au-delà de Sienne, enlevez le tabard et enterrez-le ou cachez-le dans un buisson épais. Prenez garde aussi de ne pas rencontrer ceux qui sont partis ce matin. Vous trouverez dans la bourse un itinéraire qui devrait vous garder de ce désagrément. A présent, embrassez-moi et que Dieu vous garde! Je vous enverrai Khatoun qui reviendra ici cette nuit dès que ce sera possible.

Avec une émotion profonde, Fiora avait posé ses lèvres sur le beau visage de cette jeune femme qui, malgré un mariage détesté, réussissait à demeurer fidèle à elle-même et au nom qu'elle entendait porter toute sa vie. Elle l'avait fait sans arrière-pensée et sans inquiétude : en dépit de son jeune âge, Catarina Sforza était capable de se tirer des pires situations [1], car elle possédait la vive intelligence qui manquait si gravement à son époux et, surtout, le courage dont il était absolument dépourvu. A l'ultime instant, elle mit tout de même Fiora en garde tandis que Rosario accrochait une épée et une dague à la ceinture du faux garçon :

– Si le malheur voulait, car dès demain vous serez poursuivie, que vous soyez reprise, tuez-vous sans hésiter, car vous n'auriez aucun autre moyen d'éviter une mort qui ne viendrait qu'après une éternité de souffrance.

– Soyez tranquille : je m'en souviendrai. On ne me prendra pas vivante.

Tout fut rapide ensuite. Par des couloirs détournés, Rosario conduisit Fiora aux écuries où la jeune femme choisit elle-même et sella un cheval, puis ouvrit devant elle une petite porte. Avec une joie immense, Fiora enfourcha son cheval qui répondait au nom de Titano et piqua des deux pour rejoindre le Corso.

Ayant franchi la porte où les soldats de garde saluèrent son tabard d'un geste familier, elle mit son cheval au galop pour le plaisir trop longtemps attendu de sentir le vent – et la pluie car cette Semaine sainte avait débuté sous la grisaille et les nuages menaçants – fouetter son visage. Elle était libre, enfin libre ! La campagne s'ouvrait toute grande devant elle, coupée par le tracé incertain de l'ancienne via Flaminia, la vieille route romaine qui joignait Rome à l'Étrurie et dont les dalles disjointes indiquaient le chemin, mais le rendaient dangereux pour les jambes des chevaux. Aussi Fiora préféra-t-elle emprunter

1. Ce qu'elle devait prouver surabondamment au cours des quarante-six ans qui ont composé son existence.

le large talus herbeux qui courait le long d'anciennes sépultures écroulées. Après quelques minutes de ce train d'enfer, cheval et cavalière passèrent le Tibre en trombe, au pont Milvio, puis Fiora serra les rênes pour calmer l'allure, et même s'arrêta afin de se retourner un instant. En dépit du mauvais temps, elle voulait s'accorder le plaisir de regarder Rome une dernière fois, cette antique cité des Césars, sacralisée par le sang des martyrs et que la présence du pontife suprême aurait dû faire noble, pure et généreuse. Ce n'était qu'un immense cloaque truffé de pièges, et la fugitive pensa qu'elle ne remercierait jamais assez Dieu de lui avoir permis d'y échapper. En même temps, elle envoya une dernière pensée chaleureuse, un regret même, car elle ne les reverrait sans doute plus jamais, à Stefano Infessura dont elle savait qu'il avait recouvré sa liberté, à Anna la Juive qui l'avait soignée, à donna Catarina qui s'était faite son amie contre vents et marées, enfin à Antonia Colonna, la petite sœur Serafina qu'elle avait laissée au couvent de San Sisto poursuivre une attente qui durerait peut-être autant qu'elle. Parce qu'ils respiraient, sans en mourir, l'air de cette ville corrompue, celle-ci était peut-être encore susceptible d'être sauvée, mais à quel prix ?

La pluie rappela à Fiora qu'elle n'avait guère de temps à donner à la philosophie et qu'après tout c'était à Dieu qu'il appartenait de décider si Rome devait vivre ou disparaître dans un déluge de feu comme Sodome et Gomorrhe... D'après les explications précises que lui avaient données Catarina d'une part et Carlo d'autre part, elle savait n'avoir pas à craindre de tomber sur Francesco et Hieronyma. D'abord parce qu'ils avaient au moins douze heures d'avance sur elle, ensuite parce qu'ils allaient bon train, Montesecco ayant disposé pour eux des relais tout au long de la route pour leur procurer des chevaux frais. Enfin parce que, après Sienne, ils n'iraient pas directement à Florence, mais passeraient par Poggibonsi afin de rejoindre, vers San Miniato, le nouveau légat venant de Pise. Ils entreraient ainsi sans danger dans la cité du Lys rouge, mêlés au cortège véritablement princier qui escortait le jeune cardinal Riario.

Les dispositions prises pour eux pouvaient même se révéler utiles à Fiora qui, sous les armes de Catarina, réussirait certainement à se faire passer pour un serviteur attardé et à obtenir à son tour des chevaux frais. Quant au temps dont elle disposait, il était très court : Rafaele Riario devait faire son entrée dans Florence le jeudi saint, et l'on était le mardi soir. Il lui faudrait parcourir quelque soixante-dix lieues en deux jours : une allure à la portée d'un chevaucheur entraîné ayant de bonnes montures, mais beaucoup plus rude pour une jeune femme qui, pendant plus de six mois, avait vécu une existence cloîtrée. Elle serait obligée de s'arrêter pour prendre un minimum de repos. Hieronyma, elle, voyageait dans une confortable litière qui ne s'arrêterait que le temps de changer les chevaux. Elle la troquerait pour une mule avant San Miniato, et quitterait le cortège aux portes de Florence pour gagner directement Montughi, la villa du vieux Jacopo Pazzi.

Cette idée-là rendait Fiora enragée et lui faisait considérer avec dédain les douleurs qu'il lui faudrait subir. Se souvenant de sa chère Léonarde et des innombrables cataplasmes de chandelle dont elle avait usé durant les campagnes du Téméraire, elle se surprit même à rire toute seule, avec la gaieté de son âge que sa liberté nouvelle lui rendait...

A Viterbe, ville papale où elle arriva dans la matinée du mercredi elle avait déjà vingt lieues dans les reins et tout son corps réclamait désespérément un peu de repos. Son cheval aussi, qu'elle échangea contre un nouveau à l'auberge dell'Angelo, regrettant beaucoup de ne pas pouvoir y demander une chambre. C'était l'un des relais Pazzi et il valait mieux ne pas s'y attarder. Fidèle à son rôle de retardataire pressé, elle se contenta d'acheter un fromage, une miche de pain, un pichet de vin clairet et quelques chandelles, puis reprit héroïquement sa route.

Une fois hors de la ville, elle avisa un bâtiment en ruine où poussaient le lierre, les orties et la mélisse, y fit entrer sa monture qu'elle attacha à une solive et s'installa pour manger, boire et prendre un repos de trois heures. Elle ne craignait pas de dépasser ce délai qu'elle se fixait à elle-même car elle possédait la faculté précieuse de s'éveiller quand elle le voulait. Trois heures plus tard, en effet, elle sortait de son sommeil, mangeait et buvait encore un peu, puis décidait de reprendre son voyage. La pluie avait cessé depuis le lever du jour et, si le temps restait gris et froid, il était tout de même beaucoup plus supportable. Hélas, la route, elle, se faisait plus accidentée, moins droite et, bientôt, le galop ne fut plus possible aussi souvent. Cahin-caha, néanmoins, le voyage de Fiora se poursuivit sans trop de peine grâce à la brillante organisation de Francesco Pazzi et de Montesecco. Son tabard armorié faisait merveille.

Après San Quirico d'Orcia, le chemin était tracé au long des doux vallonnements de l'Ombrie, dessinant un calme paysage piqué de cyprès comme les avait aimés le vieux maître Giotto et comme Fiora elle-même les aimait : la campagne commençait à ressembler à sa chère Toscane.

Au bas d'une côte, la route dessina soudain un coude garni de chaque côté par un bosquet touffu et, comme la cavalière s'y élançait, elle faillit donner tête la première dans une charrette chargée de fagots qui tenait toute la largeur du chemin. Le cheval freina si brutalement que Fiora, en dépit de son habileté, faillit passer par-dessus sa tête. A grand-peine elle se maintint en selle, mais sa monture, effrayée, se cabra, l'écume aux lèvres : de l'abri des bouquets d'arbres des hommes dépenaillés, mais armés jusqu'aux dents, surgirent. L'un d'eux jeta une étoffe noire sur la tête de l'animal tandis que les autres se rangeaient autour en pointant des arquebuses.

– Des brigands! pesta Fiora entre ses dents. Il ne me manquait plus que ça!

Aveuglé, le cheval se calma. L'un des bandits avait saisi la bride et la tenait fermement. Cependant, un homme qui devait être le chef – le seul qui n'eût pas d'arquebuse – se détachait du cercle, un poing sur la hanche et le nez en bataille. Un nez impressionnant. Le personnage était du genre trapu. Il avait une taille plutôt courte, des épaules et des mains énormes. Une barbe poivre et sel assortie aux cheveux mangeait la plus grande partie de sa figure et, dans cette superbe exubérance pileuse, ses yeux bruns brillaient d'un éclat moqueur. Son costume se composait d'un pourpoint de buffle, truffé de nombreuses taches, sur lequel deux ou trois morceaux d'armure faisaient de leur mieux pour lui donner une tournure noble qui eût été risible sans l'interminable colichemarde qui lui battait les jarrets et retroussait élégamment par-derrière un lambeau de manteau rouge. Un bonnet de feutre crasseux, enjolivé d'une plume écarlate, complétait son équipement.

Avec plus d'agacement que de crainte, Fiora considéra le personnage qui, après l'avoir saluée courtoisement, s'emparait d'une main preste de son escarcelle :

– Vous avez été bien mal inspiré en m'arrêtant, seigneur bandit, soupira Fiora. Je suis fort pressée !

Des dents blanches apparurent dans la broussaille de la barbe, tandis que l'homme soupesait gaiement la bourse qui rendait, il est vrai, un son encourageant :

– Voilà qui est fâcheux, mon jeune seigneur, fit-il en riant, car je suis, moi aussi, fort pressé d'avoir ce beau cheval qui remplacera si bien celui que j'ai perdu voici deux jours. Vous me semblez homme de bonne compagnie, si j'en juge par ces belles armoiries qui s'étalent sur votre estomac, et vous comprendrez sans peine que ma dignité de chef m'interdise d'aller à pied plus longtemps. J'y perds de mon prestige.

– Je suis navrée pour vous, mais, comme votre vie n'est pas en danger et que, en revanche, plusieurs existences dépendent des jambes de cet animal, j'aimerais en discuter avec vous.

En disant ces derniers mots et sans qu'une intonation différente ait pu mettre l'adversaire en garde, Fiora dégaina et, avec la rapidité de l'éclair, porta un coup furieux dans la poitrine de son adversaire qui roula à terre ; dans le même moment, elle fit à nouveau cabrer son cheval dont les antérieurs vinrent frapper le bandit qui le maintenait. Mais si elle avait compté sur l'effet de surprise pour venir à bout du reste de la bande, elle avait fait un mauvais calcul, car à peine eurent-ils vu leur chef bousculé que trois bandits, lâchant leurs armes, se ruèrent sur Fiora qu'ils désarçonnèrent et qui se retrouva à terre, à demi aveuglée par les plis de son manteau. Pendant ce temps, le chef se relevait et époussetait son buffle crasseux avec des grâces de petit maître :

– Une cotte de mailles est toujours une bonne précaution quand on fréquente les honnêtes voyageurs, ricana-t-il, mais je te dois un nouveau trou à mon pourpoint et cela va te coûter cher, mon bel ami !

En un clin d'œil, Fiora, persuadée que sa dernière heure venait de sonner, se retrouva troussée comme une volaille et jetée en travers de son cheval sur lequel le chef se hissa avec satisfaction.

– Tu es un peu impulsif, l'ami, fit-il en assénant une claque joyeuse sur les fesses du prétendu messager, mais tu es d'un bon rapport. Ta bourse mérite considération. Par contre... il va falloir que tu me lises ça, ajouta-t-il en pêchant le billet de Catarina et en le retournant entre ses doigts. Je n'ai jamais eu le temps d'apprendre à lire !

– Si tu tiens à ta tête, capitaine, je te conseille de laisser cette lettre tranquille, grogna Fiora dont le nez, à chaque pas du cheval, allait cogner contre le cuir du harnachement. D'ailleurs, le seul fait de m'empêcher de poursuivre mon chemin l'a déjà ébranlée sérieusement.

Il fallait jouer d'audace. Par extraordinaire, ce brigand semblait plus avide que cruel. Il serait peut-être possible de s'entendre avec lui ? Restait à savoir de quel côté penchaient ses sympathies politiques...

– J'ai rarement rencontré des cadavres bavards, tu sais ? fit l'autre. Rassure-toi ! Nous n'allons pas loin et tu vas pouvoir te reposer un peu. Seulement, si tu fais le méchant, il pourrait bien devenir éternel, ton repos...

Par un sentier qui serpentait à travers un bois de chênes-lièges, la troupe atteignit bientôt l'entrée d'une caverne qui s'ouvrait à flanc de colline, une entrée étroite et masquée par une épaisse végétation.

La nuit tombait. En file indienne, on parcourut un couloir sombre, envahi d'une odeur de fumée qui piqua les yeux de Fiora et la fit tousser, mais déjà le couloir s'élargissait et s'éclairait, tandis qu'une agréable odeur de viande grillée venait chatouiller ses narines. On la posa à terre et elle se retrouva, quelque peu engourdie, auprès d'un feu au-dessus duquel rôtissait un mouton entier. Auprès d'elle, le chef réchauffait ses mains à la flamme.

– Je te rappelle ce que je t'ai déjà dit, fit-elle calmement. Plus le temps passe et plus ta tête est en danger.

– Ça suffit ! gronda l'homme en lui jetant un coup d'œil meurtrier. Il y a des choses que je n'aime pas entendre, même une seule fois. Alors deux ! J'ai bien envie de te faire taire pour toujours.

– Ne te gêne pas ! s'écria Fiora que la colère gagnait en proportion du temps qu'elle perdait. Mais dis-toi que mon cadavre pourrait être encore plus dangereux que ma personne. Tu ne sais pas lire, mais si tu es, comme je le pense, un ancien soldat, tu devrais connaître ces armoiries ?

– Hum !... La vipère milanaise, oui... je connais ! mais cette rose qu'est-ce que c'est ?

– Tu n'as pas dû sortir de ton trou depuis longtemps. Si tu veux en savoir davantage, écartons-nous un peu. Tu n'as peut-être pas de secrets pour tes hommes, mais moi, il y a des choses que je ne peux pas dire à n'importe qui.

Vaguement flatté, le chef se pencha, délia les jambes de Fiora puis, prenant le bout de la corde qui attachait ses mains, l'entraîna vers le fond de la grotte. Là de la paille amoncelée et quelques couvertures formaient une litière sur laquelle il se laissa tomber.

– Vas-y ! Cause !... Qui est ton maître ?

– Ce n'est pas un maître, c'est une maîtresse : la nièce du pape, donna Catarina Sforza, comtesse Riario. Elle m'envoie à Florence en mission... spéciale, d'où cette lettre. Si je ne réussis pas, je risque ma tête, mais quiconque m'empêche de réussir la risque bien davantage encore. Donna Catarina n'est pas commode, bien que fort jeune.

Le bandit ôta son bonnet pour se gratter la tête, visiblement aux prises avec un problème ardu :

– Déjà entendu parler ! On dit qu'elle est aussi brave qu'elle est belle, et elle a de qui tenir ! Moi qui te parle, j'ai servi sous son grand-père, le grand Francesco Sforza, un rude homme de guerre celui-là ! J'étais encore tout gamin, mais je peux dire que j'ai eu du bon temps avec lui. En voilà un qui savait comment faire plaisir à ses soldats...

Les yeux du bandit brillèrent soudain d'un feu plus vif, tandis que sa voix se chargeait d'une espèce de nostalgie :

– On a saccagé Piacenza ensemble, et jamais tu verras un sac pareil, garçon, ni pareille frairie ! On a étripé tous les hommes, violé toutes les femmes de dix à soixante ans, crevé toutes les futailles et, pour finir, flanqué le feu partout. La ville flambait comme l'enfer qu'on culbutait encore les filles dans les ruisseaux qui charriaient du vin, du sang et des boyaux. Il faisait une chaleur à crever, mais on a bu tout ce qu'on a voulu. Et puis, après, on était riches : de l'argent, des belles étoffes, des vivres, de l'or aussi, voilà ce que Sforza donnait à ses hommes ! On a eu aussi des nonnes... et même des moinillons pour ceux qui aiment ça. Ah !... faudrait aller loin pour retrouver un chef comme lui ! Ceux de maintenant ne pensent qu'à s'habiller de soie et à éviter les coups. Ils ont la peau tendre... Sforza, lui, avait du cuir, du bon vieux cuir craquelé, usé par la cuirasse comme le mien et, pourtant, la reine de Naples l'a voulu dans son lit et Milan lui a donné la plus belle de ses princesses...

Fiora avait, sans impatience, écouté le bandit égrener ses souvenirs, sans s'émouvoir non plus de ce qu'elle entendait : elle avait vu la guerre d'assez près pour en connaître les horreurs.

– Je suis dévoué à donna Catarina comme tu l'étais à son grand-père et je peux t'assurer qu'elle est digne de lui. Écoute ! Garde ma bourse, mais laisse-moi repartir avec mon cheval ! Je te jure qu'une fois ma mission accomplie je te le ramènerai et deux autres avec si tu le veux...

– Pourquoi pas une vingtaine ? Ceux qui seront sous les fesses des soldats qui t'accompagneront ? Tu me prends pour un imbécile, gamin ? La parole des gens, j'y crois plus guère et, aussi vrai que je m'appelle Rocco da Magione, il est pas encore né celui qui me reprendra quelque chose... Surtout un dameret qui n'a même pas un poil de barbe. Une vraie fille, ma parole, ajouta-t-il en passant un doigt sur la joue de Fiora qui faillit le mordre, mais décida de jouer son va-tout !

– Mais je suis une fille, dit-elle doucement.

Rocco retira son doigt comme s'il s'était brûlé.

– Qu'est-ce que tu dis ?

– C'est facile à vérifier. Enlève mon bonnet !

Le brigand ôta le chaperon de feutre, révélant la résille qui retenait serrés les cheveux de la jeune femme. Celle-ci secoua la tête et un flot de soie noire coula sur ses épaules sous l'œil stupéfait de Rocco.

– C'est pourtant vrai ! Mais qui tu es ?

– Je vais te le dire, mais réponds-moi d'abord. Puisque tu surveilles cette route, tu n'as pas vu passer, la nuit dernière, des cavaliers escortant une litière ?

– Pas la nuit dernière : hier au petit matin. Une drôle de caravane et, crois-moi, c'était pas l'envie qui me manquait de remonter tous mes hommes en chevaux, mais ils étaient un peu trop bien armés pour de modestes brigands comme nous.

– C'est bien dommage ! gémit Fiora. Si tu les avais attaqués, tu aurais sans doute évité un grand malheur...

– Doucement ! Le malheur, il aurait sûrement été pour moi et ces bons garçons qui se sont enrôlés sous ma bannière. Mais revenons où nous en étions : qui es-tu ?

– Je m'appelle Fiora Beltrami et je suis l'amie de donna Catarina. Pour compléter le tableau, j'ajoute que je suis aussi l'ennemie jurée de son rustre d'époux... Oh, et puis, en voilà assez ! Je suis là à faire l'imbécile, à discuter avec un coupeur de bourses alors que les Médicis seront peut-être morts demain !

Elle voulut se lever, mais Rocco l'en empêcha et la renvoya sur la paille. En même temps, il avait poussé un véritable rugissement :

– Qu'est-ce que tu dis là ? Qu'est-ce que cette histoire de mort ?

– C'est un peu long à t'expliquer. Sache seulement que, si je suis si pressée, c'est parce que la comtesse et moi nous voulons essayer de les sauver. Ceux que tu as vu passer hier sont leurs assassins !

Il y eut un silence et Rocco tira de sa ceinture un long couteau aussi peu rassurant que possible, mais il se contenta de couper la corde qui liait les poignets de la prisonnière. Puis il fit quelques pas de long en large, réfléchissant visiblement.

– Si je t'aide, tu crois que je peux espérer une bonne récompense ? fit-il en fourrageant dans sa barbe.

– Sur la mémoire de mon père, assassiné par ces Pazzi que tu as vu passer, je te le jure. Mais pourquoi ferais-tu quelque chose pour les Médicis ?

– Le Magnifique m'a sauvé la vie à Volterra. J'avais tué une fille que Vitelli se réservait et il a voulu me pendre. Lorenzo a coupé la corde et m'a rendu la liberté. Ce sont des choses qu'un homme d'honneur n'oublie pas. Mais assez causé : on aura le temps en route. Je vais avec toi ! Ce sera encore le meilleur moyen de surveiller mon cheval.

– A deux sur son dos? Ce sera surtout le meilleur moyen de le faire crever ou alors nous devrons aller au pas. Je te dis qu'il faut se hâter!

– Il nous portera bien une petite demi-lieue? Je sais où on peut en trouver un dès l'instant où l'on a de l'or, ajouta-t-il en caressant la bourse qu'il avait attachée à sa ceinture par les cordons. A présent, viens manger un morceau de ce mouton qui va bientôt brûler... mais recoiffe-toi. Je préfère que tu restes un garçon.

Comme Rocco l'y invitait, Fiora dévora un morceau de l'animal qui était rôti à point et le fit descendre avec un coup de vin râpeux, tandis que le chef, tout en mangeant, haranguait ses hommes – une dizaine tout au plus :

– Je vais accompagner ce garçon car il me propose une affaire intéressante, mais je reviendrai bientôt. Orlando, ajouta-t-il en désignant une espèce de géant chevelu qui devait posséder la force de deux ours, vous commandera en mon absence qui ne devrait pas durer beaucoup plus d'une semaine mais, en attendant, tenez-vous tranquilles et n'attirez pas l'attention sur vous. Je vais vous laisser une partie de l'or de ce garçon, mais je rapporterai de quoi vous vêtir convenablement.

– Pourquoi? grogna Orlando. On n'sera plus brigands?

– On sera ce qu'on a toujours été : des soldats. Quand je reviendrai, nous irons à Urbino. On dit que le duc, Federico de Montefeltro, lève une condotta pour une nouvelle guerre, et il y a trop longtemps que nos épées se rouillent! D'accord?

Tous étaient d'accord, mais pas Fiora qui se pencha vers Rocco :

– Tu es sûr d'être logique avec toi-même? Montefeltro est l'un des condottieri au service du pape, et cette armée pourrait se diriger sur Florence.

– Je sais, mais disons que c'est... un pis-aller! Nous allons voir ce qui va se passer là-bas. Si les Médicis l'emportent, c'est à leur service qu'on se mettra. Sinon... il faut bien vivre, que veux-tu?

Il n'y avait rien à ajouter. Fiora acheva tranquillement son repas tandis que Rocco procédait à une répartition équitable des pièces d'or. Grâce à la précaution qu'elle avait prise d'en distribuer quelques-unes dans ses bottes et dans divers endroits de ses vêtements, le fait d'avoir perdu sa bourse ne tourmentait pas Fiora, mais elle réclama l'escarcelle qui l'avait contenue. Il n'y restait plus que peu de choses : un mouchoir et le petit flacon donné par Anna. Rocco le considéra un instant.

– Qu'est-ce qu'il y a là-dedans ?

– La possibilité d'échapper à une mort pénible au cas où je serais... pris.

Rocco hocha la tête, remit l'objet dans l'aumônière et la tendit à Fiora qui commençait à trépigner d'impatience. Que de temps perdu ! En outre, elle s'inquiétait un peu de l'effet qu'elle produirait sur la route et dans Florence en compagnie de cet homme déguenillé qui avait un peu trop l'air de ce qu'il était...

Mais quand Rocco, qui s'était éloigné un moment, revint, elle se rassura. Il avait troqué son buffle plus que crasseux contre un pourpoint d'épais drap gris, pas très propre sans doute mais plus présentable. Des bottes, un ceinturon de cuir brun et un manteau de même couleur achevaient la transformation que la longue épée et la dague vinrent heureusement compléter.

– Tu as eu peur que je te fasse honte, hein ? fit-il en allongeant un coup de coude dans les côtes de Fiora. Et maintenant, en route.

On sortit de la grotte et il enfourcha le cheval. Fiora monta en croupe et, salués par les vœux de la troupe, ils se dirigèrent vers le grand chemin au pas mesuré que cette double charge rendait nécessaire pour ne pas épuiser l'animal.

La nuit était noire, froide, et il fallait connaître les alentours pour s'y retrouver, mais Rocco savait où il allait et, un moment après, Fiora se trouva dotée d'une nouvelle monture achetée le plus régulièrement du monde chez un fermier qui semblait bien connaître le brigand, et même entretenir avec lui des relations plutôt cordiales.

– C'est les voyageurs qu'on détrousse, expliqua Rocco, pas les voisins ! Sans quoi la vie n'est plus possible. Celui-là n'a jamais eu à se plaindre de moi, au contraire.

Le compagnon de la jeune femme n'avait pas poussé la camaraderie jusqu'à lui rendre son cheval. Il l'avait gardé pour lui, et Fiora n'eut pas à se louer du changement, à beaucoup près. Sa nouvelle monture était une bête de labour plus qu'un cheval de selle. En outre, elle faisait preuve d'une indépendance d'esprit et d'une originalité certaines qui la poussaient à contourner le moindre monticule de terre ou même à reculer si l'obstacle lui paraissait trop fatigant à surmonter. Rocco, qui s'amusait sans vergogne de la fureur croissante de Fiora, finit par prendre l'animal par la bride pour l'entraîner à sa suite. Fiora se consolait en pensant qu'à Sienne, son compagnon et elle pourraient prendre des chevaux frais. Mais il était écrit sur le grand livre du destin qu'elle n'était pas encore au bout de ses peines.

Sur la piazza del Campo, l'auberge della Fontana accueillit les voyageurs avec la considération due à d'aussi nobles visiteurs, mais son propriétaire, maître Guido Matteotti, leur offrit une image de désolation quand ils demandèrent des chevaux frais.

– Où voulez-vous que je les prenne, Messeigneurs ? Je n'en ai plus un seul ! Pas même un tout petit. Tout ce que je pourrais vous offrir, c'est un âne, et encore il a une patte raide. Et puis ma fille l'aime beaucoup !

– Qu'est-ce que tu veux qu'on fasse d'un âne ? tempêta Rocco. Tu vois bien qui nous sommes ? Mon jeune maître qui appartient à la maison du noble comte Riario est un messager envoyé par Sa Sainteté et, crois-moi, son message est urgent.

– Que je tombe mort à tes pieds, Seigneur, si je ne dis pas la vérité. Il me restait quatre chevaux, quatre chevaux superbes : des bêtes hautes, fortes, solides comme un rempart, l'œil vif et la crinière plus longue que chevelure de femme, mais on me les a prises hier soir ! On me les a prises toutes les quatre...

– Et qui s'est permis ça ? Est-ce qu'ils n'étaient pas réservés pour le service du pape et des siens ?

– Bien sûr, mais j'avais vu passer, déjà, une forte troupe et je n'imaginais pas qu'il pût en venir d'autres. En outre, ceux qui sont venus avaient des arguments contre lesquels je ne pouvais pas grand-chose !

Rocco empoigna le bonhomme par le col de sa chemise et entreprit de le secouer d'importance :

– Et qui c'étaient, ces gens-là ? Tu vas le dire, enfin ?

– Une troupe d'hommes qui venaient de Pise. Des soldats ! Ils ont bu, mangé, pillé mon cellier et ma cave, malmené mes servantes et mes marmitons. Un vrai désastre !

– Je perds patience ! fit Rocco. Tu vas te décider à les nommer ?

– Est-ce que je sais, moi ? Des soldats, je vous ai dit ! Ils allaient rejoindre une troupe qui se forme près d'ici sous le condottiere Sanseverino. Ils ont vu mes chevaux, ils les ont pris, tout simplement. Ah ! Pauvre de moi !

Les sourcils froncés, Fiora réfléchissait. La situation s'aggravait. Rocco avait parlé d'un rassemblement à Urbino sous le duc Frédéric, et voilà qu'une autre condotta se formait sous Sanseverino. L'un à l'est, l'autre au sud-ouest, cela ressemblait diablement à une tenaille prête à se refermer sur Florence. Décidément, Riario avait bien préparé son affaire car, les Médicis abattus, il pourrait lâcher cette meute affamée sur leur ville et l'étrangler avant même qu'elle ait eu le temps de bouger. En outre, derrière le pape, il y avait aussi Ferrante de Naples, alors que les alliés de Florence, Milan et Venise, ne se doutaient peut-être même pas de ce qui se préparait. Sans parler bien sûr du roi de France que la distance rendait peu dangereux pour les conjurés.

Elle n'avait rien dit, mais Rocco avait dû suivre le cheminement de sa pensée car il posa sur son bras une main qui se voulait rassurante et elle l'en remercia d'un regard.

– Eh bien, fit-il, nous rejoindrons les autres à Florence et il faudra bien que nos bêtes tiennent jusque-là. Est-ce qu'au moins, dans ton cellier pillé et ta cave ravagée, il reste de quoi nourrir et abreuver deux honnêtes soldats ?

Maître Guido qui s'attendait aux pires sévices parut renaître comme une fleur restée trop longtemps au soleil et qu'un jardinier compatissant arrose d'une pluie fine et fraîche.

– Bien sûr, Vos Seigneuries, bien sûr ! Venez ! Je vais vous préparer moi-même une bonne omelette et sortir pour vous les quelques provisions que je gardais à l'abri pour moi et les miens... Par ces temps terribles, il faut être prévoyant...

– Tu es bien certain de n'avoir pas mis un ou deux chevaux de côté, pendant que tu y étais ? fit Rocco mi-figue mi-raisin ? En attendant, fais soigner les nôtres ! Qu'on leur baigne les jambes dans du vin et qu'on leur donne double ration ! Et qu'on nous apporte un pichet en attendant le repas !

Fiora et lui entrèrent dans la salle de l'auberge qui, en effet, semblait avoir subi un ouragan, et remirent sur pied deux tabourets pour s'y installer :

– Rien n'est perdu ! souffla le brigand à Fiora qui, la tête dans les mains, semblait sur le point de s'évanouir. Il ne nous reste qu'une vingtaine de lieues à parcourir. Je suis sûr que nous pouvons encore arriver à temps.

– Avec des chevaux qui vont nous lâcher à mi-chemin ? Il nous faudra continuer à pied... et je suis morte de fatigue !

– Alors reposons-nous ! Quelques heures seulement, mais cela permettra à nos bêtes de continuer. Mangeons, puis tu iras dormir dans une chambre. Pendant ce temps-là, j'irai voir dans la ville si je peux trouver...

– Rien du tout ! Si je me repose, tu te reposes aussi et je t'attacherai à moi.

– La confiance règne, à ce qu'il paraît ? Au fond, je ne peux pas t'en vouloir. Il n'y a pas longtemps que nous avons fait connaissance. On fera comme tu veux, mais d'abord mangeons ! Je crève de faim, moi !

– Déjà ? Le mouton n'est pourtant pas si loin ?

– Peut-être, mais vois-tu, les contrariétés m'ouvrent l'appétit ! Au fait... tu es bien sûre qu'il ne te reste pas quelques pièces pour payer notre aubergiste ?

– M'as-tu pris ma bourse, oui ou non ?

– Oui... oui bien sûr, mais j'ai une espèce de sixième sens qui me fait renifler l'or comme un cochon les truffes. Et tu m'as bien dit que tu t'appelais Beltrami ?

– Je l'ai dit, mais est-ce que cela signifie quelque chose pour toi ?

– La seconde fortune de Florence ? Ça signifie quelque chose pour n'importe quel enfant de l'aventure, en Italie.

– Ça signifiait ! Mon père est mort et...

– Je sais, mais je suis persuadé qu'il te reste un petit quelque chose, et une fille de banquier ça ne doit pas mettre tous ses œufs dans le même panier.

En dépit de sa fatigue, Fiora se mit à rire.

– Il faut aller à Florence pour le savoir, Rocco. Sois sans crainte : tu auras la récompense que je t'ai promise, même si ce n'est pas Lorenzo de Médicis qui te la donne...

Les deux compagnons quittèrent Sienne à la tombée de la nuit, juste avant la fermeture des portes. Les rues étaient pleines d'ombres silencieuses qui, sous des habits de deuil, revenaient d'entendre l'office des Ténèbres. D'autres veilleraient toute la nuit dans les églises tendues de noir et dépouillées de tout apparat pour déplorer la mort du Christ sur le Calvaire. Les cloches qui s'étaient tues le jeudi saint laissaient, par l'absence de leurs voix familières, la ville désorientée et livrée à la pénitence. Le ciel lui-même participait à l'ambiance sinistre en déversant, depuis midi, une pluie fine et désespérante. Cette nuit, l'immense cathédrale blanc et noir, couchée comme un tigre sur la ville, ferait peser sur elle le lourd fardeau de la mort d'un dieu...

Au moment où ils quittaient sa maison, maître Guido avait tenu à faire aux voyageurs une dernière recommandation :

– Un mot encore, Vos Seigneuries ! Si vous voulez arriver à bon port avec vos chevaux, évitez donc San Casciano in Val di Pesa !

– Pourquoi ? demanda Rocco goguenard. Est-ce qu'il y aurait des bandits ?

– C'est ce qu'ont dit des voyageurs qui en venaient. Il paraît même qu'il y a huit jours, on y a égorgé deux frères prêcheurs... Alors, prenez garde à vous !

– Merci du conseil ! Des assassins doublés de mauvais chrétiens, ça mérite que l'on veille au grain. Heureusement, nous sommes mieux armés que des moines errants...

Néanmoins, tandis que, suivant Rocco qui avait repris la bride de sa fantasque monture, Fiora descendait des collines argileuses où s'étalait la cité, elle avait peine à lutter contre le mauvais pressentiment qui s'était emparé d'elle depuis qu'elle avait su l'impossibilité de changer de chevaux. Les contretemps semblaient s'accumuler à plaisir sur cette route où elle s'était engagée avec tant d'espoir et de détermination. Pourtant, rien n'était encore perdu et, si tout allait bien, elle atteindrait Florence demain samedi dans la journée, pas bien longtemps après le cortège du jeune cardinal légat. Elle n'arrivait pas à secouer l'angoisse qui serrait sa gorge. L'immonde Hieronyma et les siens allaient-ils encore gagner et fallait-il vraiment qu'après Francesco Beltrami, les deux frères Médicis fussent immolés à sa frénésie de meurtre et à la rapacité de Riario ? Dieu ne pouvait tout de même pas donner raison au pape dès l'instant où celui-ci osait lancer des assassins sur une cité chrétienne, même si Florence semblait préférer Platon aux quatre évangélistes ? Il fallait à tout prix arriver à temps ! Hélas ! la nuit était bien noire, et elle ne connaissait pas cette route...

CHAPITRE XII

MEURTRE DANS LA CATHÉDRALE

Rocco non plus, d'ailleurs, et celle-ci leur réserva tous les traquenards possibles. C'est seulement à l'aube du dimanche que les deux voyageurs, épuisés et réduits à un seul cheval, virent se dresser dans un ciel rose et enfin dépourvu de nuages les murs et les tours de la chartreuse de Galluzzo, aux portes de Florence. Une rivière en crue leur avait barré le passage et les avait obligés à un long détour. En outre, pour éviter le danger signalé par l'aubergiste de Sienne, ils avaient encore rallongé leur chemin et ils s'étaient perdus. Enfin le cheval de Rocco, butant sur un rocher affleurant, avait désarçonné son cavalier et s'était cassé la jambe. Il avait fallu l'abattre. Quant à celui de Fiora, peu habitué aux longues courses, il avait montré des signes de fatigue qui le rendaient incapable de supporter deux cavaliers. Rocco, galamment, se résigna à marcher, laissant la jeune femme en selle, si inconfortable que ce fût. De temps en temps, elle choisissait de cheminer auprès de lui, sans beaucoup parler car l'espoir de sauver les Médicis diminuait à mesure que passait le temps. Elle accepta finalement de s'arrêter à la chartreuse comme le proposait Rocco. A cette heure matinale, les portes de la ville n'étaient pas encore ouvertes. En outre, on y aurait certainement des nouvelles. Si les Pazzi avaient déjà frappé, il faudrait décider de ce que l'on ferait car, alors, entrer dans la cité serait une folie.

Enfin, les deux voyageurs avaient grand besoin de se restaurer.

Le sourire du frère portier rendit courage à Fiora. Si Florence avait été, la veille, le théâtre d'une catastrophe, le moine n'arborerait certainement pas cette mine paisible. Tandis que les nouveaux venus s'attablaient dans la salle des hôtes devant un fromage et une miche de pain, il répondit de bonne grâce à leurs questions : la ville avait été en fête la veille, et jusqu'à une heure sans doute assez avancée dans la nuit. Le frère chargé des commissions était revenu émerveillé par le cortège du jeune cardinal légat et par le grand accueil que lui avaient fait leurs seigneuries de Médicis. En ce jour de Pâques, le grand événement serait la messe que Mgr Riario présiderait dans le Duomo en présence des nobles de la ville et de tout ce que la cathédrale pourrait contenir de peuple...

Pendant que le moine allait chercher un nouveau pichet d'eau fraîche, Rocco interrogea Fiora :

– Les portes doivent être ouvertes. Te sens-tu capable de continuer ?

– Il le faut. Certes, il n'y a rien à craindre durant la messe, mais plus tôt Lorenzo sera prévenu et mieux cela vaudra.

– Je suis d'accord, d'autant plus que la messe ne m'inspire pas tellement confiance...

– Tu es fou ?

– Non, mais j'ai des souvenirs. Dans ma vie, j'ai forcé les portes de trop de couvents et violé assez de moniales pour savoir ce que pèse la crainte de Dieu quand la puissance est en jeu. Mais nous avons encore une grande demi-lieue à couvrir avant les portes de Florence... et il va falloir les faire à pied.

En dépit des efforts de Fiora pour obtenir une monture quelconque, il leur fallut se résoudre, malgré la fatigue, à continuer avec leurs seuls moyens. Mais, en voyant la foule qui, venue de partout, commençait à cheminer vers la ville, Fiora en vint à penser qu'il eût été impossible d'aller plus vite, à moins d'écraser du monde. De toutes les campagnes, des paysans marchaient vers Florence comme vers une nouvelle Jérusalem pour tenter d'apercevoir l'envoyé du Saint-Père. Cette affluence tenait beaucoup à ce que le mauvais temps avait cessé brusquement. Le soleil, un vrai soleil pascal, dorait tout le pays où les clochers, l'un après l'autre, s'éveillaient de leurs voix de bronze pour proclamer à la face de cette terre des trahisons, des guerres, des meurtres, de la nuit et de la peur, que le Fils de l'Homme venait de ressusciter et ramenait avec lui l'espoir d'une vie éternelle...

Au cours de la dernière nuit, Fiora avait définitivement abandonné son tabard armorié qu'elle avait jeté dans une rivière après l'avoir solidement noué autour d'une grosse pierre, mais son justaucorps de daim, cependant délacé pour mieux respirer, lui semblait lourd à porter et elle eût avec joie échangé ses hautes bottes contre une paire de sabots. Le flot enthousiaste qui avait vidé les villages porta les deux voyageurs jusqu'aux remparts de Florence que Fiora, oubliant fatigue et angoisse, regarda monter vers elle avec une joie qu'elle ne pouvait retenir. Il y avait si longtemps qu'elle attendait le moment, béni entre tous, qui lui permettrait de revoir la ville bien-aimée de sa douce enfance ! Et Florence l'accueillit au carillon de toutes ses cloches et dans la joie tumultueuse de ses rues pavoisées.

A mesure que l'on avançait par les rues, le flot devenait plus puissant, plus violent aussi.

– Nous ne pourrons pas en sortir, murmura Rocco qui n'aimait pas se sentir bousculé. Est-ce que nous allons vers le palais Médicis ? demanda-t-il tandis que la vague se rétrécissait pour franchir le Ponte Vecchio entre sa double rangée de boutiques aux volets clos.

– Oui et non. Nous allons d'abord au Duomo. Le palais est un peu plus loin...

En jouant des coudes et des pommeaux de leurs épées, ils parvinrent à gagner du terrain et débouchèrent sur cette place que Fiora connaissait pour y avoir vu s'écrouler son univers au jour terrible des funérailles de son père [1]. Mais ils s'aperçurent alors qu'il était impossible d'aller plus loin. Des cordons de soldats gardaient l'entrée de toutes les rues.

– J'arrive de Rome et j'ai un message pour monseigneur Lorenzo, dit Fiora à l'un des sergents. Laisse-moi passer! Il faut que j'aille au palais...

– Tu iras plus tard, mon garçon! Tu n'as donc pas entendu les cloches? La messe est commencée et monseigneur Lorenzo y assiste avec son frère et ses amis... Attends! ajouta-t-il, apitoyé par ce mince visage poussiéreux et si visiblement fatigué, je vais te faire entrer dans l'église. En te faufilant, tu pourras peut-être arriver jusqu'à lui.

Entraînée par la poigne solide du soldat, Fiora se retrouva bientôt sous le portail du Duomo dont les portes monumentales, largement ouvertes, laissaient sortir des flots d'harmonie. Rocco avait suivi, collé à ses talons :

– Comme tu vois, fils, l'église est pleine. A toi de t'arranger comme tu pourras! fit le sergent. Je retourne à mon poste avant que la foule m'empêche de le rejoindre.

Approcher de l'autel auprès duquel devaient se tenir les frères Médicis, leur famille et leurs amis, semblait difficile car il y avait du monde jusque dans l'allée centrale laissée vide, habituellement, pour marquer la frontière entre les hommes et les femmes. Mais, cette église, Fiora la connaissait depuis l'enfance et elle entreprit de se glisser par les bas-côtés en murmurant à ceux qui tentaient de l'empêcher de passer et en agitant la lettre de Catarina :

– Un message pour monseigneur Lorenzo! Un message pour monseigneur Lorenzo!

Il faisait une chaleur de four. La foule qui se pressait entre les murs de Santa Maria del Fiore était si dense qu'elle restituait dans l'immense vaisseau de marbre la

1. Voir *Fiora et le Magnifique*.

chaleur qui commençait à grandir sur la ville, séchant enfin les ruisseaux et les flaques boueuses que les pluies incessantes de la Semaine sainte avaient grossis. L'odeur de l'encens, si généreusement brûlé que ses épaisses volutes montaient jusqu'en haut de l'immense dôme, se mêlait à celle, plus fade, des centaines de cierges brûlant autour de l'autel et à la senteur des fleurs dont on avait composé un tapis et qui mouraient lentement.

Dans la nef s'entassait une brillante assistance, toute de satin et de velours, dorée, constellée de pierreries et plus proche de la cour frivole d'un prince terrestre que d'une assemblée de dévots chrétiens réunis pour célébrer le Saint Sacrifice. On se saluait, on bavardait, on se passait, à voix à peine feutrée, le dernier potin, le plus récent poème. On s'examinait. On critiquait toilettes et coiffures. Derrière cette foule chamarrée, le petit peuple bataillait de son mieux pour apercevoir, dans le chœur, les deux maîtres de la ville. Lorenzo, tout de noir vêtu mais portant à sa toque un diamant qui valait un royaume, et Giuliano, tout de pourpre et d'or, beau et rayonnant comme une statue d'Apollon et joyeux comme un page en vacances.

Quand elle les vit enfin, Fiora sentit son cœur chanter de joie. Ils étaient vivants, bien vivants et, dès que l'office prendrait fin, elle pourrait délivrer son message. Dieu avait permis qu'en dépit de sa route impossible, elle n'arrivât pas trop tard ! Et c'était si bon de revoir enfin ces visages qui lui avaient été chers... et qui l'étaient encore.

Dans le chœur, quelqu'un d'autre leur disputait, ce matin, la curiosité du public. On se montrait, mince et pâle, si jeune sous ses dentelles et sa pesante pourpre cardinalice, ce jeune prince de l'Église de dix-huit ans qui semblait grandi trop vite. Le moindre de ses gestes allumait des feux sur sa mitre de drap d'or givrée de pierres précieuses et sur les soleils d'or brodés sur ses gants d'écarlate. A vrai dire, Rafaele Riario n'avait pas l'air très à son aise, mais chacun mettait cette attitude sur le compte de la timidité, seyante et même touchante chez un jeune homme chargé d'une telle grandeur. Les femmes le trouvaient charmant, à cause de ses yeux languides et des fréquentes rougeurs qui fardaient ses pommettes, mais les hommes, devant son évidente fragilité, bombaient le torse et se sentaient confirmés dans leur supériorité de mâles; contents d'eux, ils l'étiquetaient avec une satisfaction un brin dédaigneuse : un blanc-bec!

Une partie du clergé et les prêtres de sa suite entouraient l'espèce de trône où on l'avait assis et où il s'assoupissait un peu en dépit des clameurs de l'orgue et des chants d'une chorale dont les gosiers semblaient particulièrement vigoureux. En fait, dans tout ce monde, seuls les deux Médicis et quelques-uns des amis groupés derrière eux – Fiora reconnut le grand nez d'Angelo Poliziano, les lunettes de Marsile Ficino et les yeux rêveurs du Botticelli – semblaient suivre l'office de Pâques.

A l'autel, le prêtre et ses acolytes continuaient à dérouler le lent et solennel rituel de la messe. Ce fut la Consécration, puis l'Élévation. Une clochette fut agitée avec une énergie inhabituelle. Les chants moururent, les conversations cessèrent, seul l'orgue continua de jouer en sourdine. Comme un champ de fleurs courbées par un vent soudain, hommes et femmes s'agenouillèrent. Devant la table sainte, flamboyante de lumières, l'officiant, levant très haut l'hostie qu'un reflet de vitrail teinta de rouge, sembla grandir dans sa chasuble d'or frisé. Les cloches s'étaient remises à sonner et un affreux tumulte se déchaîna. Fiora devint blême...

– Ce n'est pas possible? Pas ici...

– On y va! fit Rocco qui dégainait son épée.

Elle le suivit, ayant elle aussi tiré son arme par mimétisme, et ils se forcèrent un chemin à travers la foule hurlante qui s'affolait et perdait la tête. Ils parvinrent ainsi au chœur.

On se battait devant l'autel sur les marches duquel le prêtre épouvanté avait laissé tomber le calice. Le vase sacré rebondit jusqu'à un grand corps rouge et or, étendu sans vie sur les dalles de marbre noir au milieu d'une flaque de sang qui allait s'élargissant : Giuliano de Médicis, le beau, le gai, le charmant Giuliano était sans doute déjà mort, mais malgré cela un homme vêtu de brun, à demi couché sur son corps, le lardait encore à coups de dague. Rocco arriva sur lui comme la foudre et frappa. Touché à la cuisse, l'assassin se releva, voulut sauter sur cet agresseur, mais une violente poussée en avant de la foule terrifiée emporta l'assassin et repoussa le cadavre sur les marches du chœur où Fiora se précipita. Pendant ce temps Rocco, subitement empêtré d'une femme gémissante qui venait de s'accrocher à son cou, regardait sans rien pouvoir faire le meurtrier disparaître dans la cohue comme une couleuvre dans un trou de rocher.

Tandis que Fiora, refusant l'évidence, cherchait désespérément quel secours elle pourrait apporter à ce jeune homme qu'elle avait aimé, quelqu'un s'agenouilla auprès du corps et elle vit une longue main sèche toucher le cou du cadavre.

– Il est au-delà de tout secours, dit Démétrios Lascaris. Les conjurés ont bien mené leur affaire. J'avais remarqué, dans les premiers rangs, des figures que je n'aimais pas...

– Toi ? souffla Fiora, stupéfaite. Mais que fais-tu ici ?

– Je pourrais te poser la même question... Viens ! Il ne faut pas rester.

Le combat, en effet, continuait autour d'eux. Rocco ferraillait contre une espèce d'estafier au visage couvert de cicatrices. Ils cherchèrent des yeux Lorenzo et le virent. Devant le trop joli petit cardinal, aussi pâle et frissonnant que ses dentelles, le maître de Florence, son manteau noir enroulé autour de son bras gauche, se défendait courageusement au moyen de sa seule épée de parade contre les deux prêtres armés de dagues qui l'avaient assailli simultanément quand l'Élévation avait courbé les têtes, tandis que Pazzi et un certain Bandini attaquaient Giuliano. Le sang coulait d'une blessure qu'il avait au cou, mais il ne semblait pas abattu et, tandis qu'il se battait pied à pied au milieu des candélabres renversés, de la cire écrasée et des objets du culte roulant de tous côtés, son œil noir, brûlant d'un feu fiévreux dans son visage olivâtre, dénombrait les ennemis qui l'entouraient et ceux qui cherchaient encore à franchir la balustrade du chœur pour l'atteindre. Attaqués eux aussi, ses amis se battaient au-delà de celle-ci et ne pouvaient l'aider. Le danger était extrême.

– A moi Médicis!... Palle! Palle! hurla-t-il, et le vieux cri de ralliement de sa famille tonna jusqu'aux voûtes du sanctuaire.

Seuls quelques cris épars lui répondirent. Fiora, épouvantée, comprit qu'il était perdu. Il tenait maintenant tête à quatre adversaires et son souffle s'écourtait. Elle allait courir vers lui pour qu'il eût au moins une épée convenable, cependant que Rocco achevait son adversaire, quand, tombant des stalles qu'ils avaient escaladées, les deux frères Cavalcanti arrivèrent comme des boulets de canon et dégagèrent leur ami. Lorenzo put respirer, d'autant plus que, devant ce secours inattendu, les deux prêtres – Antonio de Volterra et Stefano, précepteur chez les Pazzi – abandonnèrent la partie, leurs dagues n'étant plus de taille contre des épées de combat. Fiora en profita pour courir vers Lorenzo et, prenant son épée par la lame, elle la lui tendit :

– Tiens! Tu te battras mieux avec ça et moi je ne sais pas m'en servir!

– Fiora! murmura-t-il avec une soudaine douceur qui fit chaud au cœur de la jeune femme, mais déjà il lui criait de s'écarter, de se mettre à l'abri. Par la droite du chœur, une troupe armée à la tête de laquelle Fiora reconnut Francesco Pazzi accourait à la curée. Cette fois, ils étaient au moins vingt!

Tandis que Démétrios, qui avait crié « Je m'en charge! », traînait la jeune femme à l'écart, Rocco franchit la balustrade d'un bond léger et tomba face au banquier :

– Je commence à t'avoir un peu trop vu, toi! cria-t-il en attaquant furieusement. Mais, sorti on ne savait trop d'où, un beau jeune homme, superbement vêtu, vint s'interposer entre les deux hommes au risque d'être embroché :

– Laissez-moi ce chien puant, messer! cria-t-il en tombant en garde. Le sang qui est sur mon épée est celui de Giuliano. Je viens de l'y tremper en jurant que son assassin ne mourrait que par moi. Je me nomme Francesco Nori!

Pour ne pas le gêner, Rocco s'écarta et se trouva en face de deux autres adversaires.

– Faites, jeune homme, mais ne le manquez pas et ne glissez pas dans le sang! Il y en a partout... et, pardieu! ajouta-t-il en embrochant son premier ennemi, nous allons veiller à ce qu'il y en ait davantage.

Malgré l'aide reçue, le combat demeurait très inégal. Le Magnifique faiblissait et sa maigre poitrine se soulevait avec un bruit de soufflet de forge. On l'avait repoussé hors du chœur et il risquait d'être pris à revers.

– Dans la sacristie, Monseigneur! clama Démétrios qui, laissant Fiora à l'abri d'un pilier, escrimait lui aussi avec sa dague. Enfermez-vous dans la sacristie en attendant les secours!

Lorenzo bondit en arrière puis, ralliant en triangle serré les quelques hommes qui se battaient pour lui, il commença à battre en retraite, abattant deux ennemis sur son passage.

– Bravo, apprécia Rocco en connaisseur.

Il venait pour sa part d'en coucher un sur les dalles noires. Le cercle des assaillants eut alors un instant de flottement et le groupe de Médicis, profitant de cette faiblesse momentanée, s'échappa, gagna en courant la nouvelle sacristie dont la lourde porte en bronze, œuvre récente et admirable de Luca della Robbia, se referma sur eux. Leurs poursuivants vinrent s'y briser les poings.

– Viens, souffla Démétrios. Il faut songer à nous mettre à l'abri nous aussi.

Il n'y avait rien d'autre à faire. Rocco, emporté par la

bataille, avait suivi Lorenzo dans la sacristie que les conjurés assiégeaient. Gagner la sortie était impossible car on se battait sur toute la longueur de la nef. S'en remettant à Démétrios, Fiora disparut à sa suite derrière l'autel sur lequel, à demi couché, le jeune Riario, plus mort que vif, étreignait en sanglotant le grand Christ d'argent massif. Personne ne faisait attention à lui.

Arrivés là et abrités sous la nappe brodée, les deux compagnons examinèrent la situation. Le plus gros de l'agitation avait la sacristie pour centre et la nef commençait à se vider, certains des combattants choisissant de s'enfuir. Le flot se retirait, abandonnant ses épaves : corps sanglants, épars au milieu des armes inutiles, des voiles de femmes déchirés et piétinés, des fleurs écrasées, des bijoux brisés que des mendiants, rampant comme autant de larves, se hâtaient de récolter. Par les portes monumentales, on apercevait la place ensoleillée d'où venait un effroyable vacarme, preuve que l'on s'y étrillait ferme. On aurait pu croire que toute la ville était là.

– Comment se fait-il que les Médicis soient venus sans gardes ? chuchota Fiora. Où sont Savaglio et ses hommes ? Où est le gonfalonier de justice ? C'est toujours Petrucchi ?

Démétrios haussa les épaules :

– Personne n'aurait imaginé une attaque pendant la messe. Savaglio doit être au palais. Quant à Petrucchi, si j'en crois la Vacca [1] qui se met en branle, il doit être à la Seigneurie, portes bien closes... Viens, j'ai une meilleure cachette pour attendre la fin de tout cela.

Entraînant toujours la jeune femme, le Grec se mit à courir, à demi courbé, tout le long du bas-côté jusqu'au petit escalier sombre qui menait à la Cantoria, la tribune où chanteurs et musiciens se rassemblaient auprès de l'orgue. Celle-ci était vide, mais son désordre proclamait le départ précipité de ses occupants. Les instruments de

1. Cloche de la prison. Elle sonnait en cas d'incendie ou d'autre catastrophe.

musique jonchaient le sol, pêle-mêle avec des partitions. Sur un grand lutrin de bronze était étalée la musique d'un motet dont les notes avaient dû s'étrangler dans le gosier des chantres : une bien belle œuvre pourtant, écrite tout récemment par messire Jean Ockeghem, maître de chapelle du roi de France, et envoyée par celui-ci à Lorenzo pour la fête de Pâques. Tout cela abandonné.

– Si l'on s'est battu ici, commenta Démétrios, ce devait être à qui atteindra l'escalier le premier ! Asseyons-nous, si tu veux ? ajouta-t-il avec une soudaine humilité. J'aimerais savoir par quel miracle je te retrouve à Florence... si toutefois tu veux bien me le dire ?

Fiora tira son mouchoir pour essuyer sa figure où la sueur collait la poussière. Il y avait beau temps que son chapeau avait disparu dans la foule et la résille avec le poids de ses cheveux était lourde à porter. Ses yeux gris se posèrent sur le Grec avec une curiosité où entrait de l'amusement. Il avait vieilli ces derniers mois et ses yeux sombres étaient pleins de mélancolie :

– Pourquoi ne le voudrais-je pas ? fit-elle doucement en posant ses doigts sur le poignet noueux de son ancien ami : le sang qui coule ici a-t-il été changé ?

– Je l'ai cru un moment, mais j'en ai été puni car je traîne après moi des regrets qui sont presque des remords !

– Je sais à quoi tu penses. Tu penses à cette malheureuse scène de Morat où nous nous sommes entre-déchirés dans la tente vide du Téméraire.

– Bien sûr !

– Il faut l'oublier comme je l'ai oubliée moi-même, Démétrios. Tant d'eau a coulé dans les rivières, tant de nuages ont couru d'un bout à l'autre de mon horizon ! Tu as été content, tout à l'heure, en me revoyant ?

– Quelle question !

– Moi aussi, j'ai été très heureuse. C'était un peu de soleil après les jours noirs que je viens de vivre. Alors, tu vois, c'est la seule chose importante ! Tu es toi, je suis moi, et nous sommes à nouveau l'un près de l'autre.

Sans répondre mais les larmes aux yeux, il mit ses grands bras autour d'elle et la serra contre sa poitrine. Ils restèrent là un instant, sans bouger, attendant que leur commune émotion s'apaise. Jamais encore Démétrios n'avait eu pour Fiora ce geste de père qui retrouve l'enfant qu'il croyait perdu. Leur affection, jusque-là, se passait des gestes et plus encore des mots. Il avait fallu que vienne l'épreuve pour que le Grec comprît la place que cette jeune créature avait prise dans son cœur.

– Et Esteban ? demanda Fiora le nez contre la robe noire du médecin. Sais-tu ce qu'il est devenu ?

– Il est ici avec moi. J'ai cru que je l'avais perdu lui aussi et, après l'anathème dont m'avait frappé dame Léonarde – justifié d'ailleurs ! –, je suis parti droit devant moi sans bien savoir où j'allais.

– Pourquoi n'as-tu pas rejoint le duc de Lorraine ? Ou le roi Louis ?

– Ni l'un ni l'autre n'avaient besoin de moi et je n'aime pas imposer ma présence. Esteban, lui, a deviné ma détresse. Il m'a rejoint sur la route et il m'a dit : « Si on retournait voir ce que deviennent notre jardin de Fiesole et les tavernes des bords de l'Arno ? » Alors, nous sommes revenus ici...

– Tu n'as pas craint de retrouver ce danger qui nous avait chassés, toi et moi.

– Pas vraiment, car je connais les peuples. La foule en général est versatile, changeante, facile à retourner, et celle de Florence l'est, je crois, plus que toutes les autres. Deux années s'étaient écoulées... et puis, mourir là ou ailleurs ? Je n'avais plus rien à perdre.

– Qu'est-il arrivé alors ?

– Rien. Le seigneur Lorenzo m'a reçu comme un ami retrouvé, logé d'abord à la Badia, puis... chez toi.

– Ai-je donc encore un chez moi ici ?

– Tu as toujours ta villa de Fiesole que Médicis t'a gardée. Nous avons souvent parlé de toi, tu sais, et je crois qu'en dépit de ce que tu as souffert ici, il a toujours espéré que tu reviendrais un jour.

– Et les gens de là-haut t'ont bien accueilli ?

– D'autant mieux qu'une brève épidémie de peste, l'été dernier, m'a permis de me dévouer pour eux. Ceux de Fiesole ne jurent plus que par moi et aussi quelques autres, à Florence... mais, je t'en prie, assez parlé de moi. C'est ton histoire à toi que je désire entendre.

– Aucune vision ne t'a donc visité à mon sujet ? Toi qui savais voir à travers le temps et l'espace ?

– Si, parfois. Mais c'était toujours assez vague parce que tu étais loin de moi et que mon amitié pour toi interprétait mal. Parle, s'il te plaît !

Le silence, à présent, entourait les réfugiés de la Cantoria. Les assaillants de la sacristie n'étaient plus que quelques-uns qui tournaient devant la porte close, se parlant tout bas, comme des loups qui cherchent comment attaquer. Il n'y avait plus personne dans la nef que les rayons crus du soleil de midi pénétraient profondément. Du haut de son refuge et en allant s'adosser à la balustrade, Fiora jeta un regard au tragique spectacle de ces corps abandonnés sur le marbre noir autour de deux larges taches pourpres : le cadavre de Giuliano déjà raidi par la mort dans ses habits de fête et, tout au fond, la forme presque aussi rigide du jeune cardinal foudroyé au pied de cette croix scintillante qu'il étreignait encore... Fiora soupira.

– Jusqu'à ce jour où tout va peut-être s'écrouler de ton univers, tu as au moins trouvé la paix, toi. Ma route, à moi, n'a guère connu que les épreuves mais aussi une grande joie : la naissance de mon petit Philippe.

Une flamme, toute semblabe à celle d'autrefois, s'alluma dans les yeux ternis du Grec, et son visage s'illumina :

– Un fils ? Tu as un fils ? Oh, Dieu... quel bonheur !

– Oui. Mais il est possible que je ne le revoie jamais.

Se laissant glisser assise contre la balustrade, Fiora entreprit de retracer aussi succinctement que possible ce qu'avait été sa vie depuis que, devant Nancy, s'étaient effondrées la puissance et les armes du dernier Grand Duc d'Occident.

Quand elle eut fini, Démétrios ne dit rien : il semblait changé en pierre et, tel qu'il était, assis très droit dans sa robe noire souillée de poussière, les jambes croisées, il ressemblait à ces vieux sages qui, accroupis sur la terre rouge des marchés d'Orient, chantent la gloire du Prophète, les hauts faits des califes ou de leurs cavaliers légendaires et font entendre parfois des paroles nées d'une antique sagesse ou d'une vision d'avenir. Il semblait si loin, tout à coup, que Fiora, inquiète, se pencha et, posant une main sur son épaule, le secoua doucement.

– Démétrios ! M'as-tu seulement entendue ?

Il ne bougea pas, et ses yeux demeurèrent fixés dans un lointain qui effaçait les murs brillants de Santa Maria del Fiore.

– Oui... Mais, Fiora... je ne crois pas que ton époux soit mort.

Le cœur de la jeune femme s'arrêta, tandis que sa gorge se serrait, que sa bouche devenait sèche :

– Qu'est-ce que tu dis ?

Il eut un long frisson qui le secoua tout entier et le tira de l'espèce de transe où il avait sombré. Il la regarda et eut un faible sourire :

– Tu me crois fou ?

– Non... Je connais ta clairvoyance, mais cette fois tu te trompes, Démétrios ! Philippe est monté sur l'échafaud aux yeux de toute une ville, ce même échafaud où sont morts mon père et ma mère. On n'en redescend jamais et Mathieu de Prame savait de quoi il parlait lorsqu'il m'a annoncé son exécution.

– Certes, j'ai vu le glaive levé... pourtant, je n'ai pas vu le sang.

Avec une profonde tristesse, Fiora pensa qu'en vérité Démétrios avait vraiment vieilli et que son esprit, si brillant naguère, s'usait en même temps que son corps. Tout était mort à présent de cet autrefois dangereux sans doute, haletant et passionné, mais qui avait son charme. Mort avec Philippe !

La voix de bronze de la Vacca tonnait toujours et, au-dehors, on entendait des cris, des galopades puis le grand vaisseau de Santa Maria del Fiora s'emplit du bruit si caractéristique d'une troupe en marche. Une voix retentit qui précipita Fiora et, plus lentement, Démétrios à la balustrade :

– Ouvre, Monseigneur ! C'est moi, Savaglio ! Tu n'as plus rien à craindre et la ville est à toi !

C'était, en effet, le capitaine des gardes de Lorenzo, à la tête d'une compagnie dont les armures se couvraient de cottes d'armes frappées du Lys rouge. Derrière eux, la foule revenait, rassurée pour une partie, repentante peut-être pour une autre.

La porte de bronze s'ouvrit. En voyant paraître la haute silhouette maigre et le sombre visage de ce maître qui avait toujours été son ami, le peuple poussa un hurlement de joie qui ébranla les lustres de cuivre et roula comme le tonnerre. Une brusque poussée, venue de ceux du parvis qui essayaient d'entrer, jeta en avant quelques gardes, et Savaglio dut faire intervenir les lances pour sauver son seigneur de la mort par étouffement :

– Reculez ! hurla-t-il. Reculez tous ou je vous charge ! Si vous n'obéissez pas, c'est qu'il y a encore des assassins parmi vous. Alors, gare !

La foule recula, ouvrant un passage dans lequel Lorenzo et ses amis s'avancèrent, salués par des vivats frénétiques auxquels le Magnifique répondit d'un geste de la main. Mais soudain, il s'arrêta :

– Giuliano ! s'écria-t-il. Qu'a-t-on fait de mon frère ?

– Le voici, Monseigneur ! fit Savaglio en montrant, de l'épée, un groupe d'hommes qui, à cet instant même, enlevaient sur leurs épaules un brancard recouvert d'une tenture de soie arrachée sans doute à une fenêtre de la place. Sous le cendal pourpre, la forme du corps se dessinait.

Rapidement, Lorenzo les rejoignit et, d'un geste brusque, rejeta l'étoffe à terre :

– Je veux que Florence voie, de ses yeux, ce qu'on a

fait de lui ! Levez-le ! Levez aussi haut que vous le pourrez afin que sa mort crie vengeance jusqu'au ciel ! Et que justice soit faite !

Le cadavre apparut, exsangue dans ses vêtements de joie. Il ne restait plus du beau Giuliano qu'un corps sans vie, troué de trente coups de poignard tant les assassins s'étaient acharnés sur celui qui avait été l'heureux amant de Simonetta Vespucci, une pauvre dépouille sur la main pendante de laquelle Lorenzo, les larmes aux yeux, vint poser ses lèvres. Mais, comme le triste cortège allait s'ébranler, il l'arrêta une fois encore :

– Où est le cardinal Riario ? demanda-t-il.

Savaglio fit un geste d'ignorance, mais un gamin qui portait le costume des chantres de l'église sortit de derrière un pilier et s'avança :

– Les chanoines du Duomo l'ont recueilli, illustrissime Seigneur. Ils l'ont trouvé à moitié mort de peur devant l'autel et l'ont emmené pour le réconforter. Il doit être dans la salle du chapitre.

– Qu'on aille le chercher !

– Que veux-tu en faire ? demanda Politien en se penchant sur l'épaule de son ami. Pourquoi ne pas l'abandonner à son destin ? Le peuple n'en fera qu'une bouchée...

– C'est ce que je veux éviter. La foule l'écharperait et en ferait un martyr que le pape se hâterait de canoniser. Et c'est un trop précieux otage que ce blanc-bec pour l'abandonner ainsi à la fureur d'une aveugle populace.

Comme il finissait de parler, un groupe lamentable et vaguement grotesque émergea de la droite du chœur. C'était, étayé par deux chanoines grassouillets qui roulaient des yeux effarés, le petit cardinal qui faisait une apparition sans gloire. Le malheureux croyait sans doute sa dernière heure venue. Mais quand il reconnut le Magnifique à la tête de cette troupe armée, il fit un visible effort pour retrouver un peu de dignité.

– J'ai... j'ai le cœur navré... de ce drame qui ensanglante le saint jour de la Résurrection et je ne veux pas... rester ici plus longtemps ! Je veux partir... tout de suite !

Lorenzo le toisa du haut de sa taille avec un dégoût teinté de pitié :

– Il ne saurait en être question. La présence de Ta Grandeur en ce jour terrible a montré à tous d'où vient le coup qui a frappé mon frère et qui a failli me tuer. Tu resteras ici, dans ma propre demeure, et pour aussi longtemps qu'il me plaira de t'y garder.

– C'est violer le droit de l'Église ! Je suis légat du Saint-Père et comme tel ne puis être retenu contre mon gré. Tu n'oseras pas, je pense, porter la main sur un prince de l'Église ?

– Moi ? Jamais... Après tout, tu es libre, comme tu le dis. Va ton chemin ! Voici les portes grandes ouvertes...

Le jeune prélat regarda tour à tour le visage sarcastique du Médicis, le corps hissé sur ses cariatides humaines, les masques figés des gardes vêtus de fer et, plus loin, la foule, la foule qui grondait et qui même, hors les murs de l'église, hurlait déjà sa condamnation : A mort les Pazzi ! A mort les Riario ! et même « A mort le pape ! »

Malgré la chaleur il frissonna sous sa pourpre, baissa la tête et murmura, vaincu sans avoir combattu :

– Je m'en remets à toi, seigneur Lorenzo !

Sans ajouter un mot, celui-ci lui fit signe de le suivre, tandis qu'il allait prendre place devant le cadavre et marchait vers la sortie. La foule se tut et s'ouvrit devant lui. Sous le porche, quand le corps de Giuliano apparut, le soleil fit étinceler l'or de ses vêtements et une fois encore ce fut le silence. Les cloches du campanile se mirent à tinter en glas et le battement funèbre tomba sur la ville qui semblait retenir sa respiration.

Soudain, d'un seul élan et comme si un mot d'ordre mystérieux avait couru ses rangs, la foule se déchaîna : un monstrueux hurlement monta à l'assaut du ciel. Une clameur immense qui semblait jaillir des entrailles mêmes de la terre. Le cortège funèbre fut enlevé, entraîné par un raz de marée qui l'emporta et qui, dans sa fureur, changea cette heure de deuil en une heure de triomphe, le mort en un vainqueur acclamé follement et le malheureux cardinal légat, toujours soutenu par ses chanoines, en un vaincu traîné au char glorieux et auquel manquaient seulement les chaînes et les fers.

– Viens! dit Démétrios à Fiora. Il est grand temps que tu prennes un peu de repos.

– Où m'emmènes-tu? Au palais Médicis?

– Non. Nous ne pourrions même pas l'aborder dans l'état actuel des choses. D'ailleurs, Esteban m'attend avec nos mules à cette taverne de mariniers, près de la Seigneurie, qu'il affectionne toujours.

– Mais mon compagnon? Je ne peux l'abandonner.

– Il est parti avec Lorenzo et ses amis. Quand je t'aurai ramenée à Fiesole, je redescendrai au palais et m'enquerrai de lui. En même temps, je dirai que tu es revenue.

– Lorenzo le sait. Il m'a vue quand je lui ai donné mon épée.

– Raison de plus pour que je lui parle ce soir. Allons à présent!

Quand ils sortirent de l'église, clignant un peu de l'œil dans l'aveuglante lumière, la place était vide, mais, quand ils se dirigèrent vers la Seigneurie, ils virent que toute la ville n'avait pas suivi le cortège des Médicis et qu'une foule nombreuse encombrait les abords du vieux palais.

– Nous n'allons jamais pouvoir traverser, gémit Démétrios. Et pourtant, il le faut bien si nous voulons rejoindre Esteban.

En effet, une mer humaine, une mer en furie, hurlante et déchaînée, battait les puissantes murailles de la Seigneurie. Certains tentaient follement d'escalader les pierres cyclopéennes dont était construite la base, dans l'espoir insensé d'atteindre les fenêtres percées bien trop haut pour cela. D'autres s'écorchaient les mains aux larges clous de la porte bardée de fer devant laquelle les gardes des prieurs, vêtus de vert, faisaient de leur mieux pour les repousser. Toutes les bouches se distendaient sur des cris féroces et, juché sur le Marzocco, le lion de pierre symbole de la république, un énergumène échevelé poussait des clameurs sauvages en agitant son bonnet. Naturellement, la Vacca tonnait par-dessus tout ce vacarme, du haut de sa tour vertigineuse au sommet de laquelle flottait l'étendard au Lys rouge.

– C'est invraisemblale! dit Démétrios qui regardait sans comprendre. Qu'est-ce que ces gens font ici à hurler à la mort ?

La fin de sa question se perdit dans une énorme clameur de joie : la fenêtre principale du palais, celle donnant sur un balcon de fer, venait de s'ouvrir et deux soldats en tunique verte parurent, traînant un homme ligoté qui hurlait de terreur. La foule se tut, attendant la suite. Ce fut rapide. L'un des hommes d'armes plongea une dague dans la poitrine de la victime puis, tandis qu'il retirait l'arme, son compagnon saisit le corps fléchissant, l'éleva à bout de bras dans un effort herculéen et le jeta sur la place où il s'écrasa. La foule s'écarta, avec quelque chose qui ressemblait à un soupir de volupté...

Sur le balcon, la scène se renouvelait et un autre corps poignardé était jeté à la foule tandis qu'entre les créneaux, la bannière de Cesare Petruccci, gonfalonier de justice, était déployée pour indiquer que force restait à la loi et que c'était à présent l'heure des représailles...

Démétrios n'eut pas le temps de demander une fois de plus ce que tout cela signifiait, occupé qu'il était à se débarrasser d'un gamin qui, sous prétexte de se hisser sur une fenêtre de la maison à laquelle il était appuyé avec Fiora, l'escaladait bravement. Une aide lui vint en la personne d'Esteban qui, l'ayant aperçu, avait joué vigoureusement des coudes et des pieds pour le rejoindre. Empoignant le garçon qu'il accrocha braillant et gigotant à l'un des porte-torches de ladite maison, le Castillan allait tirer son maître après lui pour le sortir de là quand il reconnut Fiora.

– Oh! C'est pas vrai?... Je rêve!

– Eh non, mon cher Esteban, c'est bien moi!

– Por Dios!

Emporté par sa joie, Esteban prit la jeune femme dans ses bras et l'embrassa sur les deux joues. Mais déjà le mouvement de la foule les repoussait contre le mur, bouchant le fragile passage qu'il avait réussi à se faire pour rejoindre son maître.

– Impossible de bouger, mon garçon! soupira le Grec. Il faut rester là. Si encore nous savions pourquoi?

– Oh, moi je sais... C'est une véritable histoire de fous.

Il expliqua de son mieux. Tandis qu'une partie des conjurés assaillaient les Médicis dans la cathédrale, une autre, avec à sa tête l'archevêque de Pise Salviati, avait reçu pour mission de s'emparer de la Seigneurie. Quand les cloches sonnèrent pour l'Élévation, ces gens crurent que les deux frères étaient morts et ils coururent s'enfermer dans le palais des prieurs, ignorant que les portes en question ne pouvaient s'ouvrir que de l'extérieur pour qui n'en possédait pas les clefs. Ils se retrouvèrent donc enfermés avec tous ceux que contenait le palais. Salviati, alors, demanda Petrucci, qui était à table et que cette visite importunait. Il reçut fort mal le prélat guerrier et celui-ci s'embrouilla dans un discours confus. Semblant ne pas tenir en place, il toussait très fort à chaque instant comme pour donner un signal.

Au même moment, le vieux Jacopo Pazzi, croyant que ses affaires allaient au mieux, déboucha sur la place avec quelques hommes en criant « Liberté! Liberté! ». Le gonfalonier qui regardait déjà Salviati d'un œil méfiant comprit tout de suite de quoi il retournait et, comme l'un des conjurés arrivait chez lui, venant tranquillement aux nouvelles, il l'attrapa par les cheveux et le fit tournoyer plusieurs fois sur lui-même, sous l'œil ahuri de l'archevêque, avant de l'envoyer tout droit dans les bras d'un garde en glapissant l'ordre de l'arrêter. Et, là-dessus, de crier « Aux armes! A l'aide! » avec tant de force que les huit prieurs et tout le personnel de la Seigneurie accoururent. Puis, comme les gardes seuls avaient des armes et que Petrucci se croyait en face d'une révolution, tout le monde se précipita aux cuisines pour y prendre des couteaux, des broches et des hachoirs avant de remonter dans la tour pour s'y retrancher et attendre les événements.

Pendant ce temps, les quelques conjurés enfermés dans la Seigneurie tournaient en rond à la recherche d'une impossible issue. Ils comprirent que tout était perdu, quand arrivèrent les archers et les serviteurs des Médicis qui escortaient les prisonniers faits à la cathédrale. Les prieurs, soulagés d'un grand poids, redescendirent enfin de leur tour pour se constituer en tribunal.

– A présent, Petrucci règle ses comptes en même temps que ceux de monseigneur Lorenzo ! conclut Esteban en désignant ce qui se passait sur le balcon.

On pouvait dire que sa justice était expéditive, et Fiora frissonna en se souvenant de la hargne avec laquelle le gonfalonier de justice l'avait traitée au moment du scandale causé par Hieronyma. Puis elle détourna la tête pour ne plus voir, écœurée par le spectacle.

A peine les hommes précipités du balcon touchaient-ils terre que la foule les mettait en pièces et hissait sur des piques, des fourches ou même des bâtons épointés ces affreux débris pour les promener par la ville...

– Allons-nous-en ! supplia Fiora. Ce n'est pas supportable !

– Je voudrais vous emmener, fit Esteban, mais il faut rester encore. Vous voyez bien que nous ne pouvons pas traverser cette populace qui est déjà ivre de sang et qui va l'être de vin !

En effet, des pichets dégoulinants commençaient à naviguer au-dessus des têtes. On se les passait pour encourager à l'ouvrage ceux qui dépeçaient les corps, non sans prélever une gorgée ou deux au passage.

Un nouvel acte du drame se préparait. Trois hommes étroitement ligotés venaient d'apparaître sur le balcon. L'un d'eux était vêtu d'une longue robe violette.

– L'archevêque Salviati ! murmura Démétrios. Vont-ils donc, lui aussi, l'égorger sans jugement ?

Mais il n'était plus question de poignard. Les trois condamnés – les deux autres étaient le frère de l'archevêque et un certain Bracciolini – furent pendus par les pieds au balcon de fer. C'était alors un mode d'exécution fort prisé à Florence, parce qu'il permettait au peuple de jouir d'une longue agonie. Et la foule hurla de joie en voyant la robe du prélat se retourner jusqu'aux cuisses et envelopper le reste du corps. Mais comme, justement, elle cachait le visage, il y eut une poussée en avant pour mieux voir, en même temps que certains réclamaient que l'on remontât Salviati pour le pendre à nouveau par le cou... Esteban décida de profiter de ce que lui et ses compagnons se trouvaient moins serrés. Il empoigna Fiora par le bras et l'entraîna à sa suite. Démétrios fermait la marche. Dans sa hâte de soustraire Fiora à la dangereuse cohue, Esteban s'en alla heurter violemment un homme d'une quarantaine d'années qui, avec sa taille courte et épaisse, sa grosse tête couverte de cheveux noirs courts et frisés, avait tout l'air d'un paysan. Mais il possédait un haut front intelligent, des yeux sombres particulièrement perçants et ses habits, bien qu'émaillés de nombreuses taches, étaient faits de beau tissu. Les bras croisés, il regardait le spectacle avec une parfaite impassibilité quand Esteban manqua le jeter à terre et reçut, en échange, un coup de poing asséné avec une rapidité fulgurante.

– De tous les ruffians malappris ! commença-t-il, prêt à poursuivre le combat, quand Démétrios le reconnut :

– Excuse mon serviteur, ser Andrea ! S'il t'a bousculé c'est parce que nous avons hâte de quitter cet endroit.

– Pourquoi ? Trouverais-tu par hasard, médecin, que le traitement est trop rude pour ces assassins ? Pour ma part...

Il n'acheva pas sa phrase. Son regard venait de s'arrêter sur Fiora et se chargea d'une douceur inattendue. La jeune femme, elle, aussi l'avait reconnu. C'était le Verrocchio, le sculpteur le plus célèbre de Florence, un peintre de talent aussi et un fervent ami des Médicis. Il n'avait pas changé depuis la fameuse « giostra » du 23 janvier 1475 dont il avait été le génial maître d'œuvre... et où, pour la première fois, elle avait aperçu Philippe de Selongey.

– Ce jour devrait te réjouir, Fiora Beltrami, car ce sont les ennemis de ton père que l'on exécute. Pourtant je te trouve bien pâle ?

– Je viens d'arriver, ser Andrea, et je ne m'attendais guère à tomber dans un bain de sang...

– Celui de Giuliano ne se paiera jamais assez cher ! Tiens, regarde ! C'est le tour de Francesco Pazzi. On l'a pris en chemise, sur le lit d'une femme...

C'était lui, en effet. Sous les cordes qui le liaient et les traces de sang qui avait coulé de ses blessures, il était nu, mais il n'avait rien perdu de sa hargne. Les huées de la foule couvraient les imprécations dont il abreuvait ses bourreaux. Le peuple, exaspéré, sachant qu'il avait lui-même frappé Giuliano, réclamait qu'il lui soit livré. Un instant plus tard, lié par les chevilles, il se balançait à côté de Salviati, trop haut pour être atteint par autre chose que des projectiles. Les pierres alors se mirent à pleuvoir sur lui...

Cette fois, Fiora ne détourna pas les yeux. Le sort de cet homme dont la main, quelques jours plus tôt, touchait la sienne pour la mener à la chambre nuptiale, lui était indifférent. En le regardant subir son supplice, elle n'avait qu'une pensée : où donc pouvait être Hieronyma ?

Elle entendit, derrière elle, Démétrios demander au sculpteur ce qu'était devenu le vieux Jacopo, le patriarche des Pazzi, et s'il avait été pris, lui aussi.

– Non. Il a réussi à s'enfuir avec quelques hommes, mais Petrucci a envoyé à sa poursuite. Eh bien, en voilà vingt-six d'expédiés, si j'ai bien compté ! Il est temps pour moi de regagner mon atelier.

– Ce qui m'étonne, fit Démétrios en riant, c'est que tu l'aies quitté ?

– Que faire d'autre ? Tous mes élèves se sont enfuis comme une volée de moineaux aux premiers tintements de la Vacca et je me suis retrouvé tout seul avec ma glaise et mes pinceaux. J'ai fait comme eux, mais à présent je retourne car j'ai à faire.

– Toujours la statue du Colleone ?

– Bien sûr. Je crois néanmoins tenir le sujet définitif mais, ajouta-t-il en se tournant vers Fiora, je crois que je trouverai du temps pour toi, belle Fiora. J'ai dans la tête un bronze représentant Artémis et aucun de mes modèles n'est digne de m'inspirer la déesse. Il faudra que j'en parle au seigneur Lorenzo.

Il s'éloigna, fendant la foule comme un petit bateau têtu qui a décidé de franchir une barre dangereuse. Les trois autres le suivirent des yeux, puis Démétrios glissa son bras sous celui de Fiora.

– Tu avais oublié, n'est-ce pas, ce qu'était Florence ? fit-il devinant ce qui se passait dans sa tête. Les pires scènes de massacre n'y empêcheront jamais un artiste de penser d'abord à son œuvre. Quant à toi, tu vois qu'en dépit de ce qui s'est passé, tu n'as jamais cessé de lui appartenir. Pour le Verrocchio, ces trois ans n'ont pas compté.

– Je crois que tu as raison. Il m'a parlé comme si nous nous étions rencontrés hier. Pourtant, au milieu de ce drame...

– Ceux d'ici aiment le drame, surtout quand ils peuvent y jouer un rôle. Mais le sang lavé, les corps dispersés, ils retourneront comme si de rien n'était à leur commerce, leurs amours, leurs livres, leurs collections et chanteront la douceur de vivre d'un cœur aussi sincère qu'ils ont mis d'ardeur à se changer en loups pour hurler à la mort...

– Cette fois, cela pourrait durer plus longtemps, dit Esteban. Ils auront du mal à oublier Giuliano.

– Sans doute, mais ils n'en aimeront Lorenzo que plus ardemment.

Un moment plus tard, cheminant vers Fiesole au pas paisible des mules que l'on avait retrouvées dans l'étroite écurie de la taverne des mariniers, Fiora pensait que Démétrios n'avait pas entièrement raison. Que les gens de Florence fussent versatiles, oublieux et vite emportés vers les excès de l'enthousiasme ou de la cruauté, elle le savait depuis longtemps, mais aujourd'hui, elle avait cherché vainement, au milieu de cette fureur dont elle avait failli être la victime jadis, le visage familier de la ville qu'elle aimait.

Peut-être l'avait-elle trop idéalisée au cours de ces longs regrets qu'elle lui avait donnés ? Peut-être aussi ces trois années, en la marquant de traces indélébiles, l'avaient-elles vieillie ? Ou bien était-ce simplement parce que, même si elle s'était toujours voulue florentine jusqu'au bout des ongles, elle ne l'était pas vraiment ?

Pourtant, une chose était certaine : tout le sang des Pazzi et de leurs alliés qu'elle avait vu couler ne lui suffisait pas parce qu'il en manquait un : celui de Hieronyma. Tant que ce monstre respirerait sous le même soleil qu'elle, Fiora savait qu'elle n'aurait ni trêve ni repos.

Alors ? N'était-il pas typiquement florentin, ce goût de la vengeance qu'elle avait toujours porté en elle ?

CHAPITRE XIII

LORENZO

Debout derrière la fenêtre de son ancienne chambre d'où elle avait tant de fois, jadis, admiré ses jardins en terrasses et, plus bas, le captivant panorama de sa ville qui ressemblait à un bouquet de toutes les roses ceinturé par le ruban d'argent de l'Arno, Fiora cherchait à retrouver son âme d'antan. D'ordinaire et quand arrivait la nuit, le bouquet devenait tapis en camaïeu de gris et de bleu, piqué ici et là d'une minuscule étoile, l'un des rares feux allumés dans les rues.

Ce soir, tout était changé. Ce soir, Florence qui refusait de s'endormir rougeoyait d'une vie violente et instinctive comme celle d'un creuset de fondeur. Jadis, du haut de la tour de Démétrios, Fiora l'avait déjà vue prendre son mauvais visage et gonfler sa colère, mais c'était peu de chose en comparaison de ce qu'elle voyait aujourd'hui parce que, en Giuliano, Florence venait de perdre, avec son Prince Charmant, une partie de son cœur : la plus tendre. Et, dans l'espèce de grondement assourdi par la distance qui montait jusqu'à Fiesole, la jeune femme croyait distinguer les cris de mort, les malédictions et les longs gémissements des femmes en pleurs. On brûlait, on pillait les maisons des Pazzi et de leurs alliés dont peut-être à l'aube il ne resterait rien. C'était comme un holocauste d'amour que la cité, furieuse et désespérée, offrait à son enfant chéri.

En ce jour, Giuliano avait rejoint Simonetta et, peut-être, était-ce bien ainsi ? Peut-être que, la main dans la main, ils contemplaient du haut du ciel le décor qui avait été celui de leurs amours, mais une chose était certaine, et cela Fiora le sentait par toutes les fibres de son être : jamais plus Florence ne serait ce qu'elle avait été au temps où ils s'aimaient, contre les lois des hommes – et même celles de l'Église puisque l'Étoile de Gênes était mariée –, mais protégés par leur beauté, leur jeunesse éclatante et toute cette joie qu'ils faisaient naître sur leur passage. Le peuple les adorait comme le symbole de la grâce et de la douceur de vivre dans une cité exceptionnelle.

Plus rien d'ailleurs ne serait jamais comme avant. Fiora l'avait ressenti en pénétrant dans cette maison où elle avait connu, jadis, le plus grand bonheur dans les bras de Philippe. Et cela tenait moins à ce que le décor intérieur n'était plus le même – pillée au moment du drame, la villa avait été remeublée par les soins de Lorenzo – qu'à une question d'atmosphère, à une qualité de silence.

Celui que Francesco Beltrami réclamait souvent quand il se retirait dans son « studiolo » était vivant. Il était fait des paroles chuchotées, des pas assourdis, des gestes mesurés de vingt personnes attentives à ne pas troubler le maître dans son travail ou dans son repos. A présent, c'était le silence du vide... Démétrios occupait cependant cette maison, avec Esteban, mais ce qui manquait, outre Francesco lui-même, c'était Léonarde dont la seule présence aurait suffi à communiquer une âme à une hutte de charbonnier, c'était Khatoun, le petit chat toujours ronronnant, et c'étaient aussi tous ces serviteurs qui semblaient, comme la maison elle-même, avoir pris racine dans la terre de Fiesole mais que la tempête avait dispersés. A présent, c'était la noire et discrète Samia qui régnait sur la cuisine et le ménage avec l'aide de deux esclaves, Samia au pas de velours qui, autrefois, servait de gouvernante au castello du médecin grec et qui, tout naturellement, était venue reprendre sa place.

Fiora aimait bien Samia qui était douce et ordonnée et qui l'avait bien soignée lorsque Démétrios l'avait ramenée chez lui à la fin du cauchemar, mais elle n'avait jamais appartenu à son univers d'adolescente heureuse et comblée. Elle n'était apparue qu'au temps de l'épreuve.

Il était près de minuit, à présent. Pourtant, en dépit de la journée harassante qu'elle venait de vivre, consécutive à quelques autres qui ne l'étaient pas moins, Fiora n'arrivait pas à dormir. Elle ne pouvait même pas rester étendue dans ce lit habillé de soie blanche comme la couche d'une vierge, mais qui n'avait jamais été le sien. Elle préférait rester là, pieds nus sur un tapis, regardant, attendant elle ne savait trop quoi.

Démétrios, après l'avoir conduite à Fiesole, était redescendu, comme il l'avait promis, pour tenter de voir Lorenzo. Il était revenu au crépuscule, ramenant avec lui un Rocco à moitié mort de fatigue que Samia avait nourri abondamment avant de l'envoyer se coucher. Il dormait à présent dans une chambre proche de celle de Fiora et, dans le couloir, on pouvait entendre, en passant devant sa porte, ses ronflements puissants d'homme harassé.

A la question de Fiora touchant le Magnifique, le Grec avait répondu :

– Tu le verras bientôt... Te retrouver a été, pour lui, le seul adoucissement à sa douleur qui est profonde. La mort de Giuliano l'ampute d'une partie de lui-même.

Il raconta ensuite les soins dont on avait entouré le corps du jeune homme. Lavé, parfumé, vêtu de drap d'or sous son armure de parade, Giuliano, mains jointes et les yeux clos, reposait à cette heure, dans la chapelle du palais familial, sur un extraordinaire lit funèbre tendu du même tissu précieux semé d'énormes bouquets de violettes, ces violettes qui étaient les fleurs préférées de son frère et que celui-ci faisait cultiver dans ses jardins. Aux pieds du jeune mort, son casque empanaché de blanc, ses gantelets et ses éperons d'or gisaient sur un grand coussin de velours pourpre.

La chapelle, en elle-même, était une œuvre exquise, et Fiora n'avait qu'à fermer les yeux pour la revoir. Tout autour de ses murailles, une grande fresque représentant le cortège des Rois mages allant vers l'Étoile déroulait un faste inouï et des couleurs d'un rare éclat, dans un délicieux paysage toscan semé de châteaux, de cyprès et de buissons fleuris. Ce n'étaient que chevaux richement caparaçonnés, vêtements brodés d'or, couronnes de pierreries, serviteurs parés et joyeux tenant en laisse des léopards, des lévriers de Karamanie, ou portant des présents. Lorenzo lui-même y apparaissait, mais sous la forme d'un bel adolescent blond et bouclé qui avait beaucoup amusé Fiora, car il fallait vraiment savoir que le beau Roi mage était censé représenter l'aîné des Médicis pour y croire. Lorenzo s'en amusait le premier et aimait à dire que Benozzo Gozzoli, le peintre, l'aimait tellement qu'il s'obstinait à voir en lui l'ange qu'il ne serait jamais...

Une autre merveille enrichissait cette chapelle joyau : une adorable Nativité, placée au-dessus de l'autel, œuvre d'un moine défroqué dont la vie tumultueuse avait scandalisé Florence vingt ans plus tôt. Mais Filippo Lippi avait tant de talent qu'on lui pardonnait... même d'avoir donné à la Madone le ravissant visage de la jeune nonne dont il était amoureux.

Oui, cette chapelle était bien le cadre digne de recevoir le corps du jeune prince, et Fiora regretta de ne pouvoir y aller prier car elle n'était pas certaine que les femmes de la maison, Lucrezia, la mère des Médicis, et Clarissa l'épouse de Lorenzo, fussent bien disposées envers une revenante qui, jadis, avait été l'objet d'un scandale. Elle eût aimé pourtant offrir ce tribut de larmes à celui qui avait été son premier amour comme il avait été celui de Catarina Sforza. Comment l'épouse de Girolamo Riario recevrait-elle la nouvelle de cette mort qu'elle souhaitait tellement éviter ? Parviendrait-elle à cacher son chagrin ? Après tout, Riario lui-même ferait grise mine puisque le complot avait échoué dans son but principal : abattre le maître de Florence. Et le maître de Florence était encore en vie et plus puissant, plus aimé que jamais!

Soudain, Fiora tendit l'oreille. Le galop d'un cheval résonnait dans la nuit, se rapprochait, se rapprochait encore... Elle entendit un bruit de voix : celle d'Esteban et une autre, plus sourde, qu'elle n'identifia pas. Qui pouvait venir à cette heure?

Vivement, Fiora enfila sur sa chemise une sorte de dalmatique ouverte et sans manches qu'elle avait portée jadis et que, par une espèce de miracle, Samia avait retrouvée, avec quelques vêtements, dans un coffre du grenier. A la veilleuse qui brûlait sous les rideaux de son lit, elle alluma un flambeau, sortit dans la galerie et alla jusqu'à l'escalier. Là, elle s'arrêta, élevant au-dessus de sa tête le bouquet de flammes.

Au bas des marches, un homme tout vêtu de noir, sans chaperon et les mains nues, la regardait sans dire un mot et cet homme était Lorenzo...

Jamais elle ne lui avait vu ce visage ravagé, raviné, creusé par les larmes et la souffrance, ni ce regard ardent qui suppliait et exigeait tout à la fois. Dans l'ombre du vestibule, derrière lui, la robe sombre de Démétrios glissa sans bruit sur les dalles de marbre et disparut.

D'un pas lent, comme s'il craignait qu'un mouvement brusque fît s'évanouir l'apparition ou ne l'effrayât, Lorenzo monta vers Fiora. Le cœur de la jeune femme s'était mis à battre sur un rythme inhabituel qui emplissait sa poitrine, mais sans qu'aucune angoisse vînt la troubler. Ce qu'elle éprouvait ressemblait davantage à de la joie car elle sut, tout à coup, que ce qui allait suivre était inscrit au livre de sa vie depuis toujours et que, peut-être, sans même en avoir eu conscience, elle l'avait désiré.

Doucement, elle posa le chandelier sur la rampe de l'escalier. Lorenzo montait toujours. A présent elle pouvait entendre son souffle, elle pouvait voir, sous le pourpoint noir et la chemise ouverte laissant apparaître la blancheur d'un pansement, se soulever sa poitrine maigre.

Quand il fut devant elle, la dominant de sa haute taille, elle ne fit pas un geste, ne dit pas un mot, mais leva la tête vers lui, offrant seulement ses lèvres entrouvertes sur lesquelles, doucement, en fermant les yeux comme l'on fait pour mieux savourer un plaisir rare et longtemps attendu, il posa les siennes sans la toucher autrement. Ce fut un baiser long mais léger, délicat, presque timide, comme s'il buvait au calice d'une fleur...

Puis Fiora sentit les mains de Lorenzo sur ses épaules, et ces mains tremblaient. Alors, elle le repoussa avec douceur, mais lui sourit tendrement en voyant son visage se crisper de douleur. Elle prit l'une de ses mains, enleva le chandelier de la rampe et marcha vers la porte de sa chambre.

– Viens ! dit-elle seulement.

Tandis que d'un geste machinal, il fermait le vantail, Fiora alla placer la lumière sur un coffre et, l'une après l'autre, elle souffla les bougies. La chambre ne fut plus éclairée que par la lueur de la veilleuse qui dorait à peine l'intérieur des courtines blanches. Immobile, Lorenzo suivait des yeux chacun des gestes de la jeune femme. Alors, elle laissa tomber à terre le manteau sans manches, délia le ruban de sa chemise qui glissa jusqu'à ses chevilles. L'instant d'après, elle était dans ses bras et il l'emportait sur le lit où il se laissa tomber avec elle...

Ils firent l'amour en silence parce qu'ils n'avaient pas besoin de mots. Le vocabulaire de la passion n'avait rien à faire ici, ils savaient tous deux que leur union prenait racine dans un passé de longue admiration mutuelle, sans doute, mais aussi dans une sorte d'instinct qui les avait poussés à se joindre. Lorenzo était venu vers Fiora comme le voyageur perdu qui découvre soudain une étoile dans son ciel noir et Fiora l'accueillait parce qu'elle avait senti en le voyant que le don d'elle-même était le seul apaisement qu'elle pût offrir à ce désespoir mêlé de colère qui empoisonnait son âme. En outre, affublée du nom exécré des Pazzi, elle éprouvait une délectation secrète à donner au Magnifique cette nuit de noces qu'elle n'eût jamais accepté de subir.

Rapprochés dans de telles conditions et sans le secours d'un véritable amour, Lorenzo et Fiora auraient pu connaître un échec, ou tout du moins une déception, mais ils découvrirent avec émerveillement que leurs corps unis vibraient à l'unisson, réalisaient l'accord parfait si rare entre les amants. Chacun savait d'instinct ce qui pouvait combler l'autre et c'est ensemble qu'ils atteignirent à la volupté suprême, à un plaisir d'une telle intensité qu'en s'apaisant, il les rejeta pantelants dans la soie froissée des draps. Après quoi, ensemble toujours, mais dans les bras l'un de l'autre, ils sombrèrent dans ce sommeil dont ils avaient tant besoin et qu'ils n'avaient pas réussi à trouver dans leur solitude.

A l'aube, Lorenzo se leva. Fiora dormait de si bon cœur qu'il hésita à la réveiller, mais, avant de replonger dans l'enfer qui l'attendait, il lui fallait puiser dans ses yeux et sur ses lèvres une force nouvelle. Alors, il la reprit dans ses bras et baisa son visage jusqu'à ce qu'elle relève enfin des paupières qui s'ouvraient avec peine.

– Je ne voulais pas partir comme un voleur, murmura-t-il contre sa bouche. Et puis... veux-tu me permettre de revenir... la nuit prochaine ?

Elle lui sourit, s'étirant avec une délicieuse sensation de bien-être :

– Tu as besoin d'une permission ?

– Oui... Ce que tu m'as donné était si beau que j'ose à peine y croire encore.

Cette fois, elle se mit à rire :

– Auprès de toi, saint Thomas était un croyant aveugle. Ou alors dis-moi pourquoi nous nous retrouvons tous deux, nus, et dans le même lit ?

– Peut-être parce que c'était comme dans un rêve et que je veux rêver encore ? J'ai besoin de t'aimer, Fiora, de prendre ta chaleur et de te donner la mienne. Tu es comme une source longtemps espérée et qu'un miracle a fait jaillir du rocher le plus noir et le plus aride. Ne plus y boire serait pour moi une cruelle souffrance. Veux-tu encore de moi ?

Elle s'agenouilla sur le lit pour prendre entre ses mains cette tête rude, ce visage si laid et si attirant :

– Oui, je te veux ! dit-elle d'une voix basse et un peu rauque qui le fit frissonner. Reviens ! Je t'attendrai.

Elle l'embrassa longuement puis, glissant prestement entre les mains avides qui tentaient de la saisir, elle s'enroula dans les draps et mit un oreiller entre ses bras...

– Mais, à présent, il faut que tu me laisses dormir !

Quand Fiora se réveilla de nouveau, le ciel était gris et la pluie, qui avait fait trêve deux jours, recommençait de plus belle. Le jardin était noyé sous un brouillard liquide qui détrempait les allées et dégouttait des statues, mais la jeune femme n'accorda au paysage brouillé qu'un soupir agacé et un haussement d'épaules. Après tant d'épreuves, la nuit qu'elle venait de vivre lui faisait l'effet d'un bain de jouvence. Lorenzo était un amant comme chaque femme rêve d'en rencontrer et ses caresses avaient lavé son corps de toutes les concupiscences et de toutes les douleurs qu'il avait dû supporter. Et la jeune femme ne s'interrogea même pas sur les sentiments qu'il pouvait lui inspirer : elle était bien avec lui et, pour l'instant, c'était tout ce qui comptait. Néanmoins, ce fut avec une sorte de colère qu'elle repoussa l'unique pensée qui la gênât : même si les meubles avaient changé, cette chambre était tout de même celle où Philippe avait fait d'elle une femme.

– C'est ta faute ! cria-t-elle à cette ombre qui revenait inopportunément s'imposer à son souvenir. Il ne fallait pas me laisser partir pour aller jouer les preux chevaliers auprès de ta princesse ! C'est toi qui as fait s'installer entre nous l'irréparable. Et moi je n'ai que vingt ans ! J'ai le droit de vivre !

Elle avait complètement oublié qu'elle avait, bien peu

de temps auparavant, souhaité mourir, tant les charmes de l'amour peuvent avoir d'emprise sur un être jeune. De toutes ses forces, elle voulait rejeter les contraintes et l'austérité. Elle avait vécu captive durant des mois, et voilà que sa prison venait de s'ouvrir sur quelque chose qui ressemblait au bonheur, même si ce n'était qu'une apparence... Ce fut d'un œil plein de défi qu'après le repas servi dans sa chambre par Samia, elle alla affronter le regard de Démétrios lorsqu'elle le rejoignit dans l'ancien studiolo de son père.

Mais il la connaissait trop bien pour ne pas pénétrer ses pensées et ces grands yeux gris chargés de nuages d'orage lui arrachèrent un sourire. Fiora, pensa-t-il, cherchait un prétexte pour se mettre en colère, espérant se débarrasser ainsi de la gêne qu'elle éprouvait. Il ne se trompait pas :

– Pourquoi ce sourire ? fit-elle nerveusement, et pourquoi me regardes-tu ainsi ? Ai-je quelque chose de changé ? Oui, je me suis donnée à Lorenzo ! Je me suis même offerte à lui ! Et, cette nuit, il reviendra et je me donnerai encore à lui !

Otant les besicles qu'il portait de plus en plus souvent, à présent, Démétrios s'éloigna du lutrin sur lequel il avait ouvert un manuscrit hébraïque, vint à la jeune femme et posa ses mains sur ses épaules qu'il sentit se raidir.

– Loin de moi l'idée de te faire le moindre reproche, Fiora ! Ce qui s'est passé cette nuit entre Lorenzo et toi était écrit depuis longtemps. Il m'a souvent parlé de toi, depuis mon retour, et j'ai compris sans peine que tu étais son regret le plus secret. Il était normal qu'il vienne vers toi du fond de son désarroi.

– Crois-tu donc qu'il m'aime ?

– Tu es comme toutes les femmes : tu simplifies trop les sentiments. Lorenzo était semblable à un jardinier qui a vu un voleur s'enfuir avec la plus belle fleur de son jardin, sans même lui laisser le temps de la respirer. Hier, sa fleur est revenue, mais plus belle que jamais et dégageant un parfum trop capiteux pour qu'il renonce à s'en griser. Quant à toi...

– Eh bien ? Moi ?

– Cesse de te rebeller ainsi, Fiora ! Tu n'as commis aucun crime. L'amour t'a simplement rendu le goût de la vie que tu avais perdu.

– L'amour ? Je ne sais même pas si j'aime Lorenzo. Pourtant, ce serait tellement plus simple !

– Plus commode surtout, parce que tu es toute pétrie de morale chrétienne, en dépit de ton éducation platonicienne, et cela tu le dois à notre chère Léonarde.

– Ne me parle pas d'elle, sinon je vais me sentir malade de honte !

– Tu as raison, j'ai eu tort d'en parler. Quant à la honte, c'est un mot stupide, même si tu n'aimes pas vraiment Lorenzo. Ce que tu aimes en lui, c'est d'abord l'amour qu'il te donne, je sais qu'il y est une sorte de... virtuose. Mais aussi sa légende et, tout au fond de toi, il y a toujours une petite Florentine pour qui le Magnifique emplissait l'horizon. Sans le savoir, tu étais plus ou moins amoureuse de lui...

– Non. C'était Giuliano que j'aimais.

– Que tu croyais aimer ! La preuve en est que tu l'as chassé très vite de ton esprit. Mais tu oublies qu'à ce fameux bal, où nous nous sommes rencontrés pour la première fois, je t'ai vue danser avec Lorenzo et, si j'ai jamais vu visage illuminé de joie, c'était bien le tien.

– C'est vrai, j'étais très heureuse... très fière surtout !

– Comme tu es fière, aujourd'hui, de l'avoir enchaîné à tes pieds. Il est venu à toi comme un pauvre qui demande la charité, les mains vides, nues et suppliantes, lui qui a toute puissance, et j'ai tout de suite compris que, ces mains tendues, tu allais les combler de richesses. Alors que tu l'aurais repoussé s'il était venu en prince et en maître. J'ai raison ?

Toute colère envolée, Fiora se mit à rire.

– Tu as trop souvent raison, Démétrios ! Que vais-je faire, à présent ? Il faudrait que je reparte...

– Pas maintenant. Tu n'en as pas vraiment envie,

d'ailleurs. Laisse-toi aimer ! C'est le meilleur des remèdes, non seulement pour un corps, mais aussi pour un cœur qui vient de beaucoup souffrir. Cependant...

Il prit un temps et Fiora vit qu'une inquiétude lui venait à l'esprit.

– Cependant ?

– Avez-vous beaucoup parlé, tous les deux ? Il a dû te poser des questions...

La jeune femme devint pourpre et, se détournant, alla examiner le livre posé sur le pupitre.

– Nous... nous n'avons pas parlé du tout !

– Félicitations ! fit Démétrios qui ne put s'empêcher de rire devant l'air confus de ce jeune visage. Et si tu veux le savoir, j'en suis heureux, mais vous parlerez. Alors, écoute-moi bien et, surtout, ne lui dis pas que l'on t'a mariée à un Pazzi !

– Carlo a tout fait pour m'aider.

– Sans doute, mais Lorenzo est trop profondément blessé pour supporter l'idée que tu portes ce nom-là ! Si grand que soit son désir, il s'écarterait de toi avec horreur. Et les conséquences pourraient être dramatiques. Tu m'as bien compris ?

– Sois sans crainte ! Je ne dirai rien.

D'un doigt précautionneux, elle tourna quelques-unes des pages craquantes du manuscrit qu'elle ne pouvait pas lire, se contentant d'admirer la beauté un peu mystérieuse des caractères.

– C'est une étrange chose que le destin, soupira-t-elle. Le mien semble se complaire à me faire contracter des mariages que je dois cacher à Lorenzo. Souviens-toi !

– Tu as raison, mais la situation est différente. Ce mariage-là, tu ferais aussi bien de l'oublier. Il ne compte pas, parce que...

– Parce que ?

– Rien. Essaie de ne plus y penser ! Pense seulement à l'homme qui viendra ce soir chercher auprès de toi le refuge dont il a tant besoin.

Ce soir-là, pourtant, Lorenzo ne vint pas. Il envoya un billet par Esteban qui était descendu en ville prendre le vent. Les funérailles de Giuliano étaient fixées au lendemain et Lorenzo veillerait le jeune mort pour cette dernière nuit.

Les nouvelles que rapporta le Castillan restaient dramatiques. La traque des Pazzi et de leurs parents et alliés continuait. On en avait pris deux dans la cité dont l'un, déguisé en femme, se cachait dans l'église Santa Croce, trois autres avaient été arrêtés sur des chemins de campagne. Quant au vieux Jacopo que les cavaliers de la Seigneurie avaient rattrapé sur la route d'Imola, il devait être en route pour Florence dans une litière fermée. On le hisserait sur le balcon de fer à la minute où Giuliano serait porté en terre.

D'autres encore avaient été précipités de là-haut, pendus ou abandonnés au peuple et, devant le Vieux Palais, le nombre des morts plus ou moins dépecés se montait à soixante-dix. Mais il n'y avait que des hommes, Lorenzo ayant formellement interdit de molester les femmes qui, en fait, n'avaient pas participé directement au meurtre.

– Et Hieronyma ? dit Fiora avec amertume. Elle n'a rien fait, peut-être ?

– C'est la seule dont le Magnifique a ordonné que l'on se saisisse, dit Démétrios.

– Comment a-t-il su qu'elle était là ?

– C'est moi qui le lui ai dit hier, quand je suis redescendu à la via Larga après t'avoir menée ici. Tu peux être sûre qu'il la fait rechercher activement.

– Rien n'est plus vrai, reprit Esteban. J'ai interrogé Savaglio, le chef des gardes qui mène la traque, et s'il trouve ce démon femelle, il l'abattra sur place, mais il a fouillé toutes les maisons des Pazzi, depuis leur palais près de Santa Croce jusqu'à la villa de Montughi. Il a trouvé beaucoup de femmes en pleurs et la tête couverte de cendres, mais aucune n'était Hieronyma.

– Quand elle a vu le coup manqué, elle a dû repartir pour Rome, soupira Démétrios.

– Il faut pouvoir. Toutes les routes, tous les chemins sont gardés et personne ne peut sortir de la ville.

– Mais elle n'était pas en ville. Elle était justement à Montughi et, si on ne l'a pas trouvée, c'est qu'elle aura réussi à s'enfuir...

Lorsqu'il vint le lendemain soir, après avoir confié la dépouille de son jeune frère au tombeau familial, dans la Vieille Sacristie de San Lorenzo où reposaient déjà son père, Piero le Goutteux, et son grand-père, Cosimo l'Ancien, Lorenzo confirma cette vue pessimiste. Certains Pazzi avaient glissé entre les doigts des soldats. Bien sûr, Antonio et Stefano, les deux clercs qui l'avaient attaqué étaient morts après avoir, sous la torture, livré tous leurs complices; c'est ainsi que l'on avait arrêté Montesecco qui, cependant, avait reculé au dernier moment devant l'horreur d'un sacrilège. Il avait eu la tête tranchée. Bien sûr, Francesco Pazzi avait reçu le châtiment qu'il méritait, mais Bandini, l'homme qui s'était acharné sur le corps de Giuliano, avait pu s'enfuir. Poursuivi sur la route de Venise, il avait par un miracle réussi à disparaître dans la nature.

– Mais je le retrouverai, affirma Lorenzo. Où qu'il aille et, même s'il se réfugie chez les Turcs, je mettrai la main sur lui [1].

– Cela fait beaucoup de morts, dit Fiora. Es-tu certain qu'ils aient tous été coupables?

– Bien sûr que non, mais je ne peux retenir la fureur du peuple. J'ai déjà assez de mal à l'empêcher de prendre d'assaut mon propre palais pour en extirper le cardinal Riario...

– Que vas-tu en faire?

Lorenzo haussa les épaules:

1. Le Sultan devait, en effet, le renvoyer enchaîné à Lorenzo, en témoignage d'estime.

– Rien du tout ! Quand la ville s'apaisera, je le renverrai à Rome sous bonne escorte... ou à Pérouse puisqu'il y a été nommé en tant que légat. Si tu le voyais : il meurt de peur et je suis bien certain que, s'il avait seulement soupçonné ce qui allait se passer à Santa Maria del Fiore, il n'y aurait jamais mis les pieds. Mais, je t'en prie, ma douce, ma belle, ma précieuse, cessons de parler de cette horreur ! Auprès de toi je ne veux être que désir et amour...

Cette nuit-là, tous deux s'aimèrent longuement, ardemment comme s'ils ne pouvaient se rassasier l'un de l'autre. Pourtant, Lorenzo finit par trouver le sommeil, vaincu par l'écrasante fatigue supportée depuis la tragédie de Pâques. Fiora, elle, ne pouvait dormir. Assise dans le lit, les coudes aux genoux, elle contempla longtemps le grand corps brun, à la fois maigre et musclé, qui gisait auprès d'elle, semblable à ces transis qu'elle avait vus sur certains tombeaux. L'épuisement l'avait foudroyé et il reposait, bras et jambes écartés sur la couche en désordre, l'un de ses poings enroulé dans une des longues mèches noires de la jeune femme.

Elle essaya de dégager ses cheveux, mais Lorenzo les tenait bien et elle y renonca pour ne pas le réveiller. Alors, elle finit par s'allonger contre lui après avoir un instant posé ses lèvres sur le cou blessé dont le pansement s'était déplacé.

Une fois de plus, elle se demanda si elle l'aimait sans que son cœur lui fournît de réponse. Elle avait envie de lui et, dans ses bras, elle était heureuse, mais quand le silence retombait entre eux Fiora ne pouvait s'empêcher d'entendre, au fond d'elle-même, une voix douloureuse qui était celle de ses regrets. Si merveilleuses que soient les heures vécues avec Lorenzo, elles ne parviendraient jamais à étouffer le souvenir de son amour pour Philippe... pour Philippe à jamais perdu en dépit des vaticinations fumeuses de Démétrios. Et sans même s'en rendre compte, Fiora laissa couler d'abondantes larmes contre l'épaule de son amant endormi.

Quand il s'éveilla, elle n'avait pas réussi à s'assoupir un seul instant. Plusieurs idées s'étaient mises à tourner dans sa tête. Et tandis que Lorenzo se rhabillait dans la fraîcheur d'un petit matin chargé de pluie, elle lui fit part de son désir d'aller prier sur la tombe de son père, dans l'église corporative d'Or San Michele.

– C'est impossible pour le moment, mon amour. Je ne veux pas que tu descendes en ville tant que le peuple ne sera pas calmé. Le spectacle est abominable. L'odeur aussi, et je ne voudrais pas être à la place de Sandro Botticelli...

– Pourquoi donc ?

– La Seigneurie lui a commandé de peindre, sur ses murs, l'image des corps suppliciés que l'on a pendus au balcon. Le malheureux passe des heures, mal abrité par une bâche, à faire des croquis.

– Pauvre Sandro ! Lui qui n'aime que la beauté... Eh bien, je me contenterai de me promener autour de la maison. Mais, au fait, peux-tu me dire ce qu'est devenue notre métairie ?

– Celle que vous possédiez près de Montughi ? Je crois qu'elle est toujours à toi, personne ne veut s'y installer et le domaine est à l'abandon.

– Pour quelle raison ?

– La mort de Marino Betti, l'assassin de ton père, a fait fuir tout le monde. Nos paysans sont superstitieux, tu sais, et ils ont une peur affreuse des fantômes. Il faudra tout de même que nous essayions d'en faire quelque chose. Peut-être qu'en brûlant l'arbre où il a été pendu et en rasant la maison qu'il habitait ?

– Nous en parlerons plus tard. Rien ne presse, en effet...

– Nous avons beaucoup de temps devant nous, fit-il tendrement en se penchant sur sa bouche.

Comme il allait sortir, elle le rappela :

– Il vaudrait mieux que tu ne viennes pas ce soir, dit-elle.

– Pourquoi ? fit-il l'œil tout de suite assombri. Tu es déjà lasse de moi ?

– Comment peux-tu dire de telles sottises ? Non, Lorenzo mio, je ne suis pas lasse de toi mais il y a, dans la vie d'une femme, des nuits qu'elle doit passer seule. Tu as compris ?

Il se mit à rire et la prit dans ses bras pour couvrir son visage et son cou de baisers.

– Soit, créature impure ! Au moins tu pourras dormir ! Et ma mère aussi. A cause de ce qui s'est passé, elle s'inquiète de mes sorties nocturnes. Mais ne crois pas que tu pourras me tenir longtemps à distance !

Une heure après son départ, Fiora entra chez Démétrios pour lui faire part de l'idée qui lui était venue. Il l'écouta sans mot dire et quand elle eut fini, il demanda :

– Sais-tu quel jour nous sommes ?

– Le 28 d'avril je crois... oh mon Dieu ! C'est la même date ?

– Oui. Il y a trois ans, jour pour jour, que nous sommes allés là-bas pour punir un assassin. Tu crois que Hieronyma pourrait se cacher dans la vieille ferme ?

– Bien sûr ! C'est une excellence cachette pour elle que la maison de son complice. Et surtout une maison défendue par la terreur. Ce démon n'a jamais eu peur de rien et encore moins des fantômes.

– Il se peut que tu aies raison, Fiora !... Oui, je le pense. En tout cas, cela ne nous coûtera guère d'y aller voir.

Si le jour était le même, la nuit était bien différente. Plus d'étoiles au ciel, plus de frais parfum de la terre en son printemps ! Un ciel noir qui déversait des trombes d'eau, des chemins détrempés, ravinés, dangereux pour qui ne les connaissait pas. Mais Fiora eût reconnu sa route les yeux fermés et sous un tremblement de terre, tant elle lui était familière. Au pas sûr de sa mule, elle chevauchait botte à botte avec Démétrios, courbant le dos sous l'averse dont la protégeait une grande mante noire à capuche, mais elle ne sentait pas la pluie et elle eût aussi bien traversé les flammes pour atteindre son but tant était grande sa certitude que ce chemin la menait enfin à sa vengeance.

Derrière elle venaient Esteban et Rocco, armés jusqu'aux dents. L'ancien bandit de grand chemin avait tenu à participer à l'expédition quand il avait su de quoi il était question :

– Je te dois bien ça, dit-il à Fiora. Grâce à toi, je vais redevenir un vrai soldat et servir un maître qui me plaît.

Le lendemain, il repartait pour sa grotte de San Quirico d'Orcia, afin d'y récupérer ses hommes que Lorenzo engageait à son service et sous ses ordres. Il était plus que certain, en effet, que la guerre avec le pape éclaterait bientôt et le Magnifique connaissait à son juste prix la valeur d'une troupe bien entraînée. En outre, Rocco avait reçu de lui une belle somme pour s'être battu à ses côtés dans la cathédrale. Aussi se sentait-il le cœur plein de joie et, de temps en temps, Fiora pouvait l'entendre siffloter une romance.

Arrivée à destination, elle retrouva sans peine le sentier bordé de haies vives et, plus loin, la masse sombre des bâtiments de ferme, et le grand pin dont la tête immense ombrageait les piliers de pierre à l'entrée de la cour. Le grand pin où le corps martyrisé de Marino Betti avait été pendu...

Comme autrefois, les cavaliers mirent pied à terre à quelque distance et attachèrent leurs montures aux cyprès plantés en coupe-vent puis, étouffant leurs pas autant qu'il était possible, ils remontèrent vers le domaine.

– C'est grand ! souffla Rocco. Si nous voulons tout explorer, nous devrions peut-être nous séparer mais, à première vue, il n'y a personne.

Les bâtiments à l'abandon se dessinaient à peine dans la nuit obscure et l'on n'entendait rien, sinon le grincement d'une porte mal fermée qui battait dans la bourrasque.

Sans répondre, les trois autres continuèrent à avancer, scrutant ces ombres denses qui, jadis, contenaient tant de vie : celle du bétail, des valets, des chiens gardiens de la ferme, et qui n'étaient plus que silence.

Soudain, Esteban saisit le bras de Fiora :

– Regarde ! chuchota-t-il. Là !... vers le bout de la maison de l'intendant ! Il y a une cheminée qui fume un peu !

Depuis le temps qu'ils étaient en route, les yeux des quatre compagnons s'étaient accoutumés à l'obscurité et Fiora distingua vite la mince spirale grise. Le cœur lui battit plus fort : un feu signifiait une présence humaine...

– C'est peut-être un berger qui a cherché là un refuge, fit Démétrios. Ou encore un voyageur égaré ? On s'abriterait chez le diable par une nuit pareille.

– Non, dit Fiora. C'est elle ! Je suis sûre que c'est elle..

Sans attendre les autres, elle se dirigea vers cette partie de la maison, prenant toujours soin de ne pas faire de bruit. En approchant, elle distingua un faible rai de lumière sous un volet clos. A côté, il y avait une porte dont le bas se cachait dans les herbes qui gardaient la trace d'un passage...

Cette maison, elle la connaissait par cœur pour y avoir joué mille fois quand elle était enfant. Elle en savait toutes les issues et tous les détours. Elle savait que la porte de cette pièce, qui avait été la cuisine de l'intendant, ne fermait que par un loquet, mais qu'à l'intérieur on pouvait la renforcer d'une barre. Si celle-ci était mise, la seule chance d'entrer serait d'arracher le volet.

Doucement, très doucement, elle appuya sur la clenche qui joua sans bruit. Retenant son souffle, elle poussa le vantail avec la crainte de sentir la résistance de la barre, mais la personne qui se trouvait à l'intérieur devait se croire suffisamment gardée par la terreur qu'inspirait la ferme abandonnée. Et la porte s'ouvrit...

Assise sur un escabeau auprès d'un maigre feu, une femme enveloppée d'un manteau noir brodé d'argent, que Fiora reconnut aussitôt, mangeait, appuyée des deux coudes sur une table, une sorte de bouillie. Elle tournait presque le dos à la porte et ne la vit pas s'ouvrir.

– Bonsoir, Hieronyma! dit seulement Fiora.

La femme sursauta si violemment que la table, bancale, se renversa, entraînant l'écuelle. Quand elle lui fit face, Fiora sourit, goûtant déjà le plaisir violent de la vengeance. C'était le visage même de la peur qu'elle avait en face d'elle. Hieronyma avait dû souffrir pendant ces trois jours. Sa peau était grise, ses paupières plombées et des poches s'alourdissaient sous ses yeux. Il ne restait rien de la beauté plantureuse qu'elle étalait si insolemment naguère et ses mains tremblaient. Mais la haine lui rendit courage et Fiora vit se rétrécir ses pupilles quand elle jeta :

– Qu'est-ce que tu fais là?... Tu n'es pas à Rome?

– C'est l'évidence, il me semble? J'en suis partie quelques heures seulement après toi.

– Comment as-tu fait?

– Tu n'imagines pas, tout de même, que je vais t'en faire confidence? L'heure est venue de payer tes crimes! Trop d'hommes sont morts par ta faute, mais c'est surtout le sang de mon père qui crie vengeance. Je suis venue te tuer!

Hieronyma ricana.

– Me tuer? Avec quoi?... Oh, je vois! Tu n'es pas venue seule? Tu n'as pas eu le courage de m'affronter sans témoins!

– Pourquoi l'aurait-elle fait? gronda Démétrios. Tu es plus forte qu'elle et surtout plus habile à manier le couteau. Au surplus, ce n'est pas elle qui va te tuer. Ton sang salirait ses mains!

– Non, Démétrios! Laisse-moi faire! Elle sait qu'elle ne peut pas nous échapper. J'ai là ce qu'il faut.

A sa ceinture, Fiora prit une petite gourde et un gobelet qu'elle y avait accrochés. Le flacon renfermait un peu de vin et le poison que lui avait remis Anna la Juive. Elle emplit le gobelet et le tendit à son ennemie :

– Bois! Le venin a toujours été ton arme favorite et il est juste que tu meures par le poison...

– Jamais! Jamais je ne boirai ça!

– Mes compagnons peuvent t'y forcer. S'il te reste le souvenir de quelque prière, dis-la, mais dis-la vite! Je n'ai plus de patience pour toi! Bois!

– Va au diable!

Avant que Démétrios et Esteban aient pu s'emparer d'elle, Hieronyma d'un revers de main avait poussé le gobelet qui se renversa.

– Tu as eu tort, dit Fiora. Ce n'était pas un poison rapide. Il t'aurait accordé le temps de te repentir.

Mais déjà Hieronyma, emportée par sa haine furieuse, s'était jetée sur elle, griffes en avant, visant le cou de la jeune femme sur lequel ses doigts se refermèrent. Fiora tomba en arrière, à demi étouffée sous le poids de son ennemie qui commençait à l'étrangler. Tout contre son visage, elle voyait la figure convulsée, démoniaque, qui continuait à cracher sa haine :

– C'est toi qui vas crever! Tu entends?... Sale petite putain... Tu vas cre...

Soudain, le corps de Hieronyma se raidit, tétanisé, tandis que sa bouche s'ouvrait sur un râle et que ses yeux s'exorbitaient. Les mains meurtrières lâchèrent prise. Fiora eut juste le temps de se dégager pour ne pas recevoir le sang qui jaillit des lèvres distendues. Elle se releva avec l'aide de Démétrios et s'accrocha à son épaule pour ne pas tomber. Hieronyma, couchée face contre terre dans ses velours souillés, ne bougeait plus. Seule dépassait, plantée entre ses épaules, la poignée d'une dague.

Esteban mit un genou en terre pour la retirer, mais Rocco l'arrêta.

– Je sais bien que le bourreau reprend toujours sa hache, dit-il, mais après avoir trempé dans un sang aussi pourri, ma dague ne serait plus jamais propre!

– Je te donnerai la mienne! dit Esteban. Tu as été plus rapide que moi.

Avec une infinie tendresse, Démétrios attira Fiora contre lui, l'enveloppant de son propre manteau :

– Viens, ma fille, retournons vers les vivants ! Tu es à jamais délivrée des poisons de la vengeance...

Esteban éteignit le feu sous son talon et sortit le dernier, laissant la porte ouverte. Au-dehors, la pluie avait cessé. Les nuages s'écartèrent juste assez pour qu'une étoile, une seule, glissât vers la terre un œil curieux. Un moment plus tard, les cavaliers s'éloignaient. Le domaine abandonné retournait au silence...

Saint-Mandé, 10 mai 1989.

TABLE

Cet ouvrage a été reproduit
par procédé photomécanique par la
SOCIÉTÉ NOUVELLE FIRMIN-DIDOT
Mesnil-sur-l'Estrée
pour le compte des Éditions Pocket
en avril 1996

POCKET - 12, avenue d'Italie - 75627 PARIS CEDEX 13
Tél. : 44-16-05-00

Imprimé en France
Dépôt légal : septembre 1989
N° d'impression : 33861

ROMAN

Ashley Shelley V.
Enfant de l'autre rive (l')
Enfant en héritage (l')

Beauman Sally
Destinée

Bennett Lydia
Héritier des Farleton (l')
Homme aux yeux d'or (l')

Benzoni Juliette
Les dames du Méditerranée-Express
1 – la Jeune mariée
2 – la Fière Américaine
3 – la Princesse mandchoue
Fiora
1 – Fiora et le magnifique
2 – Fiora et le téméraire
3 – Fiora et le pape
4 – Fiora et le roi France
Les loups de Lauzargues
1 – Jean de la nuit
2 – Hortense au point du Jour
3 – Félicia au soleil couchant
Les Treize vents
1 – le Voyageur
2 – le Réfugié
3 – l'Intrus
4 – l'Exilé

Binchy Maeve
Cercle des amies (le)
Noces irlandaises
Retour en Irlande
Secrets de Shancarrig (les)

Blair Leona
Demoiselles de Brandon Hall (les)

Bradshaw Gillian
Phare d'Alexandrie (le)
Pourpre impérial

Bright Freda
Bague au doigt (la)

Cash Spellmann Cathy
Fille du vent (la)
Irlandaise (l')

Chamberlain Diane
Vies secrètes

Chase Lindsay
Un amour de soie

Collins Jackie
Amants de Beverly Hills (les)
Grand boss (le)
Lady boss
Lucky
Ne dis jamais jamais
Rock star

Collins Joan
Love
Saga

Courtille Anne
Dames de Clermont (les)

Cousture Arlette
Emilie

Dailey Janet
Héritière (l')
Mascarade
Or des Trembles (l')
Rivaux
Vendanges de l'amour (les)

Denker Henry
Choix du Docteur Duncan (le)
Clinique de l'espoir (la)
Enfant qui voulait mourir (l')
Hôpital de la montagne
Procès du docteur Forrester (le)

Deveraux Jude
Princesse de feu (la)
Princesse de glace (la)

Gage Elizabeth
Un parfum de scandale

Gallois Sophie
Diamants

Goudge Eileen
Jardin des mensonges (le)
Rivales

Greer Luanshya
Bonne Espérance
Retour à Bonne Espérance

Grerogy Philippa
Sous le signe du feu

Haran Maeve
Bonheur en partage (le)

Jaham Marie-Reine de
Grande Béké (la)
Maître-savane (le)

Jones Alexandra
Dame de Mandalay (la)
Princesse de Siam (la)
Samsara

Krantz Judith
Flash
Scrupules 1
Scrupules 2

Laker Rosalind
Aux marches du palais
Tisseurs d'or (les)
Tulipe d'or (la)

Lancar Charles
Adélaïde
Adrien

Lansbury Coral
Mariée de l'exil (la)

Philipps Susan Elizabeth
Belle de Dallas (la)

Purcell Deirdre
Passion irlandaise

Rainer Dart Iris
Cœur sur la main (le)

Rivers Siddons Anne
Georgienne (la)
Jeune fille du Sud (la)
Maison d'à côté (la)
Plantation (la)
Pouvoir de femme
Vent du sud

Ryman Rebecca
Trident de Shiva (le)

Shelby Philip
Indomptable (l')

Spencer Joanna
Les feux de l'amour
1 – le Secret de Jill
2 – la Passion d'Ashley

Steel Danielle
Coups de cœur
Joyaux
Naissances
Un si grand amour

Taylor Bradford Barbara
Femmes de sa vie (les)

Torquet Alexandre
Ombre de soie

Trollope Johanna
Amant espagnol (l')

Varel Brigitte
Enfant du Trieves (l')

Victor Barbara
Coriandre

Westin Jane
Amour et gloire

Wilde Jennifer
Secrets de femme

Wood Barbara
African Lady
Australian Lady
Séléné
Vierges du paradis (les)

JULIETTE BENZONI

JEAN DE LA NUIT

Dans le Paris incertain et troublé de Charles X, un scandale éclate à la fin de l'année 1827. Ayant surpris sa femme en compagnie galante lors d'une réception, le banquier Granier de Berny l'aurait tuée avant de se donner la mort.

Richesse, fortune, beauté, toutes les fées s'étaient penchées sur le berceau d'Hortense, leur fille unique, dont le destin semble désormais brisé. La fin tragique de ses parents est loin d'être éclaircie lorsqu'elle doit rejoindre, en Auvergne, le sombre château de son oncle le marquis de Lauzargues, pour y enterrer sa jeunesse. Sur le chemin du château, des profondeurs de la forêt, précédé d'une bande de loups menaçants, surgit un grand diable aux yeux bleus, Jean. "Jean de la Nuit", dont le premier regard transperce le cœur de l'orpheline.

JULIETTE BENZONI

HORTENSE AU POINT DU JOUR

Hortense de Lauzargues a fui la demeure féodale de ses pères, qui se dresse au-dessus des forêts d'Auvergne encore hantées par les loups. Derrière elle, elle laisse un amour impossible, né des sortilèges de ces contrées sauvages, celui de Jean de la Nuit, le meneur de loups.

Nous la retrouvons éprouvée, seule mais bien décidée à conquérir sa liberté, dans l'atmosphère fiévreuse de Paris, où les fêtes élégantes et frivoles du Palais-Royal font oublier l'absolutisme qui règne en cette année 1829. Elle y rencontre Félicia, son amie d'autrefois devenue comtesse Morosini, et entreprend de l'aider à sauver un frère injustement mis au secret par les services du tortueux Vidocq. Mais elle-même, au tournant de sa vie, découvrira-t-elle la vérité sur la mort tragique de ses parents ? Aura-t-elle, ensuite, le courage d'affronter une dernière fois Lauzargues, lieu à la fois béni et maudit de toutes ses angoisses et de ses désirs ?

JULIETTE BENZONI

FÉLICIA AU SOLEIL COUCHANT

Belle et riche héritière d'une famille de banquiers morts dans des circonstances mystérieuses, Hortense de Luzargues a su résister au désespoir qui l'attendait dans la demeure de son oncle et déjouer les manœuvres de ce châtelain féodal. Le destin a fini par la délivrer d'un mari épousé sous la contrainte alors que son cœur et ses sens appelaient Jean de la Nuit, le sauvage meneur de loups rencontré dans les environs de Lauzargues. Fuyant une province hostile, elle a retrouvé son rang dans le Paris tumultueux et révolutionnaire de 1830, lutté pour protéger son enfant et même, aux côtés de sa vieille amie Félicia, comtesse de Morosini, défié le pouvoir.

Au moment où s'ouvre le troisième volet de ses aventures, le destin d'Hortense semble menacé de toute part. Est-ce la fin d'un rêve ? Le dernier acte avant la conquête du bonheur ?

JULIETTE BENZONI

FIORA ET LE TÉMÉRAIRE

Décidée de mener à bien la tâche qu'elle s'est assignée – venger sa mère Marie de Brévailles, jadis exécutée pour inceste et adultère –, Fiora a quitté la Florence des Médicis et fait route vers la Bourgogne du Téméraire. Elle a juré d'abattre les trois responsables du drame : l'époux "bafoué" de Marie, le père de celle-ci et le duc de Bourgogne Charles le Téméraire. Une entreprise périlleuse. Mais à cœur vaillant rien d'impossible !

Pour assouvir cette vengeance, tous les moyens seront bons. La jeune femme "forgée au fer du malheur" n'hésitera pas à s'engager au service de Louis XI et à jouer les courtisanes ou à poursuivre le Téméraire dans ses pérégrinations et ses combats jusqu'à sa chute devant Nancy... Rien ni personne ne saurait arrêter Fiora. Mais existe-t-il un être capable de lui rendre la paix et le bonheur ?

JULIETTE BENZONI

FIORA ET LE MAGNIFIQUE

Bourgogne, an 1457. De passage à Dijon, Francesco Bettrami, riche marchand florentin, assiste à l'exécution de deux jeunes amants accusés d'inceste. Bouleversé, Beltrami sauve l'enfant de ces amours illégitimes : Fiora.

La jeune fille, d'une inoubliable beauté, connaîtra, dans la Florence de Laurent de Médicis, la douceur de la vie de palais mais aussi les tourments de nouvelles aventures.

Mariée pour un seul jour à un mystérieux chasseur de dot, livrée aux grands inquisiteurs, reléguée dans une maison de passe, Fiora pourra-t-elle triompher de tant d'adversité ?